Даниэла СТИЛ

Горький мед

РОМАН

МОСКВА
ИЗДАТЕЛЬ...

УДК 820(73)
ББК 84(7США)
С 80

Danielle STEEL
BITTERSWEET

Перевод с английского *В. Гришечкина*

Разработка серийного оформления
художника *М. Левыкина*

Серия основана в 1999 году

Стил Д.
С 80   Горький мед: Роман / Пер. с англ. В Гришечкина.—
М.: ЗАО Изд-во ЭКСМО-Пресс, 1999. — 432 с. (Серия «Моя
любовь»).

ISBN 5-04-003697-3

В прошлом известная фотожурналистка, а сейчас мать четверых
детей Глэдис Уильямс мечтает вернуться к любимой работе, однако муж
категорически против ее планов. Глэдис в растерянности — ее семейная
жизнь рушится! И в этот отчаянный момент она знакомится с миллио-
нером Полом Уордом, недавно похоронившим любимую жену. И
бурный роман продолжается неделю, а затем Пол, мучимый воспо-
наниями о безвозвратно ушедшем счастье, расстается с Глэдис
лось, им больше не суждено быть вместе... но судьба рассуди

Посвящается Тому с благодарностью
за все сладкое и горькое.
С любовью.
Д. С.

Никогда не отказывайтесь от своей мечты. Где-нибудь, когда-нибудь, как-нибудь вы ее найдете...

ЧАСТЬ I

ГЛАВА 1

Когда-то этот объектив видел гватемальских повстанцев и извержение вулкана, чудовищной силы наводнение и захватывающие события в джунглях Кении. Ох, это было блестящее время! Восторг, волнение и то редкостное состояние, когда в момент нажатия кнопки затвора чувствуешь — удача, удача! Вновь ее пестрые крылья шелестят над твоей головой, Глэдис Уильямс. Глэдис Тейлор, почтенную замужнюю даму и мать четырех детей, это чувство давно не посещало. О, конечно, талант ее остался при ней, но теперь лучший объектив Америки был нацелен на группу девятилетних мальчишек, которые толпой гонялись за футбольным мячом по лужайке стадиона. Вот наконец и настоящая куча мала — руки, ноги, головы — фантастика, но все целы и невредимы. Глэдис знала, что где-то там, в самом низу, находится ее младший сын Сэм. На всякий случай она щелкнула затвором и быстро

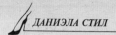

переменила кассету. Она обещала сыну классные фотографии и теперь вовсю тратила пленку. Слава богу, профессию она знала не понаслышке. Чтобы получить один удачный кадр, изведешь порой мили пленки. Но уж и результаты у Глэдис были таковы, что жалеть о потерянном времени не приходилось. Она была рада возможности провести сегодняшний теплый майский вечер в одном из парков Уэстпорта, наблюдая за азартной игрой мальчишек, среди которых был и ее Сэм, и вдобавок заняться любимым делом.

Да, теперь у Глэдис было четверо детей в возрасте от девяти до четырнадцати лет, и, значит, она жила в мире забот, сопутствующих такому положению вещей. Футбол, бейсбол, плавание и теннис, балетные классы дочерей и, стало быть, бесконечные поездки с детьми на автомобиле туда и оттуда, и еще раз туда. Если учесть еще всю необходимую детям медицину, получалась жизнь на колесах. Правда, возили детей везде по очереди, договариваясь с соседями, создав так называемый автопул, но все равно однообразие такой жизни не то чтобы утомляло, но вселяло в душу безразличие и апатию.

Но упаси вас бог подумать плохо: Глэдис Тейлор любила своих детей и мужа и почти не тяготилась положением домашней хозяйки. Правда, в ранней молодости она вряд ли представляла себе, что судьба ее сложится именно так. То, о чем они с Дугласом когда-то мечтали, так и не сбылось. С возрастом обоим стало понятно, что это были просто красивые, романтические сказки, не имеющие никакого или почти никакого отношения к реальности. Зато теперь они твердо знали свое место в этой жизни. Все, о чем они думали и на что надеялись, когда двадцать лет назад впервые встретились в Коста-Рике, в американском Корпусе мира, осталось далеко в прошлом.

Лишь изредка Глэдис приходило в голову, что жизнь, которую она вела, стала такой только потому, что этого хотел Дуг. Он всегда умел добиваться своего. Грех жаловаться, на семнадцатом году супружества у них был большой дом в Уэстпорте, солидная страховка, счет в банке, четверо детей и лабрадор-ретривер. И ничего иного Дуг не желал. Каждое утро, в одно и то же время, он ехал на службу в Нью-Йорк, встречался там с одними и теми же людьми, работал с одними и теми же бумагами и чувствовал себя превосходно. Зарабатывал Дуг вполне прилично — он был старшим клерком в крупной маркетинговой фирме, и Глэдис могла позволить себе не думать о деньгах. Впрочем, они никогда не занимали ее мыслей. У нее были другие предметы страсти.

Те далекие дни в Корпусе мира Глэдис всегда вспоминала с легким чувством ностальгии, и вовсе не потому, что тогда она была моложе. Просто ей нравились трудности, а особенно сознание того, что она делает что-то полезное, что может принести человечеству пользу. И опасности, с которыми ей тоже приходилось сталкиваться, только подогревали ее пыл.

Фотографировать Глэдис начала рано — где-то на грани юности и детства. Обращаться с камерой научил ее отец, который работал специальным корреспондентом «Нью-Йорк таймс». К сожалению, видеться им приходилось достаточно редко, поскольку бо́льшую часть времени Джек Уильямс проводил вдали от дома, выполняя то или иное рискованное задание редакции. Глэдис безумно нравились отцовские фотографии, а еще больше истории, которые он рассказывал. Она грезила о немыслимых приключениях, но ее мечтам суждено было сбыться только после того, как Глэдис вступила добровольцем в Корпус мира и стала посылать свои снимки в газеты.

Ей удалось создать себе имя. Газеты сами стали поручать ей важные задания. Выполняя их, Глэдис сталкивалась то с бандитами, то с партизанами, которые почти ничем не отличались друг от друга, но она не за-

думывалась о степени риска. Глэдис наслаждалась тем особым чувством края бездны, так хорошо знакомым гонщикам, канатоходцам или серфингистам. Впрочем, и специально под пули она никогда не лезла. Глэдис завораживала смена лиц и мест, пестрая сумятица вечной новизны, когда ничего не усиливает радость. Работа приносила ей подлинную, ни с чем не сравнимую радость и ощущение неограниченной свободы.

Должно быть, именно поэтому — даже после того, как истек срок контракта с Корпусом мира и Дуг вернулся в Штаты, — Глэдис осталась в Центральной Америке. Она провела там еще несколько месяцев и подготовила несколько блестящих фоторепортажей. Потом за какой-нибудь год с небольшим она ухитрилась побывать чуть ли не во всех «горячих точках» планеты. Глэдис снимала, снимала, снимала. Должно быть, это было у нее в крови, в сердце, в душе, и противостоять этому тройному зову Глэдис не могла.

Дуглас был совсем другим. Он не бежал от опасности, но для него поездки Глэдис были просто приключением, то есть годились только в бурной молодости. Все мы отдаем дань сумасбродствам. Дуг стремился к тому, что он называл «реальной жизнью». Даже работу в миссии Корпуса мира он считал лишь этапом на пути к настоящему и гораздо более важному делу.

Для Глэдис реальной жизнью была фотография.

Карьера ее продолжала идти в гору. Она прожила два месяца в лагере гватемальских инсургентов и вернулась в Штаты с потрясающими фотографиями. Так пришло международное признание. Впервые в жизни Глэдис даже получила несколько премий и призов, в том числе приз за мастерство, за художественность и за личное мужество.

Впоследствии, оглядываясь на те беспокойные годы, Глэдис думала, что тогда она была совсем другой. Удивительно, что делают с человеком обстоятельства. Куда девалась та женщина — бесстрашная и неистовая, чей свободный дух и страстность проявлялись в любом деле? Ну да ведь и жизнь ее стала теперь совершенно иной. Но у Глэдис не было ни малейшего сомнения, что вот эта ее жизнь с Дугом и есть то самое, о чем любая женщина может только мечтать. Все, что она делала для него и для детей, было не менее важным, чем все фоторепортажи и серии снимков, которые она привозила из Анголы, Коста-Рики, Непала и Камбоджи. Талант, принесенный в жертву? Нет, нет и еще раз нет! Она не бросала и не предавала своих достижений — просто она обменяла это на что-то совершенно другое. Любовь мужа — разве этого не достаточно?

Да, Глэдис пережила когда-то эти волнующие моменты, но она сумела преодолеть свою зависимость от них. Это ведь сродни привычке наркомана к сильнодействующему наркотику. Такое пристрастие она, несомненно, унаследовала от отца, который погиб в Дананге, когда ей было пятнадцать — через год после того, как получил Пулитцеровскую премию за серию вьетнамских репортажей. Возможно, именно это и определило ее будущее на ближайшие несколько лет, ибо Глэдис просто не могла не пойти по стопам отца. Тогда это было главным. Перемены в ее жизни наступили позже, гораздо позже.

В Нью-Йорк Глэдис вернулась, проработав полтора года в разных «горячих точках» и объехав буквально весь мир. И тут же получила от Дугласа форменный ультиматум. Он заявил, что если она действительно хочет связать с ним свою жизнь, пора перестать «подставлять свою голову под пули» в джунглях Кении или в горах Пакистана. Жить и работать они будут в Нью-Йорке.

Решиться на это Глэдис было непросто. Кочевая, неустроенная жизнь фотокорреспондента была для нее единственной приемлемой формой бытия. К тому же — втайне ото всех — Глэдис мечтала о том, что когда-нибудь она тоже получит Пулитцеровскую премию. Но, с другой стороны, во многом Дуглас был прав. Карьера фотографа разрушила семейную жизнь ее отца и в конце концов стоила ему жизни. Ради удачного снимка он готов был лезть к черту на рога. За пределами его работы для Джека Уильямса не существовало ничего или почти ничего. В сущности, Дуглас просто напоминал Глэдис о том, что если он все еще ей нужен, то она должна, в конце концов, выбрать между ним и фотографией, между нормальной жизнью и бесконечными скитаниями. Вот и все.

В двадцать шесть лет Глэдис вышла за Дуга замуж и еще два года работала на «Нью-Йорк таймс», делая обозрения и репортажи на местном материале. Дуглас не считал семью без детей полноценной, а Глэдис очень любила Дуга. Родилась Джессика. Глэдис оставила работу в газете и переехала с дочерью и мужем в Коннектикут, окончательно порвав с прежней жизнью.

Это было что-то вроде сделки — сделки, на которую Глэдис согласилась добровольно. Когда они поженились, Дуг поставил условие: как только появятся дети, она должна будет оставить карьеру фотографа. И Глэдис не возражала. Тогда ей казалось, что к этому времени она будет готова изменить свой образ жизни и превратиться в солидную даму. Все вышло не совсем так, но в то время ей просто некогда стало думать. Заботы о дочери отнимали у нее почти все свободное время. Глэдис еще продолжала тосковать по своей работе в «Нью-Йорк таймс», пусть она и не шла ни в какое сравнение с прежней разъездной жизнью.

Но дальше... дальше в течение пяти лет Глэдис родила четверых детей, и забот у нее стало столько, что некогда было перевести дух. Какая там, к черту, фотография. Пеленки, кормления, первые зубки, больные уши, ясли и беспрерывные беременности — ничто другое не тревожило ее мысли. Акушерка и педиатр стали для нее едва ли не самыми близкими людьми, во всяком случае, встречалась она с ними гораздо чаще, чем с кем-либо еще. Несколько позднее она включала в круг общения других женщин, чьи жизни вращались исключительно вокруг детей. Многие из них тоже когда-то оставили многообещающую карьеру или интересную работу, посвятив все свое время детям, и теперь терпеливо ждали, пока их отпрыски немного подрастут, чтобы вернуться к своим прежним занятиям. Мало кто среди этих приятельниц мог выкроить хотя бы несколько часов в день, чтобы отдаться любимому занятию. Некоторые частенько сетовали, что время уходит чуть ли не зря, но Глэдис никогда не жаловалась. Она, конечно, скучала и была бы рада даже обычным пейзажным съемкам, но решение было принято и надо его выполнять. Глэдис обладала достаточно твердым характером, чтобы не бросать обещаний на ветер. Да и, честно говоря, Глэдис любила возиться с детьми, хотя к вечеру она обычно чувствовала себя выжатой, как лимон. Все-таки четверо за пять лет — это не шутки. Особенно тяжело приходилось, когда она в очередной раз оказывалась в положении.

Но она сама выбрала это. Чего Глэдис не понимала, принимая столь важные решения, так это того, как далеко от прежней жизни уведет ее рождение Джессики. Материнство было для нее понятием довольно отвлеченным, поэтому она просто не представляла себе, насколько сильно все изменится. А когда она очнулась, скинув бремя бесконечных прогулок, купаний, кормлений и ночных бдений у очередной кроватки, то оказалось, что серьезные изменения произошли в ней самой. Сейчас Глэдис сама не захотела бы каждый день оставлять детей, чтобы отправляться на работу. Правда, время от времени — не чаще, чем один или два раза в год — она все же делала кое-какие репортажи по заказам местных или нью-йоркских газет, однако эти съемки не были связаны ни с опасностью, ни с дальними, длительными командировками. Оставить

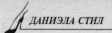

семью даже на неделю — нет, на день, даже на несколько часов! — Глэдис не могла физически. Так она и объяснила своему агенту, который продолжал обращаться к ней с самыми лестными предложениями. (В его списке клиентов Глэдис была звездой чуть не самой первой величины.)

В конечном итоге Глэдис приспособила любимое дело к своей новой профессии матери, снимая детей и создавая своеобразную фотолетопись семьи. Иного способа не забыть, где у фотоаппарата объектив, для Глэдис просто не существовало. Порой она чувствовала себя скованной по рукам и ногам узницей, запертой в какой-то невидимой, но очень прочной клетке, прутьями которой служили ее ежедневные рутинные обязанности, сами по себе незначительные, но требующие времени и усилий. И все же Глэдис не протестовала, потому что разве не об этом они когда-то договаривались с Дугласом? Но куда бы она ни шла, куда бы ни ехала, фотоаппарат постоянно был у нее в руке, висел через плечо или, в крайнем случае, лежал рядом на сиденье машины. Без него Глэдис чувствовала себя так, словно у нее поехал чулок или потекла тушь.

Иногда она позволяла себе помечтать о том, что когда-нибудь, когда дети вырастут, она сможет вернуться к профессиональным съемкам, но никаких конкретных сроков Глэдис не ставила. Быть может, рассуждала она, лет через пять, когда Сэм уже будет в старших классах, тогда... Пока же это было совершенно невозможно. Сэму только-только исполнилось девять, Эйми — одиннадцать, Джейсону двенадцать, и Джессике — четырнадцать. И Глэдис металась между ними как угорелая.

Единственной возможностью немного перевести дух были для Глэдис поездки на мыс Код, где они каждый год проводили летние каникулы. Это время она считала едва ли не самым беззаботным в году. Именно на побережье Глэдис сделала свои самые лучшие детские фотографии, а благодаря тому, что дети целыми днями пропадали у моря, у нее появлялись свободные часы. В коттедже, который они снимали на протяжении нескольких лет, Глэдис оборудовала небольшую фотолабораторию. И, блаженствуя, проявляла там только что отснятые пленки или печатала снимки. Кроме того, на даче — коттедж на мысе Код они в шутку называли «дачей» и считали почти своим — Глэдис очень редко садилась за руль, поскольку в большинство мест здесь можно было попасть пешком или на велосипеде. Даже младшего Сэма Глэдис не боялась отпускать на велосипедные прогулки, поскольку курорт слыл местом тихим и безопасным, да и Сэм уже не требовал постоянного присмотра.

Дети потихоньку росли, и, глядя на них, Глэдис чувствовала, как сердце ее сжимается от радости и гордости. Но вот насколько выросла за это время она сама? Частенько Глэдис жалела о книгах, которые не прочла за недостатком времени, и смущалась, когда при ней обсуждали какое-то политическое событие, а она о нем понятия не имела (к политике Глэдис уже давно утратила всякий интерес). Порой у нее появлялось такое ощущение, будто весь мир продолжает идти куда-то, в то время как она остается на месте. Жизнь ее практически не менялась с тех пор, как у нее родилась Джессика. Эти четырнадцать лет были долгими и трудными, состоящими из жертв, компромиссов и постоянного душевного напряжения, зато результат... Результат тоже получился зримым, осязаемым, реальным, и у Глэдис были все основания гордиться собой. Ее дети были здоровы и довольны. Они росли в уютном, маленьком мире, окруженные любовью и заботой. Им ни разу не угрожала никакая серьезная беда, и даже обычные мелкие неприятности были в их жизни большой редкостью. Самым страшным, что могло с ними случиться, была ссора с соседским ребенком, выволочка за потерянную домашнюю работу, расцара-

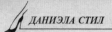

панное колено или разбитый нос. А главное — и это было большой заслугой Глэдис, — ни один из ее четырех детей понятия не имел о том, что такое одиночество. Что бы ни случилось, каждый из них непременно получал свою порцию утешений, ласки или строгих родительских внушений. Дуг каждый день возвращался домой, и это поддерживало создавшуюся в доме атмосферу стабильности и уверенности в завтрашнем дне. Именно этого когда-то очень недоставало самой Глэдис. Отец ее постоянно находился в разъездах и возвращался домой редко и ненадолго.

Вот такие мысли проносились в голове Глэдис. А между тем Сэм, выбравшись из кучи малы, ринулся к воротам соперника и забил эффектный гол. Она едва успела дважды нажать на затвор. Сын исчез, скрытый спинами товарищей, которые со всех сторон обступили его, поздравляя с удачей.

Невольно улыбнувшись, Глэдис еще раз нажала на кнопку спуска и отошла к скамьям, где, оживленно переговариваясь, расположились еще несколько матерей. Никто из них не следил за игрой — все были слишком увлечены беседой. И ничего удивительного в этом не было: спортивные состязания давно уже не были им в новинку, поэтому они не уделяли особого внимания тому, что происходило на поле. Они просто были рядом, составляя такую же неотъемлемую принадлежность стадиона, как скамьи, на которых они сидели.

Когда Глэдис подошла, одна из женщин, увидев ее, повернулась, освобождая место. Это была довольно близкая подруга Глэдис по имени Мэйбл Джонс. В руке у Мэйбл был картонный стаканчик с кофе. День выдался теплым, однако Глэдис нисколько не удивилась, увидев пар над стаканчиком. Мэйбл признавала только очень горячий кофе — и зимой, когда, гуляя с детьми, им приходилось притопывать ногами, чтобы не замерзнуть, и в самую жаркую летнюю пору.

— Еще три недели, и школе конец. По крайней мере — на этот год, — промолвила Мэйбл, делая большой глоток капуччино. — Как же я ненавижу эти мужские игры на свежем воздухе! Почему бог не послал мне девочек? Хотя бы одну девочку. Эти бутсы, гетры и щитки в конце концов сведут меня с ума!

Глэдис улыбнулась. Жалобы Мэйбл — дело привычное. У ее подруги было трое детей. Двое близнецов — ровесники Сэма, и в последние девять лет Мэйбл только и делала, что сетовала на свою судьбу. Ей пришлось оставить работу адвоката по гражданским делам.

— Поверь мне, лучше футбол, чем балет, — со знанием дела сказала Глэдис. Как раз этой весной ее Джессика бросила балетную школу, в которой занималась с шести лет, и Глэдис все еще не знала, радоваться этому или огорчаться. Она чувствовала, что ей еще долго будет не хватать репетиций и концертов, но возить дочку трижды в неделю в балетный класс тяжеловато. Впрочем, теперь Джессика увлеклась теннисом и тренировалась с завидным рвением. Надо сказать, Глэдис только выиграла от этого. На корты Джессика ездила на велосипеде, благо они находились совсем недалеко от дома.

— По крайней мере, для того, чтобы заниматься футболом, не надо постоянно мотаться в Нью-Йорк, — пояснила Глэдис свою точку зрения.

— Зато балетные тапочки и пачки выглядят гораздо эстетичнее, чем залепленные грязью шорты и раздрызганные бутсы, — с усмешкой ответила Мэйбл и встала, увидев, что Глэдис и не думает садиться. — Пойдем пройдемся немного.

Глэдис кивнула. Они с Мэйбл подружились, еще когда семья Тейлоров была ровно вдвое меньше, чем сейчас, и только-только переехала в Уэстпорт из Нью-Йорка. Мэйбл тогда тоже только что родила (ее старшему сыну, как и Джессике, было четырнадцать), и молодые матери легко сошлись на этой почве. Правда,

Мэйбл попыталась вернуться к своей работе, но пять лет спустя она родила двойню, и пришлось полностью посвятить себя домашним заботам. Теперь Мэйбл была уверена, что не сможет работать даже простым нотариусом. С тех пор когда она в последний раз открывала справочники по гражданским делам, прошла «чертова уйма лет». Мэйбл была на пять лет старше Глэдис, вот-вот сорок девять, и начинать все с самого начала ей было бы очень и очень трудно. Впрочем, сама Мэйбл не раз заявляла, что не желает «на старости лет» проводить все свободное время в зале судебных заседаний. Единственное, чего ей по-настоящему не хватает, это «умного разговора». В минуту откровенности она как-то призналась Глэдис, что ее положение отнюдь ее не угнетает. Гораздо удобнее не работать, благо заботы о благосостоянии семьи она свободно могла переложить на плечи мужа, зарабатывавшего неплохие деньги в ежедневных финансовых битвах на Уолл-стрит. И все бы хорошо, но Мэйбл постоянно сжигало изнутри какое-то внутреннее беспокойство, природу которого Глэдис было трудно объяснить.

— Ну что, Глэд? — приветливо спросила Мэйбл, на ходу допивая свой кофе и бросая стаканчик в урну. — Как тебе живется в твоем материнском раю?

— Как обычно. — Глэдис слегка пожала плечами. — Дел по горло.

Они медленно шагали по дорожке вдоль края футбольного поля, и Глэдис, не перестававшая следить за игрой, вдруг остановилась, чтобы сделать еще один снимок. Сэм забил второй гол, но лицо у него было недовольным — его команда проигрывала. Глэдис решила, что этот снимок вряд ли понравится сыну. «Что ж, такова неприкрашенная правда жизни, — подумала она. — Проигрывать тоже надо уметь!»

— Вот закончатся занятия, — продолжила она, опуская фотоаппарат, — и мы все поедем на мыс Код.

Кроме Дуга — у него, как всегда, дела, и он присоединится к нам позже.

— А мы, наверное, поедем в июле в Европу, — сообщила Мэйбл, и на мгновение Глэдис испытала приступ зависти, хотя в голосе подруги не прозвучало ничего похожего на воодушевление. Глэдис давно пыталась уговорить мужа совершить путешествие в Старый Свет, однако он неизменно отвечал, что хочет подождать, пока дети станут немного постарше. Все они скоро отправятся в колледж, говорила ему в таких случаях Глэдис, и нам придется ехать одним. Ей так и не удалось убедить Дугласа. За прошедшие семнадцать лет он сделался настоящим домоседом и не любил уезжать куда-то далеко от дома. Те дни, когда его привлекала романтика палаточных городков, давно миновали.

— Звучит неплохо, — сказала Глэдис, поворачиваясь к Мэйбл.

Две женщины представляли собой резкий контраст. Мэйбл была миниатюрной, очень подвижной, с короткими черными волосами и глазами цвета шоколада. Глэдис, напротив, была высокой, стройной и гибкой, с классическими чертами лица, глазами темно-голубого цвета и длинными золотистыми волосами, которые были заплетены в толстую косу. (Глэдис часто шутила, что и не расплетает ее никогда, некогда расчесывать свою гриву.) Обе были очень красивыми женщинами, и ни одна из них не выглядела даже на сорок.

— А куда именно вы собираетесь ехать? — уточнила Глэдис, не скрывая своего интереса.

— В Италию и Францию. Может быть, заглянем на пару деньков в Лондон... — Мэйбл вздохнула. — Скучноватая программа, но ничего не поделаешь: когда путешествуешь с детьми, волей-неволей приходится придерживаться традиционных маршрутов. Кроме того, Джеффу нравятся лондонские театры. — Она немного помолчала, потом добавила: — Мы уже сняли домик в

Провансе — там проведем две недели, а потом — на машине в Венецию.

Глэдис снова вздохнула. Ей это путешествие вовсе не казалось скучным. Во всяком случае, оно было намного интереснее жизни на мысе Код, весьма бедной событиями. Но, как справедливо заметила Мэйбл, дети не оставляли никакой свободы выбора.

— Мы проведем в Европе полтора месяца, — продолжала Мэйбл. — Впрочем, не знаю, сумеем ли мы с Джеффом выносить общество друг друга так долго, не говоря уже о мальчиках. Стоит ему остаться с близнецами хотя бы на десять минут, как он начинает звереть!

Мэйбл всегда говорила о муже в таком тоне, как говорят о надоевшем соседе по комнате в общежитии, каждое движение, слово или поступок которого безмерно раздражают. Но все же Глэдис была уверена, на самом деле Мэйбл любит Джеффа.

— Я уверена, что все вы получите настоящее удовольствие. В Европе есть много такого, что следует увидеть хотя бы раз в жизни, — сказала Глэдис, хотя и понимала, что находиться долгое время в одной машине с двумя девятилетними близнецами и четырнадцатилетним подростком было бы нелегко даже ей.

Мэйбл фыркнула:

— Не сомневаюсь, только мне это уже не интересно. Конечно, в Венеции я могла бы познакомиться с красавцем-гондольером, который пригласил бы меня на ночную прогулку по каналам, но разве это возможно, когда у тебя на шее — трое детей и муж. Он, кстати, все время требует, чтобы я ему переводила! Иногда мне кажется, что Джефф не пропускает ни одного объявления, ни одной похабной надписи на стене — все-то ему надо знать!

Услышав эти слова, Глэдис невольно рассмеялась, но тут же спохватилась и даже покачала головой. Мэйбл любила поговорить о мужчинах, но это еще полбеды.

Глэдис знала, что у Мэйбл было несколько далеко не платонических романов. Мэйбл сама рассказывала об этом Глэдис в минуты откровенности, и, говоря по совести, Глэдис не знала толком, как тут реагировать. А заявление Мэйбл, что эти интрижки, как ни странно, укрепили ее брак с Джеффом, повергли Глэдис в настоящее недоумение. Она не понимала, как измена может сделать отношения между супругами более доверительными. Впрочем, ее к подобным эскападам не тянуло; вряд ли Глэдис решилась бы на что-то подобное, даже если бы почувствовала, что их с Дугласом брак дал трещину. Но и легкомыслие Мэйбл она осуждать не могла.

— Может быть, Италия настроит твоего Джеффа на романтический лад, — заметила она, вешая фотоаппарат на плечо, поглядывая с высоты своего роста на маленькую, энергичную, напористую Мэйбл. Именно благодаря своему бурному темпераменту она когда-то блистательно выступала на судебных заседаниях. Глэдис никогда этого не видела, но очень хорошо себе представляла, что творилось в зале суда, когда Мэйбл получала слово. Наверное, она начинала рассыпа́ть искры вокруг себя. Обмануть или ввести ее в заблуждение с помощью полуправды было нелегко даже ее мужу. Она умела быть верной подругой тем, кто относился к ней серьезно и искренне, и, несмотря на все свои жалобы, оставалась заботливой и преданной матерью.

— Даже переливание крови от венецианского гондольера не способно сделать Джеффа Джонса романтиком, — отрезала Мэйбл. — К тому же дети будут с нами все двадцать четыре часа в сутки, так что особенно не разгуляешься. Кстати, ты слышала, что Льюисоны разводятся?

Глэдис кивнула. Обычно она не придавала особого значения сплетням и слухам. Подробности жизни случайных знакомых занимали ее мало.

— Так вот, Дэн пригласил меня на обед! — с плохо скрываемым торжеством заявила Мэйбл, и Глэдис пристально на нее посмотрела.

— Правда? — спросила она, лукаво улыбаясь.

— И нечего на меня так смотреть! — ответила Мэйбл, притворяясь сердитой. — Ему нужно плечо, чтобы выплакаться всласть, к тому же я ведь юрист. Думаю, Дэн не прочь получить от меня пару бесплатных советов.

— Расскажи это кому-нибудь другому, — сказала Глэдис. Все же она была совсем не глупа и кое-что понимала в том, как устроены мужчины. — Уж я-то знаю, что ты всегда нравилась Дэну.

— И он мне тоже нравится, так что с того? Я подыхаю со скуки, а он, бедняжка, ужасно страдает... Ведь его бросили, предали, фактически выставили из дома! К тому же совместный обед — это такая мелочь. Не ложусь же я с ним в постель! Поверь, слушать, как мужик жалуется на то, что жена его оскорбляет и обманывает, вовсе не так увлекательно. Во всяком случае, меня это не возбуждает. А сейчас Дэн ни на что большее просто не способен. Из достоверных источников я узнала, что он все еще надеется помириться со своей Розали. Я слишком себя уважаю, чтобы служить для кого-то запасным аэродромом.

Но Глэдис, внимательно наблюдавшая за Мэйбл, заметила, что ее подруга оживлена больше обычного, словно вопреки своим собственным словам надеялась закончить обед с Дэном в каком-нибудь мотеле. Если верить Мэйбл, то собственный муж уже давно перестал ее интересовать. Глэдис не очень этому удивлялась. Джефф Джонс, несмотря на свои пятьдесят с лишним лет, был все еще хорош собой, не обладал удивительной способностью распространять вокруг себя скуку. Но Дэн Льюисон?! Нет, это было ей непонятно. Глэдис подумала, что так и не знает, какие мужчины нравятся Мэйбл.

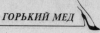

— Чего же ты хочешь? — спросила она напрямик. — Зачем тебе другой мужчина, пусть даже ты собираешься с ним *только пообедать? Что тебе это даст?*

Она и в самом деле не понимала. У них у обеих были мужья, дети, жизнь, заполненная до предела. Им не грозила праздность — мать всех пороков. И все же Глэдис часто казалось, что в отличие от нее Мэйбл постоянно находится в поиске, постоянно стремится к чему-то неуловимому и неосязаемо призрачному.

— Почему я не могу пообедать с Дэном? По крайней мере, это придаст моей жизни некоторую остроту. Даже если этот обед будет иметь, гм-м... продолжение, то мир от этого не рухнет. Все останется как было, и только я буду чувствовать себя иначе. Глэд, я снова после таких историй чувствую себя молодой. Разве ты никогда не скучаешь о своей молодости?

Она повернулась к Глэдис и впилась в ее лицо таким пристальным взглядом, словно перед ней был адвокат противной стороны.

— Не знаю, — честно ответила Глэдис. — Я об этом как-то не думала.

— А следовало бы, — назидательно сказала Мэйбл. — Иначе в один прекрасный день ты сядешь где-нибудь в уголке и задашь себе слишком много вопросов насчет того, кем ты стала, что потеряла и чего не сделала.

Может быть, и так, мысленно согласилась Глэдис. И все же обманывать мужа она не собиралась. Даже для того, чтобы на несколько часов вернуться в молодость.

— Ну, скажи честно, — продолжала допытываться Мэйбл, — неужели ты никогда не скучаешь по той жизни, что была до замужества?

Глэдис снова посмотрела на подругу и наткнулась на ее прямой, ищущий взгляд, требовавший полной откровенности.

— Наверное... — промолвила она, несколько растерявшись. Право же, не было времени думать об этом. —

Быть может, мне действительно немного жаль той жизни. Мы с Дугом работали в Коста-Рике и Боливии. Потом я путешествовала по Африке и Азии уже одна. Иногда мне становится не по себе оттого, что я не могу, как прежде, взять фотоаппарат под мышку и отправиться куда-нибудь в джунгли, чтобы снимать, снимать, снимать... Когда-то это так много значило для меня. Неудивительно, что мне теперь этого порой не хватает. Но я нисколько не жалею о мужчинах, которых мне приходилось встречать, — закончила она твердо.

«Покуда Дуг способен ценить, от чего я ради него отказалась...» — мысленно добавила Глэдис.

Мэйбл вздохнула.

— Тогда ты — настоящая счастливица, — сказала она, глядя в пространство, и в глазах ее промелькнуло выражение какой-то непонятной тоски. Впрочем, Мэйбл тут же спохватилась и снова стала прежней — энергичной, напористой и живой Мэйбл. — Кстати, давно хотела тебя спросить, когда ты собираешься вернуться к своей работе? С твоим послужным списком и потрясающими способностями ты могла бы сделать это хоть завтра! Фотоаппарат у тебя есть, чего же еще надо? Ведь фотография — это не юриспруденция, где приходится начинать все с самого начала. Чего ты ждешь?!

— Все не так просто, — ответила Глэдис, качая головой. Она-то хорошо помнила, какая жизнь была у ее матери, которой приходилось подолгу ждать возвращения мужа из какой-нибудь рискованной поездки. Профессия фоторепортера была гораздо труднее и опаснее, чем казалось Мэйбл. Для того чтобы вернуться к ней, Глэдис пришлось бы дорого заплатить — заплатить всем, что у нее было.

— Конечно, — продолжила она, — я могла бы позвонить своему агенту и попросить его забронировать мне место в самолете, который завтра утром вылетает в Боснию. Он будет вне себя от счастья. Но что скажет Дуг?! И дети? Не думаю, чтобы им это понравилось.

При мысли о том, какое лицо будет у Дугласа, когда он найдет на ночном столике записку с объяснениями, куда и зачем она отправилась, Глэдис едва не расхохоталась. Нет, все в прошлом. «Леди Золотой Объектив» больше нет. Кроме того, в отличие от подруги Глэдис не чувствовала никакой необходимости бороться за свою личную свободу и независимость, и уж тем более — бросать ради этого семью. Она любила мужа, любила детей, и они тоже любили ее. Зачем ей что-то кому-то доказывать?

— Когда ты превратишься в желчную, вечно ворчащую старуху, им это понравится еще меньше, — возразила Мэйбл, и Глэдис вопросительно посмотрела на нее.

— Я?! Я стану ворчливой брюзгой? С чего бы это? — удивилась она. Она никогда не чувствовала себя по-настоящему недовольной своей теперешней жизнью. Она твердо знала, что ее дети не будут оставаться детьми вечно. Она еще сможет вернуться к фотографии...

Если, конечно, Дуг ей позволит.

— Думаю, тебе просто надоест все до чертиков, — честно ответила Мэйбл. — Как подчас надоедает мне. Пока ты неплохо справляешься, но ты потеряла гораздо больше, чем я. Я ведь простая адвокатесса, да еще по гражданским делам. Ни особая известность, ни тем более слава, никогда мне не грозили. А ты — если бы не дети и не семья — уже давно получила бы Пулитцеровскую премию. Может быть, даже не одну.

— Вряд ли, — скромно сказала Глэдис. — Гораздо более вероятно, что я кончила бы, как мой отец. Ему было всего сорок два года, когда его подстрелил снайпер, а ведь он был гораздо опытнее меня. Опытнее и талантливее. Только благодаря этому он получил своего Пулитцера до того, как его убили. И вообще, фотография — это такое ремесло, которым нельзя споко-

но заниматься до глубокой старости. Все хорошие фотографы погибают молодыми или уходят.

— И все же некоторым удается добиться всего, — возразила Мэйбл. — Я согласна, что быть домашней хозяйкой гораздо безопаснее, чем разъезжать по джунглям с фотоаппаратом в руке. Но представь, что мы с тобой доживем до ста лет. Что, вот так до ста лет и возиться с кастрюльками, убирать, чистить, мыть? И кто вспомнит о нас, когда мы умрем? Только муж и дети!

— Может быть, этого достаточно, — негромко сказала Глэдис. Мэйбл задавала ей те самые вопросы, которые сама Глэдис не осмеливалась задавать себе, хотя ей не раз приходило в голову, что за четырнадцать лет она не сделала ничего по-настоящему сто́ящего. Глэдис даже пыталась поговорить об этом с Дугласом, но он ответил, что при одном воспоминании о том, каким опасностям они подвергались, когда были в Корпусе мира, у него до сих пор мороз по коже. Он не желает, чтобы его жена подставляла голову под пули.

— Разве моя работа может как-то изменить мир? — медленно сказала Глэдис. — По-моему, нет никакой особенной разницы, кто снимает голодающих в Эфиопии или раненых в Боснии. Большинству людей это безразлично. Зато то, что я делаю для семьи, не безразлично мне и моим детям. И иногда мне кажется, что это важнее, чем все премии в мире.

В эти минуты Глэдис сама верила в то, что говорила, но Мэйбл с сомнением покачала головой.

— Может быть — важнее, а может быть, и нет, — сказала она с неожиданной резкостью. — Ведь пока ты носишься с градусниками и варишь кашку на молоке, кто-то другой делает снимки, которые должна была сделать ты!

— Ну и пусть! — ответила Глэдис серьезно. — Мне не жалко. Еще не факт, что я сумела бы сделать эти фотографии лучше.

— Во-первых, сумела бы... А во-вторых, почему все

удовольствие должно доставаться другим? Ты что, хуже? Почему ты до скончания веков должна вытирать с пола разлитый яблочный сок, если с помощью своего фотоаппарата ты способна делать настоящие чудеса? Пусть домашней рутиной хотя бы для разнообразия займется кто-то другой. Какая, в конце концов, разница? Ведь сидеть за баранкой машины, загружать в мойку тарелки и разогревать полуфабрикаты в микроволновой печи можно научить даже медведя!

— Я думаю, разница есть, и в первую очередь она касается моих детей и моего мужа, — возразила Глэдис. — Что за жизнь у них будет, если я уеду куда-то за тридевять земель? Пусть даже им будет готовить самый лучший повар из самого лучшего ресторана, у них кусок не полезет в горло, если они будут знать, что, пока они ужинают, я лечу на легкой двухместной «вертушке» над бушующим океаном или лежу в грязи под обстрелом в какой-нибудь треклятой заварушке в Африке. В этом-то вся разница, Мэйбл, и согласись, что разница очень большая.

— Ну, не знаю... — Мэйбл с несчастным видом пожала плечами. — В последнее время я постоянно думаю о том, что́ со мной происходит, во что я превратилась и почему я обязана исполнять работу, которая ничего не дает ни уму, ни сердцу и давно мне надоела. Может, мне нужно просто ненадолго сменить обстановку, и все пройдет, а может... Может быть, я боюсь, что никогда уже не полюблю и никогда мое сердце не ухнет куда-то в пустоту и не начнет колотиться как сумасшедшее при виде мужчины, который сидит за столом напротив. Мысль о том, что еще бог знает сколько лет мы с Джеффом будем каждое утро смотреть друг на друга и думать про себя: «О'кей, он, конечно, не идеал, но раз уж мне досталось такое сокровище, придется терпеть», — буквально сводит меня с ума!

Для двадцати двух лет брака это был поистине печальный итог, и Глэдис почувствовала, как ее пронзила острая жалость.

— Брось, ты сама знаешь, что все не так уж плохо.

Глэдис искренне надеялась, что у подруги просто дурное настроение. Чего иногда не скажешь сгоряча. Было бы по-настоящему ужасно, если бы Мэйбл говорила правду.

— Конечно, мы еще не дошли до того, чтобы швырять друг в друга тарелками, но... — Мэйбл как-то подозрительно шмыгнула носом. — Бо́льшую часть времени все нормально — так нормально, что хоть вой от тоски! Если бы ты знала, какой Джефф скучный тип! И наша жизнь... она тоже скучная и серая, а через десяток лет, когда мне стукнет шестьдесят, она станет еще скучнее. Что мне тогда делать? Отравиться? Повеситься? Броситься с моста?

— Я думаю, что путешествие в Европу, которое вы задумали, поможет вам обоим, — дипломатично заметила Глэдис. — Ты сама только что говорила, что тебе нужно сменить обстановку.

В ответ Мэйбл только дернула плечом.

— Я в этом очень сомневаюсь, поскольку моя обстановка последует вслед за мной — ведь Джефф и мальчики все время будут рядом, и мне по-прежнему придется о них заботиться. Разве что готовить я не буду, да за рулем меня может сменить Джефф. В остальном же Италия мало чем отличается от нашего пригорода.

— Но, может быть, Джефф... — начала Глэдис, но Мэйбл перебила ее.

— Однажды мы уже ездили в Европу, и Джефф постоянно брюзжал, что французы не умеют водить, что итальянцы не желают ничего знать, кроме своих макарон, и что они загадили в Венеции все каналы. Особенно его раздражает, что там мало кто говорит по-английски и ему приходится объясняться знаками,

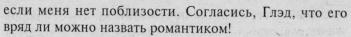

если меня нет поблизости. Согласись, Глэд, что его вряд ли можно назвать романтиком!

Глэдис знала, что двадцать два года назад Мэйбл вышла замуж за Джеффа, потому что была беременна, но ребенка она тогда потеряла и долго не могла забеременеть вновь. Семь лет она безуспешно пыталась завести ребенка. За это время Мэйбл сделала неплохую карьеру в своей адвокатской конторе. Но, добившись первого, она потеряла второе, потеряла, видимо, навсегда, так что по большому счету жизнь обошлась с ней гораздо круче, чем с Глэдис.

— Вероятно, — добавила Мэйбл задумчиво, — обедая с другими мужчинами и, гм-м... встречаясь с ними потом, я пытаюсь вернуть себе то, чего Джефф так и не смог мне дать. Мне почти пятьдесят, но я все ищу что-то, на что мой собственный муж оказался не способен.

Тут Глэдис подумала, что романы, которые Мэйбл заводила на стороне, лишь еще больше усиливали ее недовольство собственным положением. Иначе и быть не могло, если допустить, что Мэйбл ищет что-то не существующее на свете или заведомо не доступное ни ей, ни Джеффу. Ведь признаться себе, что определенная страница твоей жизни закрыта раз и навсегда, нелегко. Дуглас тоже давно не являлся к ней с корзиной роз, однако Глэдис не делала из этого трагедии. Она просто подходила к ситуации разумно и не ожидала от мужа подобных экстравагантных поступков, которые, строго говоря, никогда не были в его характере. Зато между ними было что-то другое, что порой согревало ей сердце сильнее, чем самые дорогие подарки.

— Может быть, никто из нас уже никогда не потеряет голову от любви, но это вовсе не значит, что жизнь кончена, — рассудительно сказала Глэдис, однако эти слова неожиданно привели Мэйбл в ярость.

— Чушь! — почти выкрикнула она. — Чушь и бред! Если бы я так считала, я бы, наверное, умерла. Почему, почему я не могу влюбиться? И почему никто не может влюбиться в меня? Потому, что мне пятьдесят? Потому, что у меня трое детей? Почему?! Право на любовь есть у женщины в любом возрасте. Знаешь, почему Розали ушла от Дэна Льюисона? Потому, что по уши влюблена в Гарольда Шлезингера. И он тоже без ума от нее и даже готов жениться на Розали. Именно поэтому Дэн так бесится.

Брови Глэдис от удивления поползли вверх.

— Ах вот, значит, почему Гарольд бросил свою жену! — вырвалось у нее, и Мэйбл утвердительно кивнула.

— Похоже, я действительно перестала замечать кое-что из того, что творится вокруг, — смущенно проговорила Глэдис. — И как это я не подумала, что...

— Все очень просто. Ты самая чистая и целомудренная из нас всех, — поддразнила ее Мэйбл. — Образцовая хозяйка и верная жена. Таких, как ты, у нас запирают в национальные заповедники, и лишь миссис Тейлор по недосмотру властей осталась на свободе.

Это, конечно, была шутка, но в словах Мэйбл Глэдис почудились горькие нотки. Она знала подругу достаточно хорошо, знала, что может в трудные минуты положиться на нее, и сама готова была протянуть руку помощи, если Мэйбл будет в ней нуждаться, но еще никогда они не разговаривали так откровенно. Глэдис знала, что Мэйбл время от времени спит с понравившимися ей мужчинами, но она никогда не упрекала ее, хотя и не понимала, зачем ей это нужно. И вот теперь, кажется, кое-что стало проясняться. Похоже, в душе Мэйбл образовалась пустота, которую ничто не могло заполнить.

— Значит, этого ты хочешь? Бросить Джеффа и уйти к другому мужчине? — спросила она. — И что от этого изменится?

— Возможно — ничего, — согласилась Мэйбл. — Именно поэтому я до сих пор не «ушла к другому мужчине», как ты выражаешься. Кроме того, я, кажется, все еще немножко люблю Джеффа. Мы с ним большие друзья, только... только он меня не возбуждает.

— Не разумнее ли будет оставить все как есть? — спросила Глэдис, раздумывая над тем, что она только что услышала. «Большие друзья» — это надо же!.. — Интерес, желание — все это когда-то у меня было, но я больше в этом не нуждаюсь, — закончила она так твердо, как будто старалась убедить не подругу, а себя.

Но Мэйбл приняла ее слова без возражений.

— Если это действительно так, то тебе очень повезло, — сказала она.

— Нам обеим повезло, — убежденно сказала Глэдис, желая хоть как-то успокоить Мэйбл и заставить ее трезво взглянуть на вещи. Глэдис отнюдь не была уверена, что обед с Дэном Льюисоном — или с любым другим мужчиной — был правильным решением. Сначала ресторан, потом — придорожный мотель где-нибудь на полдороге между Гринвичем и Уэстпортом, а что потом? Все то же самое с кем-то другим? Но до каких пор?

Сама Глэдис даже представить себе не могла, что когда-нибудь изменит Дугу с другим мужчиной. И после семнадцати лет брака она не хотела никого другого. Глэдис любила мужа и была очень довольна тем, как складывается их совместная жизнь. Во всяком случае, тех слабых сомнений, что изредка у нее появлялись, было недостаточно, чтобы что-то радикально менять.

— И все-таки я считаю, что ты распорядилась своим талантом, мягко скажем, не лучшим образом, — снова поддела ее Мэйбл, прекрасно знавшая, где у Глэдис самое слабое место. Лишь раздумывая о своей прерванной карьере, она осмеливалась задавать себе требующие неприятных ответов вопросы. — Тебе необходимо как можно скорее вернуться в фотографию, пока твои реактивы не протухли и сама ты не покрылась плесенью. Иначе когда-нибудь ты очень об этом пожалеешь.

Мэйбл всегда говорила, что у Глэдис — настоящий, большой талант и что зарывать его в землю — преступно. И хотя Глэдис совершенно искренне не считала себя гением, но все же она была способна реально оценить свои силы. И конечно, иногда ей становилось немного жаль, что столько лет потеряно для работы. В таких случаях она обычно говорила, что если захочет, то сможет вернуться к своей профессии несколько позднее, когда дети еще немного подрастут. Пока же у нее попросту не хватало времени, чтобы сделать хотя бы небольшой репортаж.

Однако это была только часть правды. Другая ее часть заключалась в том, что Глэдис старалась лишний раз не злить Дуга, который ужасно раздражался, стоило ей только завести разговор о карьере.

— Кстати, — решила отшутиться она, — если я снова стану фотографом и начну разъезжать по всему миру, ты того и гляди начнешь обедать с Дугом!

При этих ее словах обе рассмеялись, и Мэйбл отрицательно покачала головой.

— За это можешь не бояться, подруга. Твой Дуг — единственный мужчина, которого я считаю еще бо́льшим занудой, чем Джефф.

Глэдис снова фыркнула:

— Гм-м, будем считать, что я выслушала комплимент в адрес собственного мужа, хотя звучит он несколько сомнительно.

Тут она задумалась. Дуглас — ее Дуглас — действительно уже давно не принадлежал к числу мужчин, которых можно было бы назвать покладистыми или легкими в общении. Что да, то да, но он все равно был хорошим мужем и прекрасным отцом. И ничего другого Глэдис от него не требовала. Она сразу и навсегда отказалась от рискованных авантюр и романтических похождений, которые продолжали увлекать некоторых ее подруг; возможно, именно поэтому Глэдис удавалось неплохо уживаться с собственным мужем, рядом с которым Мэйбл, по ее собственным словам, «сдохла бы со скуки».

Но высказать все это она не успела. Прозвучал свисток, матч закончился, и через считанные секунды возле них очутились Сэм и близнецы Мэйбл.

— Отличная игра, сын! — сказала Глэдис, широко улыбаясь Сэму, чье раскрасневшееся лицо все еще блестело от пота. В глубине души она была рада, что обстоятельства помешали продолжить разговор, начинавший ее тяготить. «И почему, — снова задумалась Глэдис, — каждый раз, когда мы с Мэйбл встречаемся, мне приходится защищать себя и свой брак?»

— Но, мама, мы же проиграли!.. — возмутился Сэм, однако это не помешало ему обхватить ее обеими руками и обнять так крепко, что Глэдис всерьез испугалась за сохранность фотоаппарата, висевшего у нее через плечо.

— Но ведь ты получил удовольствие, правда? — спросила она, целуя сына в макушку. От волос Сэма все еще шел запах, который она так любила — запах свежего воздуха, шампуня и солнечного света. В представлениях Глэдис, это был настоящий запах детства.

— В общем, да, — с готовностью согласился Сэм. — И потом, я забил два гола! Ты видела, мам? Скажи, видела?!

— Конечно, видела, — улыбнулась Глэдис. — Значит, игра удалась, не так ли?

Сэм кивнул, и все вместе они медленно пошли дальше вдоль края поля, направляясь к автостоянке. Близнецы Мэйбл собирались в город есть мороженое, и Сэм захотел к ним присоединиться.

— Мы не можем, — покачала головой Глэдис. — Нам еще надо успеть забрать из школы Эйми и Джейсона.

Сэм разочарованно застонал, но Глэдис была непреклонна. Прощально махнув рукой Мэйбл и ее мальчикам, она села за руль своего семиместного универсала, который они между собой называли автобусом. Собственно говоря, это и был небольшой микроавтобус, только последние четыре сиденья были сняты, чтобы освободить место для багажа.

Сэм тут же стал переодеваться, а Глэдис снова задумалась. Да, поговорили весьма откровенно. Судя по всему, Мэйбл еще не утратила умения эффективно вести перекрестный допрос.

Заводя мотор, Глэдис бросила взгляд в зеркало заднего вида, в котором отражалась мордашка Сэма. Сын выглядел усталым, но довольным. На щеках темнели грязные разводы, светлые волосы были растрепаны и торчали во все стороны, а локти были зелеными от травы. «Вот и ответ, — усмехнулась Глэдис. — Вот почему я не скитаюсь по южноамериканской сельве или австралийскому бушу. Я нужна моим детям, а они нужны мне. Что с того, что жизнь иногда кажется мне немножечко скучной?»

Заехали в школу за Эйми и Джейсоном и все вчетвером вернулись домой. Джессика тоже только что вернулась — на кухонном столе валялись высыпанные из сумки учебники и стоял наполовину пустой пакет из-под картофельных чипсов. Пес вертелся под ногами, радостно лаял и вилял хвостом, а на втором этаже гремела включенная на полную мощность музыка. Это и была жизнь, которую Глэдис сама для себя выбрала. Фотография подождет. Мыслимо ли, бросить Дуга и детей на произвол судьбы, чтобы отправиться вокруг земного шара в поисках сногсшибательных сюжетов? Нет, это все равно что сидеть сразу на двух стульях. Всем известно, чем кончаются подобные попытки.

— Что у нас на ужин? — громко спросил Джейсон, стараясь перекричать музыку и громкий лай собаки. Он посещал секцию легкой атлетики и постоянно умирал от голода.

...о том, что Джессике звонил какой-то новый маль-...к, причем — судя по голосу — из старшеклассников. ...ессика, не желая оставаться в долгу, пыталась от-...равить сестру вон, так как она якобы не вымыла руки ...осле того, как гладила собаку. Джейсон, по временам ...исполнявший роль семейного клоуна, едко комменти-...ровал каждую реплику сестер, а Сэм, преодолев уста-...лость, хвастался своими спортивными успехами и при ...этом так размахивал руками, что Глэдис пришлось уб-...рать от него подальше графин с томатным соком.

Непривычный человек не выдержал бы в этом гаме и пяти минут, но в доме Глэдис все ужины проходили в подобном ключе, поэтому она только улыбалась, как индеец под пытками, и даже вставляла по ходу дела кое-какие замечания, не переставая при этом разли-вать сок и чай, накладывать новые порции и убирать пустые тарелки.

После ужина Эйми и Джессика помогли Глэдис убрать со стола и ушли к себе. Джейсон устроился в гостиной, чтобы посмотреть последние новости по те-левизору, а Сэм, утомленный своими спортивными подвигами, неожиданно рано попросился спать. Уло-жив его, Глэдис велела остальным детям тоже гото-виться ко сну и поднялась в спальню, где ее ждал Дуг.

— С этими детьми не соскучишься, — заметил он, на секунду оторвавшись от каких-то бумаг. — Сегодня тебе пришлось тяжелее, чем обычно, не так ли?

В его манере говорить было что-то успокаиваю-щее, умиротворяющее — Глэдис подметила это еще в ...амом начале их знакомства. Достаточно было Дугу ...азать всего несколько слов, и Глэдис начинала чув-...овать, что перед ней человек солидный и серьез-...привыкший обдумывать каждый свой шаг. Меж-...ли лицо у него всегда было чуть-чуть мальчишес-...даже сейчас, в сорок пять лет, не утратило ...го выражения. Он оставался подтянутым, спор-...и Глэдис нравилось думать, что ее муж похож

— Бумажные салфетки и мороженое, если только вы не уберетесь из кухни и не дадите мне пять минут, чтобы все приготовить, — быстро ответила Глэдис.

Джейсон стащил со стола яблоко и, схватив собаку за ошейник, выволок ее из кухни. Услышав, как хлоп-нула дверь, Глэдис улыбнулась. Джейсон, как две кап-ли воды походивший на своего отца, рос спокойным и покладистым мальчиком. Он отлично учился, зани-мался спортом и никогда не причинял родителям бес-покойства. Только в прошлом году он открыл для се-бя, что в мире существуют девочки, однако до сих пор самым большим его достижением на этом поприще было несколько робких телефонных звонков. Догово-риться с ним, во всяком случае, было гораздо проще, чем с его четырнадцатилетней сестрой. Глэдис в шутку говорила, что та непременно станет адвокатом по уре-гулированию трудовых споров. Джессика бросалась на защиту каждого, кого, по ее мнению, притесняли, и не боялась спорить даже с матерью, до конца отстаивая свое мнение. Глэдис это нравилось.

— Ну-ка, брысь! — прикрикнула она на пса, кото-рый снова просунул голову в кухонную дверь, и повер-нулась к холодильнику. Открыв морозильник, Глэдис ознакомилась с его содержимым и виновато вздохну-ла. На этой неделе они уже дважды ужинали гамбурге-рами и один раз — мясным рулетом, а больше ничего в морозильнике не оказалось. Увы, в кулинарии Глэ-дис была не то чтобы полным профаном, но вообра-жения ей часто не хватало. К концу учебного года ее фантазия истощалась полностью. Слава богу, на носу было лето, когда дети питались в основном мороже-ным, соками и хот-догами.

Наконец, о счастье, Глэдис обнаружила в дальнем углу холодильника упаковку замороженных цыплят, которую тут же засунула в микроволновку, а сама при-нялась чистить кукурузу. Пока ее руки делали привы-чную механическую работу, она снова мысленно вернулась к разговору с Мэйбл. И все же сожалеет она о своей карьере или нет? Ерунда! Вспоминая свою очаровательную четверку, Глэдис ни секунды не сомневалась, что не могла бы отказаться от детей ради карьеры. А раз так, значит, она в ответе перед детьми и мужем, и если Мэйбл считает ее скучной, что ж... дело десятое.

Глэдис дочистила последний початок и, засыпав кукурузу в кастрюлю с кипящей водой, достала из микроволновки разморозившихся цыплят. Посыпав их солью и полив майонезом, она отправила их обратно и удовлетворенно вздохнула. Ей оставалось только отварить рис, нарезать салат, и — оп-ля! — ужин на всю ораву готов. За четырнадцать лет Глэдис научилась-таки готовить быстро. Правда, она никогда не баловала детей разносолами, зато простая и здоровая пища всегда была готова у нее вовремя.

Она уже накрывала на стол, когда с работы вернулся Дуг. У него на фирме была горячая пора, поэтому в последнее время он возвращался домой в семь или чуть позже. Таким образом — считая дорогу туда и обратно, — Дуг проводил вне дома около двенадцати часов, однако он никогда не жаловался и не ворчал, неизменно возвращаясь к семье в хорошем настроении. Вот и сейчас он швырнул на стул кейс и, чмокнув воздух в районе уха Глэдис, полез в холодильник за банкой кока-колы.

Глэдис с улыбкой посмотрела на него.

— Как дела? — спросила она, поправляя выбившиеся из прически пряди золотистых волос, обрамлявших ее лицо. Глэдис, к счастью, почти не приходилось следить за своей внешностью. У нее были классические, тонкой лепки черты лица, здоровая гладкая кожа и стройная фигура, благодаря которой она выглядела лет на тридцать пять, не больше. Толстая золотая коса, свисавшая на спину, тоже очень шла ей и

делала ее моложе — как и свит[...] которые она в последние годы нос[...]

Прежде чем ответить, Дуг отк[...] большой глоток прямо из банки.

— Неплохо, — рассеянно сказал о[...] ничего интересного, все как обычно... Се[...] была встреча с новым клиентом.

Глэдис кивнула. У Дуга на работе действ[...] почти никогда не происходило ничего такого, [...] стоило бы рассказать. Если же возникали какие[...] проблемы или неприятности, то она не оставалась [...] неведении.

— А как ты провела день?

— Была с Сэмом на футболе, сделала там несколько снимков, может выйти удачно. Все как всегда...

Все как всегда... Произнеся эту фразу, Глэдис невольно вспомнила Мэйбл. Ну да, немного скучно, ничего особенного не происходит — с этим Глэдис не могла не согласиться. Но, право же, трудно ожидать чего-то другого. Жить в тихом Коннектикуте и воспитывать четырех детей — что может быть прозаичнее? И все же Глэдис была убеждена, что бороться со скукой так, как это делала Мэйбл, не стоило. В конце концов, она обманывала не только мужа, но и себя. Даже в первую очередь себя, поскольку обеды с чу[...] ми мужьями на самом деле ничего не меняли.

— Как насчет того, чтобы поужинать завт[...] в «Ма Пти Ами»? — неожиданно предложи[...] Глэдис позвала детей к столу.

— О, мне бы очень хотелось! — [...] Больше ничего она добавить н[...] дверь распахнулась. Тайфун[...] взятые, казалось, ворвали[...] круг стола, четверо детей[...] друг другу о том, как прош[...] достижениях, неудачах, жа[...] то, сколько им задают. Эйми т[...]

на знаменитого футболиста, хотя Дуг сам преуспел только в теннисе, да и то в студенческие годы, когда играл за сборную колледжа. Волосы у него были густыми и темными, глаза — карими, подбородок — упрямым и волевым, и Глэдис по-прежнему считала его весьма привлекательным. Пусть себе Мэйбл находит Дугласа Тейлора скучным. Может, оно и к лучшему.

Подобрав ноги, Глэдис уселась напротив него в большое мягкое кресло и снова подумала о том, что с тех пор, как она встретила его в одной из миссий Корпуса мира, Дуглас почти не изменился. Он как будто с самого начала был устроен так, чтобы стать для нее идеальным мужем. Дуг был верным, спокойным, нежным, и даже если чего-то от нее и требовал, то его требования всегда были справедливыми. Таким он и остался, и все же Глэдис внезапно показалось, что в нем чего-то не хватает.

Присмотревшись повнимательнее, она поняла, в чем дело. Озорной огонек в глазах, который пленил ее семнадцать лет назад, погас! Теперь его глаза — эти два зеркала души, если верить когда-то давным-давно прочитанному ею русскому писателю, — потускнели. А раньше-то, раньше! Они поблескивали, точно две спелые глянцевитые вишни, прячущиеся от солнца под зеленым листом. Как грустно... Но Глэдис, стремясь как-то сгладить неприятное впечатление от своего открытия, тут же напомнила себе, что в остальном Дуглас остался таким же, как был, — верным, надежным и заботливым. Главное, Дуг не похож на ее отца. Своего отца Глэдис, разумеется, любила, но она не хотела бы иметь мужа, который постоянно рискует жизнью ради собственного удовольствия. А именно таков был Джек Уильямс. На театре военных действий он чувствовал себя как дома, а вернувшись к семье, начинал томиться и вскоре отправлялся в очередную далекую поездку. В конце концов он погиб, оставив им в утешение могилу на одном из кладбищ Нью-Йорка, и

Глэдис была рада, что все кончилось именно так. Было бы гораздо хуже, если бы отец пропал без вести, ибо для ее матери — да и для нее самой тоже — это обернулось бы годами напрасных ожиданий и обманутых надежд.

Дуглас, к счастью, был совсем другим. Глэдис твердо знала, что в трудную минуту Дуглас всегда будет рядом.

— Мне показалось, что сегодня вечером дети были как-то уж очень возбуждены, — сказал Дуг, не поднимая головы от бумаг. — Что-нибудь случилось?

— Не думаю. Наверное, они просто радуются, что учебный год кончается, и предвкушают поездку на мыс Код. Нам всем давно пора проветриться, — добавила Глэдис, имея в виду в первую очередь себя. К концу года ей до последней степени надоедало мотаться на машине туда-сюда.

— Жаль, но мне вряд ли удастся взять отпуск раньше августа, — проговорил Дуг, в задумчивости проводя рукой по волосам. Он вкратце объяснил положение дел. Обстановка на рынке требовала дополнительных маркетинговых исследований, к тому же с двумя крупными клиентами, недавно обратившимися в фирму, тоже надо было кому-то работать, а из опытных людей в строю остался только он: двое старших менеджеров внезапно заболели, а один попросил расчет.

— Действительно, жаль, — просто сказала Глэдис. — Знаешь, я сегодня встретила Мэйбл. Они с Джеффом собираются в Европу на полтора месяца.

Она хорошо знала, что заговаривать об этом с Дугом бесполезно — во-первых, однажды он уже совершенно недвусмысленно высказался по этому поводу, а переубедить его было практически невозможно, а во-вторых, менять их планы на лето было все равно уже поздно. И все же она не удержалась и добавила:

— Вот было бы здорово, если бы будущим летом мы тоже смогли поехать!

— Давай не будем начинать все сначала! — брюзгливо отозвался Дуг. — Я впервые попал в Европу только после того, как закончил колледж. Наши дети тоже вполне могут подождать пару лет — их это не убьет. Кроме того, для такой большой семьи, как наша, подобная поездка обойдется довольно дорого.

— Но мы, наверное, могли бы себе это позволить, Дуг, — возразила Глэдис. — Во всяком случае, я не могу говорить детям, что нам это не по карману, ведь это будет неправдой!

Она не осмелилась напомнить ему о том, что ее родители чуть не с младенческого возраста возили ее по всему миру. Отец Глэдис — куда бы он ни отправлялся по заданию редакции — обязательно вызывал к себе жену, когда у нее был отпуск. Таким образом уже к пятнадцати годам Глэдис объездила чуть ли не весь мир. Эти совместные путешествия были незабываемы. Ей очень хотелось, чтобы и детей тоже объединяло нечто подобное.

— Мне нравилось путешествовать с родителями, — робко промолвила она наконец, и взгляд Дугласа сразу же стал колючим.

— Если бы у твоего отца была нормальная работа, ты тоже не попала бы в Европу так рано, — раздраженно бросил он. Дуг очень не любил, когда Глэдис начинала, по его собственному выражению, «давить» на него.

— Ты не прав, Дуг! У моего отца была нормальная работа, не хуже и не лучше других, — возразила Глэдис. — Во всяком случае, он работал больше, чем мы с тобой.

«Чем ты сейчас», — хотелось ей добавить, но она сдержалась. Джек Уильямс был в этом отношении совершенно удивительным человеком. Он обладал колоссальной трудоспособностью и безграничным терпением, что в конечном итоге и помогло ему добиться столь многого. Пулитцеровская премия — не шутка!

Впрочем, Дуглас предпочитал об этом не вспоминать, и Глэдис это очень задевало. Ей казалось, что Дуг ни во что не ставит карьеру ее отца только потому, что он добился успеха не за столом, заключая и подписывая контракты, а путешествуя по всему миру с фотокамерой в руках. Для Дугласа это действительно не было работой или, по крайней мере, — серьезной работой. «Детские игрушки» — так пренебрежительно говорил он о карьере Джека Уильямса, и ему было наплевать, что, играя в эти «игрушки», отец Глэдис получил престижную премию и потерял жизнь.

— Твоему отцу здорово повезло, и ты не можешь этого не понимать, — продолжал Дуг. — Ему платили за его хобби, и платили неплохо. Ездить за счет издательств по разным экзотическим странам и смотреть на людей — разве это работа? Один удачный снимок — и тысяча долларов у тебя в кармане... Это ты называешь работой? Нет, Глэдис, то, чем занимался твой отец, нельзя и сравнить с тем, чем занимается большинство нормальных людей.

— Чем же оно занимается, это большинство? — тихо спросила Глэдис.

— Нормальные люди каждый день ходят на работу и корпят над документами, — отрезал Дуг, слегка подчеркнув голосом первое слово. — И при этом им еще приходится считаться с политикой, конъюнктурой мирового рынка и со всякой чепухой!

В глазах Глэдис вспыхнул огонек, который должен был послужить Дугласу предостережением, но он его не заметил. Между тем гнев Глэдис объяснялся не только тем, что Дуг унизил ее отца, перед которым она преклонялась, но и тем, что при этом он уничижительно отозвался и о ее карьере, словно забыв о том, кем была Глэдис до того, как они поженились.

— Я считаю, что то, чем занимался мой отец, намного труднее и опаснее, чем просиживать штаны в офисе, и называть его работу «хобби» это... это... пощечина, вот что это такое!

Пощечина ее отцу и ей самой — вот что подразумевала Глэдис, и ее глаза запылали, как два костра.

— Что это на тебя нашло? — удивился Дуглас. — А-а... понимаю. Наверное, Мэйбл опять сорвало с якорей и она пошла куролесить!

Да, Мэйбл действительно сыграла тут определенную роль — с этим Глэдис не могла не согласиться. Ее подруга всегда была этаким возмутителем спокойствия, и Дуг знал эту ее особенность по рассказам самой Глэдис. Но в данном случае дело было не в Мэйбл, а в том, что Дуг сказал о ее отце. О нем и о ней самой.

— Мэйбл тут ни при чем, — заявила Глэдис. — Просто я не понимаю, как ты можешь так говорить о моем отце, ведь он получил Пулитцеровскую премию — высшую журналистскую награду! По-твоему, все его достижения заключались в том, что он сделал пару удачных снимков взятой напрокат «мыльницей» и сумел выгодно их продать?

— Ты слишком упрощаешь. — Дуглас досадливо поморщился. — Но согласись, что твой отец был просто фотограф. Он не руководил ни заводами «Форда», ни корпорацией «Дженерал моторс», ни «Майкрософтом». Я допускаю, что у него был талант, но и ты согласись, что во многом ему просто везло. И если бы сегодня он был жив, он наверняка сказал бы тебе то же самое. Такие парни, как он, обычно очень любят похвастаться своим везением!

— Ради бога, Дуг, прекрати! Какую чушь ты несешь! Может, ты думаешь, что и мне «просто везло»?

— Нет, — спокойно ответил Дуг, успевший овладеть собой настолько, что на лице его не отражалось даже тени недовольства из-за того, что размолвка с женой случилась именно сейчас — в конце длинного и нелегкого для обоих дня. Он продолжал недоумевать, что такое случилось с Глэдис? Быть может, это дети вывели ее из равновесия, а может, во всем виновата эта невыносимая Мэйбл? Дуг всегда ее недолюбливал, поскольку в ее присутствии отчего-то начинал ощущать странную неловкость. Мэйбл постоянно на что-то жаловалась — на детей, на жизнь, на мужа, и Дуг в конце концов решил, что она плохо влияет на его жену.

— Нет, я так не думаю, — повторил он. — Просто я считаю, что ты делала это в свое удовольствие. Фотография — отличный предлог, чтобы ездить, куда хочешь, делать, что хочешь, словом — потакать своим капризам. Но некоторые люди в конце концов взрослеют, а некоторые так и остаются большими детьми. Ты занималась фотографией несколько лет, и, на мой взгляд, этого вполне достаточно.

— Если бы я не бросила фотографию, — запальчиво воскликнула Глэдис, — сейчас я, быть может, тоже бы получила «Пулитцера»! Это тебе в голову не приходило?

И она в упор посмотрела на Дуга. В то, что она тоже могла получить Пулитцеровскую премию, Глэдис не очень-то верилось, однако чем черт не шутит! Исключать эту возможность она не собиралась — ведь она никогда не считала себя ни неумехой, ни бездарью. К тому же несколько премий и призов Глэдис уже получила, и кто знает, к чему бы она в конце концов пришла, если бы не бросила фотографию, чтобы стать домашней хозяйкой!

— Ты действительно так считаешь? — удивленно переспросил Дуглас. — Значит, ты жалеешь, что оставила фотожурналистику? Ты *это хотела мне сообщить?*

— Нет... То есть не совсем. Я никогда ни о чем не жалела, но фотография не была для меня ни хобби, ни капризом. Я занималась ею серьезно, и мне удалось кое-чего достичь. И до сих пор я... — Дуг посмотрел на нее, и Глэдис осеклась. Он просто не понимает, о чем она говорит. Дуглас по-прежнему был убежден, что для нее фотография была увлекательной игрой, которой Глэдис предавалась прежде, чем выйти замуж и зажить нормальной, взрослой жизнью. Но для Глэдис ее ремесло никогда не было забавой. Занимаясь фотографией, она действительно получала удовольствие, но никогда бы она не стала ради забавы рисковать жизнью. В ее биографии были моменты, когда она сознательно подвергала себя опасности, чтобы сделать хороший снимок. Это было дело ее жизни.

— Дуг, ты... ты говоришь так, словно то, чем я занималась, было для тебя просто блажью, капризом избалованной девчонки. Но ведь это не так! Неужели ты не видишь?! — Для нее было очень важно, чтобы Дуг понял... Если бы он признал, что она действительно занималась настоящим делом и что он тоже жалеет, что ей пришлось все бросить ради семьи, тогда все утверждения Мэйбл потеряли бы всякий смысл. Но если Дуг уверен, что работа, которой она пожертвовала, была хобби, капризом и бог знает чем еще, тогда... Тогда действительно получается, что четырнадцать лет назад она совершила большую ошибку.

— Ну, вижу, ты неадекватно реагируешь на самые простые и очевидные вещи, — возразил Дуг. — Я только хотел сказать, что фотожурналистика и бизнес — это две совершенно разные вещи. Фотография не требует ни образования, ни самодисциплины, ни умения логически мыслить. Она...

— Конечно, фотография не может сравниться с бизнесом. Быть фотографом гораздо, гораздо труднее, чем простым клерком! — выпалила Глэдис. — Когда работаешь в таких местах, как я и мой отец, твоя жизнь каждую минуту подвергается смертельной опасности, и, если не быть постоянно настороже, легко можно погибнуть. Неужели ты и теперь скажешь, что работа фотожурналиста легче, чем работа клерка, который по шесть часов в день перекладывает с места на место никому не нужные бумажки?

— Ты, кажется, намекаешь, что из-за меня отказалась от блестящей карьеры, которая могла принести тебе славу и богатство? Стало быть, я со своим эгоизмом помешал тебе стать знаменитым фотографом? — Дуг саркастически усмехнулся, но Глэдис видела, что он удивлен — по-настоящему удивлен. — И что мне теперь делать? Валяться у тебя в ногах, вымаливая прощение, или посыпать голову пеплом в знак того, что я скорблю об этой потере вместе со всем прогрессивным человечеством?

— Разумеется, нет, но мне казалось, что будет только справедливо, если ты хотя бы признаешь: то, чем я занималась, не было ни чепухой, ни капризом. Я действительно отказалась от многообещающей карьеры. Ты говоришь о моей работе так, словно это действительно была прихоть, отказаться от которой мне ничего не стоило. А между тем с моей стороны это была жертва, и немалая!

Она пристально посмотрела на него, стараясь угадать, что произойдет теперь, после того, как она открыла этот ящик Пандоры. Увы, было совсем не похоже, чтобы Дуглас изменил свое мнение о фотографии вообще и о ее карьере в частности.

— Значит, — сказал он, отставив в сторону банку кока-колы, из которой сделал несколько глотков, — ты жалеешь о том, что принесла эту, как ты выразилась, «жертву»?

— Нет, не жалею, — ответила Глэдис без колебаний. — Но я считаю, что ты не должен принимать это как должное. Я заслужила, как минимум, благодарность!

— Хорошо, если тебе необходима компенсация, ты ее получишь, обещаю. А теперь, может быть, прекратим этот разговор? У меня был тяжелый день, и я не прочь немного отдохнуть.

С формальной точки зрения это было предложение мира, но тон, которым это было сказано, рассердил Глэдис еще больше. Дуг явно считал, что его дела и его усталость значат гораздо больше, чем ее. К тому же он почти демонстративно вернулся к своим бумагам и погрузился в них, давая Глэдис понять, что больше не собирается разговаривать на интересующую ее тему.

А она смотрела на него во все глаза, не в силах поверить в то, что только что услышала. Дуглас наплевал не только на ее карьеру, но и на успех ее отца, который представлялся Глэдис бесспорным. Неуважение, граничащее с презрением, которое она без труда угадала в его интонациях, ранило ее в самую душу, ибо еще никогда Дуг не позволял себе разговаривать с ней подобным образом. Но самое страшное заключалось в том, что теперь все аргументы Мэйбл, над которыми она столько раздумывала, приобрели вес и сделались почти неоспоримыми.

Глэдис ничего больше не сказала Дугу. Но перед тем как лечь спать, она долго стояла в душе, заново обдумывая все, что узнала и поняла за сегодняшний день. Глэдис чувствовала себя униженной, оскорбленной в лучших чувствах, почти уничтоженной. В самом деле, после разговора с мужем в ее жизни не осталось ничего, кроме бесконечной работы по дому, которую, как чуть ли не открытым текстом заявил Дуг, она должна была считать своим настоящим призванием. Это было настолько абсурдным, что Глэдис не сомневалась: Дуг быстро одумается и извинится перед ней. Обычно он довольно хорошо чувствовал, когда ненароком задевал ее, и спешил попросить прощения.

Однако когда она вышла в спальню и погасила свет, Дуг не сказал ей ни слова. Он просто повернулся к ней спиной и заснул, словно ничего не случилось, и Глэдис, в которой с новой силой вспыхнула обида, тоже не стала желать ему спокойной ночи.

Но еще долго она лежала без сна, прислушиваясь к негромкому храпу мужа, и думала о том, что сказал ей Дуг и что говорила ей Мэйбл.

ГЛАВА 2

Утро следующего дня было, как обычно, слишком суматошным, чтобы возвращаться ко вчерашнему. Дуг ушел раньше, чем она успела с ним попрощаться. Прибираясь в кухне, Глэдис задумалась, жалеет ли он о том, что произошло, или нет. В глубине души она была совершенно уверена, что Дуг непременно что-нибудь скажет ей по поводу вчерашнего разговора, поскольку долго молчать было не в его характере. Глэдис все еще тешила себя надеждой, что вчера он слишком устал или, напротив, пытался не очень удачно «завести» ее, чтобы потом вместе посмеяться над ее горячностью. Но ей не давала покоя мысль: Дуг держался как-то уж очень спокойно, словно он для себя уже раз и навсегда все решил. Но если он на самом деле относится столь пренебрежительно ко всему, что она делала и о чем мечтала до того, как они поженились, тогда... Тогда все это очень и очень печально.

Когда раздался телефонный звонок, Глэдис как раз загружала в посудомоечную машину последнюю порцию тарелок, рассчитывая потом спокойно отправиться в темную комнату, где ждали ее отснятые пленки. Она обещала сыну, что сделает фотографии к понедельнику, нужно было спешить.

Должно быть, это Дуг. Глэдис сняла трубку. На сегодня у них был запланирован поход в ресторан, и ей казалось, что она получит куда больше удовольствия, если муж попросит прощения за свое вчерашнее поведение.

— Алло? — сказала она в трубку и улыбнулась, почти уверенная, что услышит голос мужа. Звонил Рауль Лопес, сам в прошлом знаменитый репортер, а ныне — один из самых известных в городе агентов, представлявших интересы фотожурналистов и фотографов. Агентство, которое теперь возглавлял Рауль, когда-то сотрудничало и с отцом Глэдис.

— Ну что, Мать Года, как делишки? Все еще фотографируешь младенцев на коленках пьяных Санта-Клаусов? — спросил Рауль вместо приветствия.

На прошлое Рождество Глэдис действительно снимала сирот в местном приюте, и хотя это была обычная благотворительная акция, Рауль никак не мог ей этого простить. Или, по крайней мере, забыть. Вот уже много лет подряд он твердил Глэдис, что она разменивается по мелочам, зарывает свой талант в землю, и, с его точки зрения, это является настоящим преступлением перед мировой общественностью и перед фотожурналистикой. «О себе я уже не говорю», — добавлял обычно Рауль. Вот уж кто не страдал от ложной скромности. И каждый раз, когда Глэдис делала для Рауля какую-нибудь небольшую работу, он снова начинал надеяться, что она наконец вернется в мир фотожурналистики.

«Восстанет из гроба», как он выражался.

Три года назад Глэдис сделала для Рауля великолепный фоторепортаж о положении детей в Гарлеме. Этой работой она занималась в свободное время, пока ее собственные дети были в школе, и ухитрилась ни разу не пропустить своей очереди по автопулу. Дуг, правда, всячески выражал ей свое неудовольствие. Но Глэдис уговаривала его так долго и упорно, что ему не оставалось ничего другого, кроме как уступить. Ее «гарлемская серия» удостоилась региональной премии фотожурналистов.

— Все нормально, Рауль. А ты как? — спросила она.

— Неплохо. Только работы, как всегда, невпроворот. Особенно тяжело бывает уламывать звезд, которых я представляю. Ибо не все они имеют представление о том, что такое здравый смысл. Ты случайно не знаешь, почему творческим людям бывает так трудно принимать разумные решения?

Услышав эту тираду, Глэдис решила, что у Рауля, похоже, действительно выдалось не самое легкое утро.

«Надеюсь, — подумала она, — он не собирается сделать мне какое-нибудь безумное предложение?» Правда, Глэдис уже давно предупредила агента, чтобы он не предлагал ей поездок на озеро Танганьику — снимать крокодилов из-под воды, но Рауль время от времени нарушал уговор.

— Какие у тебя планы? — спросил Рауль чуть более сердечным тоном, и Глэдис оценила его старания. Рауль был человеком раздражительным, вспыльчивым, резким в суждениях, но Глэдис он все равно нравился.

— Вообще-то, я собиралась мыть посуду, — сказала Глэдис, бросив взгляд на моечную машину, которая все еще стояла с выдвинутыми поддонами. — Интересно узнать, как это зрелище сообразуется с твоим представлением обо мне? — добавила она с улыбкой.

— Прекрасно сообразуется, — пробурчал Рауль. — Хотелось бы знать, когда твои дети наконец вырастут? Искусство не может ждать вечно!

— Придется ему подождать, — вздохнула Глэдис. Она вовсе не была уверена, что Дуглас позволит ей когда бы то ни было вернуться в фотографию. Рауль упрямо не оставлял своих попыток уговорить ее взяться за какое-нибудь головоломное задание, надеясь, что в один прекрасный день она «возьмется за ум», «пошлет к черту зануду-мужа», «сдаст в пансион свою сопливую команду» и рванет из Уэстпорта в какую-нибудь «горячую точку».

— Уж не собираешься ли ты снова просить меня отправиться куда-нибудь в Тибет, чтобы проехать на ослике от Лхасы до Пекина? — спросила она шутливо. Именно с таким предложением Рауль обратился к ней несколько лет назад, когда Глэдис была на восьмом месяце беременности. С тех пор эта фраза стала для них чем-то вроде кодового обозначения заданий, связанных с дальними и продолжительными поездками, которые Рауль продолжал предлагать ей с завидной регулярностью. Впрочем, изредка он находил более разумные задания, наподобие гарлемского репортажа. И в глубине души Глэдис была очень довольна, что Рауль не спешит вычеркнуть ее из своих «звездных списков», хотя в телефонных разговорах он не раз называл ее «пропащей» и «дохлым номером». («Я знаю, что обращаться к тебе — это дохлый номер, но попытка — не пытка...» — так начинался примерно каждый третий их разговор.)

— Что ж, ты почти угадала... — проговорил Рауль. — Конечно, не в десяточку, но все-таки близко. — Он словно обдумывал, как бы получше начать, но Глэдис прекрасно знала, что Рауль не из тех людей, которые будут звонить по делу и мямлить. Наверняка у него все было заранее просчитано и расписано, просто Рауль опробовал на ней один из своих «подходцев». У него самого никогда не было ни жены, ни семьи. Он решительно не мог понять, почему ради мужа и детей Глэдис готова снова и снова отказываться от увлекательных путешествий, от карьеры, от успеха, наконец. Талант у нее, по мнению Рауля, был редкостный, поэтому он совершенно искренне считал ее отказ от карьеры никому не нужной жертвенностью.

— Ну так что же? — поторопила Глэдис, и Рауль наконец решился взять быка за рога, хотя заранее знал, что она скажет «нет». Знал и все-таки надеялся.

— Нужно смотаться в Корею, — сказал он деловито. — Заказчик — воскресное приложение к «Таймс мэгэзин». Редактор решил поручить это кому-то из моих звезд, поскольку в штате журнала нет фотографа высшего класса. А дело такое: одна сеульская фирма предлагала состоятельным бездетным парам детей для усыновления. Все бы ничего, но распространился слух, что детей, которые никому не приглянулись, в конце концов убивали. Впрочем, работа достаточно безопасная, особенно для тебя. Нужно только помнить, что фотографии умеют говорить сами за себя, и поменьше выступать. Главное — снимать, остальным займется общественное мнение и полиция. Поняла?..

Рауль немного помолчал, но, не дождавшись ответа, добавил почти умоляющим голосом:

— Это просто фантастическое задание, Глэдис! Когда репортаж появится в журнале, будет настоящий взрыв. Газеты будут просто драться из-за этих материалов, если «Таймс» решит пустить их в продажу. Фотографии нужны, чтобы придать статье, так сказать, наглядность, и я бы предпочел, чтобы их сделала именно ты, а не кто-то другой. Здесь, во всяком случае, нужна именно такая рука, именно такой глаз, как у тебя. К тому же ты любишь детей, и я подумал... Словом, с какой стороны ни посмотри, эта работенка словно специально предназначена для тебя.

Слушая Рауля, который все больше и больше воодушевлялся, Глэдис тоже почувствовала волнение. Со времен ее гарлемского репортажа ни одно задание не трогало ее столь сильно. Но что она скажет Дугласу и своим собственным детям? Что она уезжает в Корею? А кто заменит ее в автопуле, кто будет готовить для них обеды и ужины? Кто будет гулять с собакой? Глэдис занималась всем этим — и многим другим тоже — на протяжении многих лет, и единственным, кто ей помогал, была приходящая домработница, которая два раза в неделю убирала квартиру.

Но даже для двоих работы было слишком много.

— Это надолго? — робко спросила Глэдис, надеясь, что не больше недели. Тогда она могла бы попытаться нанять дополнительную прислугу или уговорить Мэйбл, чтобы та возила детей в школу.

Последовала пауза. В трубке было хорошо слышно, как Рауль с присвистом втянул воздух сквозь сжатые зубы. Эту его привычку Глэдис хорошо знала — он поступал так всякий раз, когда ему предстояло сказать что-то неприятное для собеседника.

— Три недели. Может быть — четыре, — промолвил он наконец, и Глэдис, закрыв глаза, опустилась на табурет возле телефона. Срок был совершенно нереальным, а ей так хотелось сделать этот репортаж! Но в конце концов, у нее были свои дети, о которых она должна была думать в первую очередь.

— Ты же знаешь, Рауль, что мне это не подходит, — сказала она со вздохом. — Я не могу. Зачем только ты позвонил? Чтобы сделать мне больно?

— Может быть, и да, — мрачно ответил агент. — Вдруг мне удастся добиться, что однажды ты проснешься и поймешь: миру нужно то, что ты делаешь. Прелестные милые картинки, снимки собачек и мордочки детишек, которые ты время от времени мне присылаешь — все это, конечно, хорошо, но ведь ты способна на большее! Я не говорю о том, что приобретет или потеряет искусство, но ведь может оказаться и так, что именно благодаря твоим фотографиям убийства детей прекратятся.

— Это нечестно, Рауль! — с горячностью перебила Глэдис. — Не смей заставлять меня чувствовать себя виноватой! Ты же отлично знаешь, что я не могу просто так бросить все и уехать на целый месяц. Ведь у меня четверо детей, муж и никаких бабушек или дедушек!

— Так, черт возьми, найми постоянную прислугу, которая за еду и стол будет на протяжении месяца ухаживать за твоей сопливой командой. Или разведись. Ведь не можешь же ты вечно сидеть на одном месте и при этом оставаться классным фотографом! Ты и так уже потеряла четырнадцать лет. Просто удивительно, как о тебе до сих пор не забыли. Во всяком случае, чудаки, которые хотели бы поручить тебе ту или иную работу, все еще находятся. Ну а ты совершаешь большую глупость, когда обращаешься так со своим талантом!

— Как — так?

— Преступно! — отрезал Рауль, и Глэдис поняла,

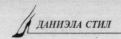
что агент рассердился всерьез. Это было особенно обидно, ибо в глубине души Глэдис сознавала его правоту.

— Я вовсе не «потеряла» четырнадцать лет, — возразила она в жалкой попытке оправдаться. — У меня четверо детей, и все они здоровы и счастливы. Что бы с ними было, если меня подстрелили бы где-нибудь на Мальдивах или в Никарагуа? Кто заменил бы им мать? Может быть, ты?

— Нет, конечно, — согласился Рауль. — Тут ты права. Но, если я не ошибаюсь, твои многочисленные дети уже достаточно большие, чтобы самим о себе заботиться. Во всяком случае, никому из них больше не надо менять пеленки и вытирать нос. И я не понимаю, что мешает тебе вернуться к работе, которую, как мне помнится, ты когда-то любила. Твой муж тоже не инвалид, ты ведь не кормишь его с ложечки и не выносишь за ним судно, не так ли?

Этот выпад напоминал прямое оскорбление, но Глэдис пропустила слова Рауля мимо ушей, ибо ей вспомнилось, что Дуг сказал ей вчера вечером. После этого Глэдис страшно было даже заговаривать с ним о том, чтобы куда-то уехать. Подобный шаг с ее стороны вполне мог обернуться серьезной катастрофой для их брака.

— Я не могу, Рауль, и ты это прекрасно знаешь, — повторила она еще раз и вздохнула. — Твой звонок... Он меня очень расстроил.

— Вот и хорошо, — безжалостно ответил Рауль. — Зато теперь ты, быть может, скорее сдвинешься с мертвой точки. И если я добьюсь этого своими звонками, я окажу огромную услугу всему человечеству.

— Ладно. Спасибо, что подумал обо мне. Надеюсь, ты сумеешь найти кого-то, кто сумеет отлично сделать этот репортаж, — сказала она в трубку, думая о корейских детях.

— Тот, кто сумел бы сделать этот репортаж так, как

надо, только что от него отказался, — едко ответил Рауль. — На днях я тебе перезвоню, но имей в виду: так легко, как сегодня, ты от меня не отделаешься. Я не отстану, пока не услышу: «Да, Рауль. Хорошо, Рауль. Куда угодно, Рауль».

— Я и не собиралась от тебя отделываться. Ты бы лучше позаботился, чтобы для выполнения нового заказа мне не нужно было ехать куда-то к черту на рога.

— Посмотрим, что мне удастся сделать. Но обещать ничего не могу, — повторил Рауль. — А ты будь осторожна, Мать Года, береги себя и не давай своим отпрыскам садиться себе на шею.

— И тебе всего хорошего, — в тон ему ответила Глэдис. — Кстати, об отпрысках, — тут же спохватилась она. — Мы на все лето отправляемся на мыс Код. У тебя, кажется, есть номер того телефона?

— Конечно, есть. Желаю приятно провести время, Глэдис. А если сумеешь сфотографировать какую-нибудь шикарную яхту — позвони мне. Попробуем продать снимок.

— Между прочим, — заметила Глэдис, — гонорар за прошлые, как ты выражаешься, «шикарные яхты» покрыл мои расходы на детский сад за два года.

— Нет, Глэдис, ты совершенно безнадежна! — в отчаянии воскликнул Рауль.

На этом разговор закончился. Впервые за много лет Глэдис стало казаться, что в ее жизни не хватает чего-то настоящего, чего-то важного и большого. И что же ей теперь делать?

Глэдис чувствовала себя подавленной, но дела делать все равно надо. Отправившись после обеда за продуктами в супермаркет, она неожиданно столкнулась с Мэйбл. Подруга Глэдис выглядела значительно более веселой и оживленной, чем обычно; она была в короткой юбке и туфлях на шпильках, а подойдя к ней вплотную, Глэдис с удовольствием вдохнула запах дорогих духов.

— Где ты была?! — удивилась Глэдис. — Неужели ездила за покупками в город?

Мэйбл отрицательно покачала головой и, таинственно улыбаясь, сообщила заговорщическим шепотом:

— Я обедала в Гринвиче с Дэном Льюисоном. Мы прекрасно провели время и даже выпили по бокалу вина. Дэн — просто душка; во всяком случае, он умеет быть милым, и вообще он еще очень даже ничего. Если бы не эти его усы а-ля Кларк Гейбл, он был бы похож на херувимчика.

— Как я понимаю, бокалом вина вы не ограничились, — с несчастным видом заметила Глэдис. Радость подруги казалась ей неуместной.

— А ты чего такая грустная? — спросила Мэйбл. — Что с тобой?

Она действительно редко видела подругу в таком состоянии.

— Вчера вечером мы поссорились с Дугом, — объяснила Глэдис. — А сегодня мне позвонил мой агент и предложил очень интересную работу в Корее. Насколько я поняла, что-то связанное с незаконным усыновлением, причем от детей, которых никто не хотел брать, попросту избавлялись.

— Какой ужас!.. — воскликнула Мэйбл, бросая в тележку упаковку томатного сока. — Я бы на твоем месте радовалась, что тебе не нужно заниматься этим кошмарным делом. Это же наверняка опасно!

— А я бы хотела сделать этот фоторепортаж, — покачала головой Глэдис. — Но дело даже не в опасности. Главное препятствие состоит в том, что мне пришлось бы уехать из Штатов на три-четыре недели, а я не могу себе этого позволить. Словом, мне пришлось отказаться.

— Но тебе и раньше приходилось отказываться от заданий, — удивилась Мэйбл. — Почему теперь у тебя такое лицо, словно кто-нибудь умер?

— Ну, боже мой, — простонала Глэдис, — вчера Дуг наговорил мне кучу гадостей о моей карьере. Для него она — просто хобби, пустяк, каприз, не знаю даже, что еще... Словом, он не видит ничего особенного в том, что мне пришлось от нее отказаться. Оказывается, он считает, что нет ничего легче, чем зарабатывать на жизнь при помощи фотоаппарата, и что на это способен каждый, стоит только по-настоящему захотеть.

Мэйбл улыбнулась, но ничего не возразила. Зная, что Глэдис и Дуг ссорятся крайне редко, она только спросила:

— Что это на него нашло?..

— Не знаю. — Глэдис покачала головой. — Обычно он не такой... бесчувственный. Может, у него просто выдался на службе тяжелый день.

— А может быть, он действительно не очень хорошо понимает, от чего ты отказалась ради него и ради детей! — решительно заявила Мэйбл, и Глэдис снова покачала головой. В глубине души она опасалась именно этого и была удивлена тем, как много, оказывается, значили для нее признание и благодарность мужа.

— Я думаю, тебе все-таки следует настоять на своем и сделать этот корейский материал! — добавила Мэйбл, явно стараясь расшевелить подругу и подтолкнуть к решительному шагу.

— Почему дети должны страдать из-за того, что Дуг чем-то меня уязвил или задел? — возразила Глэдис. — К тому же я все равно не могу бросить их на целый месяц. Через три недели мы собирались на мыс Код... Нет, это невозможно.

— Тогда не упусти следующее задание.

— Если оно будет — следующее задание. Мне иногда кажется, что Рауль уже устал от моих отказов.

Действительно, в последнее время агент звонил ей все реже и реже, хотя, возможно, все дело было в том, что задания, которые могли подойти Глэдис по условиям ее теперешней жизни, попадались ему не часто.

— Будем надеяться, что вечером Дуг заявится домой с охапкой цветов и ты обо всем забудешь, — сказала Мэйбл, решив все же подбодрить подругу, которую ей было искренне жаль. Глэдис была умной, красивой, способной, но, как и многие другие женщины, она тратила свою жизнь на то, чтобы кормить мужа ужином, устраивать для детей барбекю и, чередуясь с другими родителями, возить их в школу. Мэйбл считала это несправедливым, тем более что у Глэдис был настоящий талант к фотографии.

— Сегодня вечером мы хотели поужинать в «Ма Пти Ами», — объяснила Глэдис. — Я так ждала этого дня, но вчера Дуглас испортил мне все настроение.

— Закажи лишний бокал шампанского — и все пройдет! — предложила Мэйбл. — Кстати, мы с Дэном снова обедаем вместе во вторник.

— Знаешь, по-моему, это глупо, Мэйбл, — напрямик сказала Глэдис, укладывая в свою тележку упаковку быстрорастворимой овсянки. — Зачем это тебе?

— По крайней мере, это меня развлекает, — объяснила Мэйбл. — Почему бы и нет? Я никому не причиняю зла: Розали по уши влюблена в своего Гарольда, а Джефф ничего не узнает. К тому же мы скоро поедем в Европу, и все мое внимание будет принадлежать ему.

Для Мэйбл это был, по-видимому, достаточно веский аргумент.

— А мне это кажется совершенно бессмысленным, — сказала Глэдис строго. — Что, если ты на самом деле влюбишься в Дэна?

С точки зрения Глэдис, это был далеко не праздный вопрос. Мэйбл действительно могла влюбиться по-настоящему, и что тогда? Как ей поступить? Бросить Джеффа? Развестись с ним? Словом, все это было слишком чревато самыми непредсказуемыми последствиями. А дети? Поставить их мир с ног на голову?

Но Мэйбл, похоже, придерживалась иного мнения. Впрочем, по этим вопросам подруги расходились во мнениях.

— И вовсе я не собираюсь в него влюбляться, — возразила Мэйбл. — Просто я... мы оба хотим получить немного удовольствия. Не будь ханжой, Глэдис, ведь все это так... увлекательно!

— А если бы ты узнала, что Джефф поступает подобным образом?

— Я бы решила, что где-то медведь сдох. — Мэйбл небрежно взмахнула рукой. — Когда у него выдается свободное время, он не обедает со своими секретаршами, а бежит к парикмахеру или к своему мозолисту.

Что, если ее подруга ошибается? Мысль о том, что Мэйбл и Джефф могут изменять друг другу, показалась ей отвратительной.

— Что касается тебя, — продолжала тем временем Мэйбл, — то тебе нужно сделать новую прическу, маникюр или массаж... Словом, что-нибудь, что помогло бы тебе взбодриться и прийти в себя. Я не думаю, что эта история с корейскими детьми стоит того, чтобы из-за нее так расстраиваться. Вот если бы тебе не удалось развлечься, получить удовольствие, если бы у тебя сорвалось, скажем, свидание, это действительно было бы жаль!

Мэйбл лукаво подмигнула Глэдис, но та с укором покачала головой.

— Не знаю, за что я так тебя люблю, — сказала она. — У тебя нет никаких понятий о нравственности! Если бы мы не были знакомы и кто-то рассказал мне о твоем поведении, я решила бы, что это отвратительно!

— Ничего такого ты бы не решила, — возразила Мэйбл. — Ведь тебе отлично известно: я что думаю, то и говорю, в то время как большинство людей думает одно, говорит другое, а делает третье. Нет, быть может, я и не слишком разборчива, но никто не назовет меня моральной уродкой.

Глэдис ненадолго задумалась. В словах Мэйбл был свой резон, и все же ее подруга действительно весьма неразборчива в способах получения удовольствия.

— И все равно я тебя люблю, — сказала Глэдис. — Вот почему мне совсем не хочется, чтобы ты попала в некрасивую историю. Если Джефф пронюхает о твоих похождениях...

— Не думаю, чтобы его это заинтересовало, покуда я вовремя забираю из прачечной его сорочки, — отмахнулась Мэйбл.

— На твоем месте я не была бы так уверена. Мужчины становятся совершенно несносны, когда им кажется, что кто-то посягает на их собственность.

— Во-первых, я не его собственность, — возразила Мэйбл. — Кроме того, Дэн говорит, что Розали спала с Гарольдом два года, а он ни о чем не догадывался. Он узнал обо всем, только когда она сама ему рассказала. И большинство мужчин именно таковы. Конечно, каждый из них может превратиться в Отелло, но если женщина умна, она до этого просто не допустит.

— Гм-м... — произнесла Глэдис. Она неожиданно задумалась, как отреагирует Дуг, если узнает, что она встречается... нет, какое там встречается, просто обедает с другим мужчиной? Как скоро он что-то заметит, и заметит ли вообще? Ей хотелось считать, что да. Пожалуй, она даже была в этом уверена.

— Ладно, — сказала тем временем Мэйбл. — Мне пора бежать: я должна еще отвезти своих мальчишек к врачу. Надо сделать им прививки перед отъездом в Европу. Они уже готовы собирать вещи, а я еще не все документы оформила. Представляешь, у меня даже нет времени, чтобы заполнить медицинские карты!

— Если бы ты пожертвовала сегодняшним обедом с Дэном, глядишь, и успела бы, — поддразнила Глэдис, но Мэйбл уже не слушала ее. Прощально махнув рукой, она заторопилась к кассе, а Глэдис, вздохнув, снова двинулась вдоль полок, выбирая продукты и складывая их в тележку.

Да, печально подумала она, жизнь домашней хозяйки, безусловно, не так увлекательна, как жизнь фотожурналиста, но, быть может, Мэйбл права и это корейское задание ей вовсе ни к чему? Кто знает, с чем ей пришлось бы столкнуться? Не исключено также, что ей захотелось бы вернуться в Штаты с полудюжиной спасенных ею от смерти корейских младенцев. Этого Дуг уж точно не понял бы.

Когда пришло время забирать детей из школы, Глэдис все еще пребывала в подавленном настроении, но этого никто не заметил. Как раз сегодня Джейсон и Эйми пригласили в гости нескольких друзей, и всю дорогу в машине было так весело и шумно, что ее странная задумчивость никому не бросилась в глаза.

Когда Дуглас вернулся с работы, Глэдис уже была в туфлях на шпильках и коротком черном платье, которое очень ей шло. Свои длинные пшеничные волосы она собрала в элегантный пучок на затылке. На вечер была приглашена няня, так что беспокоиться было не о чем.

Глэдис принесла Дугу коктейль.

— Ты прекрасно выглядишь, Глэдис! — воскликнул Дуг, делая глоток из бокала. «Кровавая Мэри» — любимый коктейль Дуга, который он иногда позволял себе вечером в пятницу. — Чистая правда, — продолжал он. — Ты, наверное, не отходила от зеркала с самого утра?

— А вот и нет, — улыбнулась в ответ Глэдис. — Когда мне никто не мешает, я могу уложиться в час или полтора. А как твои дела, Дуг?

— Неплохо. Переговоры с новым клиентом прошли как по маслу. Правда, это только предварительный этап, но, думаю, все будет хорошо и дальше. Пожалуй, можно сказать, что контракт уже у нас в кармане. Лето начинается удачно.

— Я рада, что мы наконец идем куда-то вместе, — промолвила Глэдис с несколько натянутой улыбкой. Она ожидала, что муж все же извинится за вчерашнее.

— Именно поэтому я и предложил поужинать в ресторане. — Дуг улыбнулся и вместе со своим коктейлем исчез в ванной комнате, из которой почти сразу же донесся шум воды. Он, кажется, вовсе забыл об их размолвке.

Примерно через полчаса, приняв душ и переодевшись в серые слаксы и блейзер, Дуглас снова появился в комнате. К рубашке он надел очень модный галстук цвета морской волны, который Глэдис подарила ему к Рождеству. В этом костюме Дуг выглядел очень элегантно, и вместе они, наверное, составляли потрясающую пару. Во всяком случае, именно так заявила Глэдис Джессика, когда перед выходом из дома они заглянули в гостиную, чтобы попрощаться с детьми. Через десять минут они уже были в ресторане.

Французский ресторан «Ма Пти Ами» был небольшим, но очень уютным и славился своей милой семейной атмосферой. В конце недели здесь всегда бывало многолюдно. Кухня тоже была отменной, а горевшие на столах свечи были одновременно и романтичны, и праздничны. С точки зрения Глэдис, это было едва ли не самое подходящее место, чтобы попытаться что-то исправить в их отношениях, и она от всего сердца улыбнулась Дугу, пока официант разливал по бокалам легкое французское вино.

Дуглас тотчас же поднес свой бокал к губам и, отпив крошечный глоток, кивком головы одобрил напиток.

— Ну, расскажи, как прошел твой сегодняшний день, — попросил он, опуская бокал. Дуглас заранее был готов выслушать рассуждения Глэдис о детях и домашнем хозяйстве, но ее ответ неприятно его удивил.

— Мне звонил Рауль Лопес, — сказала Глэдис, глядя на него в упор. В глазах Дугласа промелькнула тень недовольства, а на лице появилось настороженное выражение. Впрочем, оснований для недовольства у него не могло быть никаких: в последнее время агент звонил Глэдис все реже, и его звонки никогда ни к чему не приводили.

— Ну и что? — спросил Дуг.

— Он предложил мне очень интересное дело, — ответила Глэдис. — К сожалению, для того чтобы его выполнить, мне пришлось бы почти на месяц уехать в Корею.

Дуг саркастически хмыкнул.

— Как это похоже на Рауля! — произнес он, однако в тоне его было больше снисходительности, чем тревоги. После вчерашнего внушения Дуглас был особенно уверен в благоразумии Глэдис, и, хотя новость нельзя было назвать приятной, никаких особых опасений она ему не внушала. — Кстати, в какую дыру он собирался запихнуть тебя в прошлый раз? В Зимбабве, кажется?.. На мой взгляд, это становится просто неприличным! И как ему только не надоест — ведь он отлично знает, что все равно ничего не выйдет!..

— Но Рауль действительно думал, что я соглашусь. Предложение очень заманчивое. — Ей очень хотелось, чтобы Дуг поблагодарил ее за то, что она никуда не поехала.

— Послушай, почему ты не скажешь Раулю, чтобы он просто вычеркнул тебя из своих списков? Пора уже перестать дергать тебя попусту, да и самому ему будет гораздо спокойнее. Ты всё равно не можешь выполнять для него никакой работы. Честное слово, Глэдис, я очень удивлен, что Рауль все еще на что-то надеется. Кстати, может быть, ты объяснишь мне это?

— Все очень просто, — проговорила Глэдис негромко, стараясь хоть этим смягчить резкость своего ответа. — Я умею хорошо фотографировать. Я неплохо справлялась с тем, что мне поручали, и редакторы до сих пор помнят мои работы и спрашивают обо мне у Рауля. Не стану скрывать, Дуг, мне лестно подобное внимание. Оно означает как минимум, что я что-то собой представляю.

В последних ее словах содержался и намек, и мольба. «Ну пойми же меня! — как будто просила она. — Пойми и скажи, что я была и остаюсь хорошим фотографом, несмотря на то, что вот уже почти полтора десятка лет не работала серьезно!» Но Дуг ее не слышал — просто не хотел услышать. Как только речь заходила о работе Глэдис, он становился слеп на оба глаза и глух на оба уха.

— Тебе не надо было заниматься скандалом в Гарлеме, — сказал он сухо. — Из-за этого твой агент решил, что ты не прочь и дальше с ним сотрудничать. Но ведь это не так, Глэдис, не правда ли?

Глэдис слушала его, и постепенно ей становилось ясно, чего он добивался. Дуг требовал, чтобы она отказалась от своей карьеры раз и навсегда, и, должно быть, именно поэтому ей вдруг с особенной силой захотелось вернуться к работе фотожурналиста. Быть может, не в полном объеме, но все-таки... Ах, если бы только Раулю удалось найти такую тему для репортажа, чтобы ей не нужно было никуда уезжать надолго!..

— А по-моему, гарлемский репортаж мне удался. Я рада, что сделала его, — возразила Глэдис, машинально улыбнувшись официанту, подошедшему к ним с карточками меню. Но есть ей уже расхотелось — Дуглас снова ее расстроил. Он, казалось, просто не понимал, что она думает и чувствует. Впрочем, тут же спохватилась Глэдис, возможно, ей не стоило судить его так строго. Она и сама толком не понимала, что с ней творится. Просто внезапно она ощутила, что жизнь ее пуста и что ей отчаянно не хватает того, от чего она

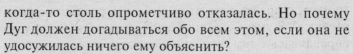

когда-то столь опрометчиво отказалась. Но почему Дуг должен догадываться обо всем этом, если она не удосужилась ничего ему объяснить?

— Ты знаешь, — сказала она примирительным тоном, — мне бы очень хотелось работать. Хотя бы изредка, хотя бы чуть-чуть!.. И это вовсе ничему не помешало бы. За все эти годы я никогда не задумывалась об этом по-настоящему. Понимаешь, мне начинает казаться, что мне чего-то не хватает.

— С чего ты взяла?

— Не знаю, — честно призналась Глэдис. — Быть может, из-за Мэйбл... Она упрекнула меня в том, что я похоронила свой талант. А сегодня позвонил Рауль и предложил сделать репортаж о корейских детях. Я просто не могу описать, насколько интересной показалась мне эта работа...

Была и еще одна причина, о которой Глэдис умолчала. Их вчерашний разговор с Дугом тоже подлил масла в огонь, который незаметно, исподволь, разгорался в ее душе. Она никак не могла забыть того пренебрежения, с которым Дуг отмахнулся от ее карьеры как от чего-то совершенно нестоящего. А как он отозвался о ее отце? Ведь он был талантливейшим фотографом, но Дуг говорил о нем покровительственно, как о безответственном мальчишке, который разъезжает по всему миру с единственной целью — потешить свое тщеславие.

Как бы там ни было, это внезапное желание самоутвердиться, доказать самой себе, что она еще что-то может, что она личность, а не бесплатное приложение к детям и мужу, было в ней чрезвычайно сильным. Глэдис ужасно боялась, что Мэйбл может оказаться права и что теперь она — просто домашняя хозяйка, повар и шофер.

— Твоя Мэйбл вечно мутит воду, — пробормотал Дуг, углубившись в меню. — Как насчет цыплячьих грудок, дорогая?

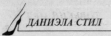

И Глэдис с горечью подумала, что Дуг, как и вчера, совершенно не слушает ее. Он как будто был заранее уверен, что ничего разумного или логичного она сказать не сможет. От этой мысли на глаза у нее навернулись слезы.

— Я думаю, — сказала она, глядя на него поверх своей карточки меню, — что Мэйбл до сих пор жалеет о том, что ей пришлось оставить работу. Возможно, ей действительно не следовало этого делать, — добавила она, думая о том, что Мэйбл наверняка не стала бы обедать с Дэном Льюисоном, если бы у нее было какое-нибудь настоящее, серьезное дело. Впрочем, этими своими соображениями она делиться с Дугом не стала. — Я еще в лучшем положении, — промолвила Глэдис после недолгого размышления. — Если я захочу вернуться в фотографию, я могу сделать это в любой момент. За эти четырнадцать лет я ничего не потеряла. Стараниями Рауля мое имя все еще что-то значит в фотомире. У меня есть возможность выбирать. Мне необязательно работать полный день и необязательно ехать в Корею, если я этого не хочу. А бедняжке Мэйбл придется все начинать с нуля, ведь до того, как выйти замуж, она была юрисконсультом...

— О чем ты говоришь?! — Дуг, сделав заказ за себя и за нее, в упор посмотрел на Глэдис. Брови его были нахмурены, а лицо исказилось, словно он съел что-то очень кислое. — Ты что, серьезно решила вернуться в фотожурналистику? Но ведь это совершенно невозможно, ты не можешь этого не понимать!

— Почему? Я вполне могу сделать для Рауля серию снимков или даже целый репортаж на местном материале, — возразила Глэдис, машинально отметив, что Дуг даже не дал ей времени ответить на свой же вопрос. Как и вчера, он все решил за нее.

— Ты можешь делать все, что тебе угодно, — отчеканил Дуг. — Я не понимаю другого — зачем тебе это нужно? Что за детские фантазии — носиться по городу с фотоаппаратом и снимать, снимать, снимать!.. Ведь ты уже выросла, Глэдис, и подобное поведение тебе просто не к лицу. Что за блажь взбрела тебе в голову?..

Он говорил с таким пренебрежением! Это начинало не на шутку злить Глэдис, хотя она и пыталась справиться со своим раздражением.

— Если тебе так хочется использовать свой «талант», — заметил Дуг, также начиная раздражаться, — снимай наших детей. У тебя неплохо получалось! Почему же это вдруг перестало тебя удовлетворять? Я почему-то уверен, что это Мэйбл тебя взбаламутила. Либо она, либо Рауль, который думает только о том, как бы заработать лишнюю десятку. Так вот, пусть твой агент использует для этого кого угодно, но только не тебя. В Нью-Йорке полно фотографов, которых он может послать хоть в Корею, хоть на Северный полюс, хоть на Луну!..

— Думаю, за этим дело не станет, — негромко ответила Глэдис, когда официант принес салат под холодным майонезом и паштет из цесарки. — Я вовсе не утверждаю, что я незаменимая, единственная в своем роде, супергениальная и так далее. Я просто хочу сказать, что наши дети уже подросли и ничто не мешает мне время от времени выполнять небольшие задания.

— Во-первых, — жестко заявил Дуг, — я достаточно зарабатываю. Или тебе мало? А во-вторых, Сэму еще только девять — не забывай об этом! Он все еще нуждается в тебе.

— Я вовсе не собиралась бросать детей, Дуг. Я только хотела, чтобы ты понял: для меня эта работа значит очень много!

Но Дуглас не желал ничего слышать.

— Почему для тебя это так важно? — снова спросил он. — Почему — вот чего я никак не пойму! Что такого особенного может быть в том, чтобы щелкать фотоаппаратом, а потом печатать картинки?

Он уже говорил это вчера, только немного другими словами, и Глэдис почувствовала себя жалким насекомым, которое раз за разом пытается выбраться из стеклянной банки, но снова срывается обратно.

— Пойми, Дуг, для меня это больше, чем «картинки»! Через фотографию я самовыражаюсь, и у меня это неплохо получается. Настолько неплохо, что мои снимки нравятся не только мне самой, но и другим. По-моему, все просто...

— Почему ты не можешь самовыражаться, снимая наших детей? Почему тебе обязательно нужно ехать куда-то черт знает куда? Почему тебе обязательно нужно выполнять чье-то задание?

Глэдис ненадолго задумалась.

— Быть может, мне просто хочется сделать что-нибудь значительное. Я должна знать, что моя жизнь не пуста, что в ней есть смысл.

— Ради всего святого, не надо о высоком, ладно? — Дуг поморщился и, отложив вилку, бросил на нее раздраженный взгляд. — Что это на тебя сегодня нашло? Нет, это наверняка Мэйбл! Я чувствую, что она с тобой как следует «поработала».

— Мэйбл тут ни при чем, — попыталась возразить Глэдис, защищая не столько подругу, сколько себя. — Дело во мне, Дуг! Я поняла, что в жизни должно быть что-то, кроме стирки, уборки, готовки. Неужели ты хотел бы посвятить всю жизнь тому, чтобы вытирать с ковра разлитый детьми яблочный сок?

Дуг снова поморщился.

— Речь сейчас не обо мне. А вот ты говоришь точь-в-точь, как Мэйбл. Я как будто даже слышу ее голос.

— А ты не допускаешь, что Мэйбл может быть права? Я согласна, она иногда говорит и делает глупости, но не оттого ли, что чувствует себя никому не нужной, бесполезной и сама жизнь представляется ей бессмысленной? Будь у нее какая-нибудь цель, она бы не совершала... опрометчивых поступков.

— Если ты собираешься сказать мне, что Мэйбл изменяет Джеффу, то не трудись — я знаю об этом уже давно. И если он ничего не замечает, то в этом никто, кроме него самого, не виноват. Мэйбл не пропускает ни одного мужчины; она готова вешаться на шею каждому, кто носит брюки. Ты что, собираешься поступать так же, если я не позволю тебе фотографировать?

Он был в ярости, и его не смутило даже появление официанта, который подал главное блюдо. Глэдис поняла, что их романтический ужин вдвоем пошел псу под хвост.

— Разумеется, нет, — поспешила она успокоить его. — И вообще, я не знала, что Мэйбл изменяет Джеффу, — солгала она, чтобы выгородить подругу. Впрочем, Глэдис тут же подумала о том, что поведение Мэйбл не имеет никакого отношения к их разговору и, строго говоря, Дугласу не должно быть до этого никакого дела.

— Я имела в виду только себя, — добавила она. — Мне начинает казаться, что, кроме тебя и детей, мне в жизни необходимо что-то еще. До того, как я отказалась от своей карьеры, мои дела шли очень хорошо. И я уверена, что могла бы без ущерба для семьи вернуться к фотожурналистике. Это помогло бы мне расширить кругозор и почувствовать себя полноценной личностью.

— У тебя так много свободного времени? — раздраженно ухмыльнулся Дуг. — А мне казалось, что наши дети еще недостаточно большие, чтобы обходиться без твоей помощи. Ты сама много раз говорила мне об этом. Нет, Глэдис, из твоей затеи ничего не выйдет, если только ты не хочешь нанять постоянную няню или отдать детей в группы продленного дня. Я не склонен поощрять твои капризы. Я просто не позволю тебе бросить детей на руки чужим людям: ты — мать, и наши дети нуждаются в тебе. Вот самое главное, остальное не должно иметь для тебя никакого значения.

— Дуг, ты не можешь упрекнуть меня в том, что я пренебрегаю своими обязанностями. Если я начну снова выполнять небольшие задания, наши дети нисколько от этого не пострадают.

— А я в этом сомневаюсь. Кроме того, какой в этом толк? Когда-то ты много снимала и получала от этого удовольствие — ну и довольно! К чему это повторение пройденного? Опомнись, Глэдис!

— Не понимаю, почему семья непременно исключает работу, — пожала плечами Глэдис. — Если ты боишься смещения приоритетов, то успокойся — этого не будет. Я отдаю себе отчет, что для меня главнее. Я и в Корею-то не поехала главным образом потому, что на первом месте для меня — интересы детей и твои, а уж потом — мои собственные.

— Очень, знаешь ли, не похоже. Все, что ты до сих пор говорила, — это же чистой воды эгоизм! Ты хочешь прославиться, сделать карьеру, хочешь приятно проводить время — совсем как эта твоя подружка, которая изменяет мужу с первым встречным просто потому, что ей надоели ее собственные дети. Быть может, мы тебе тоже надоели, а?!

Он буквально кричал, и Глэдис внимательно посмотрела на мужа. Дуг был очень сердит, а на лице его появилось оскорбленное выражение. «Неслыханно! — как будто говорило оно. — Променять меня и семью на какие-то картинки!»

Глэдис вздохнула. Вечер был непоправимо испорчен, и она понимала, что в этом не виноват никто, кроме нее. В другое время Глэдис, конечно бы, уступила Дугу, но сейчас она чувствовала, что не может сделать этого, не перестав уважать себя. И дело было не только в самолюбии, как, может быть, считал Дуг. Речь шла ни много ни мало о будущем Глэдис и о будущем ее семьи.

— Вы нисколько мне не надоели, — сказала она как могла мягко. — Кроме того, я не Мэйбл.

— Кстати, ты не знаешь, чего она добивается? — неожиданно спросил Дуг, яростно кромсая ножом свой бифштекс. — Я не верю, что она настолько сексуально озабочена. Зачем она усложняет жизнь себе и ставит Джеффа в неловкое положение?

— Не знаю. — Глэдис пожала плечами. — Я думаю, что она просто чувствует себя очень одинокой. Семейная жизнь больше ее не удовлетворяет, так что... Нет, я ее не оправдываю, но... Ей уже сорок девять лет. И, как и я, Мэйбл в свое время отказалась от блестящей карьеры ради мужа и детей. А сейчас она вдруг оказалась в такой ситуации, когда никакого будущего у нее нет вообще. То есть я хотела сказать, что впереди Мэйбл не ждет ничего, кроме домашних забот и автопула. Тебе трудно это представить, Дуг, у тебя есть работа, которую ты любишь, есть цель, которой ты добиваешься. Наконец, ты никогда ни от чего не отказывался. Естественно, что ты доволен своей жизнью, но почему ты требуешь этого от других — от тех, у кого жизнь сложилась иначе, не так удачно, как у тебя?

Дуглас озабоченно нахмурился.

— Ты действительно так считаешь? Ну, что у тебя нет никакого будущего?

— Нет, не волнуйся. Я счастливее, чем Мэйбл, но и я тоже иногда задумываюсь о своем будущем. Дети наконец вырастут и разъедутся кто куда. Что мне делать тогда? Фотографировать в парках чужих детей?

— Ну, это можно будет решить позже. У тебя есть еще минимум лет девять, пока Сэм станет взрослым и начнет жить самостоятельной жизнью. На мой взгляд, этого времени больше чем достаточно, чтобы решить, как быть дальше. Быть может, мы переедем обратно в Нью-Йорк, и ты сможешь ходить в музеи и галереи.

«И все?! — подумала Глэдис. — Ходить по музеям — это ты хочешь мне предложить? Ничего себе перспектива!..»

При мысли о таком будущем она невольно содрогнулась. Нет, увольте. Будущее представлялось ей гораздо насыщеннее, разнообразнее, богаче. Если в старости не светит ничего, кроме хождения по музеям, волей-неволей согласишься с Мэйбл, которая стремилась получить максимум удовольствия, пока не стало слишком поздно.

Существовало и еще одно обстоятельство: возвращаться в фотожурналистику сейчас или через девять лет — это было далеко не одно и то же. Если сейчас Глэдис кто-то еще помнил, то еще через десятилетие она уже станет никем. К тому же, судя по тому, что Дуг ей только что наговорил, его отношение к ее карьере вряд ли могло измениться хоть через девять, хоть через девяносто девять лет.

— Когда дети вырастут, ты легко найдешь себе работу в какой-нибудь галерее или даже в рекламном агентстве, — продолжал тем временем Дуг. — Зачем волноваться об этом сейчас?

— Значит, ты советуешь мне не волноваться? — спросила Глэдис, снова начиная закипать. — А что прикажешь мне делать? Рассматривать фотографии, сделанные другими, и думать о том, что я могла бы сделать их лучше? Да, ты прав, сейчас я действительно занята, а потом? Что я буду делать потом?!

За последние двадцать четыре часа этот вопрос уже не раз возникал у нее в голове, но только сейчас Глэдис окончательно поняла, что именно в этом — суть ее проблемы.

— Зачем ты усложняешь себе жизнь, Глэдис? Эта твоя Мэйбл — настоящая смутьянка. Она совсем задурила тебе голову. Я допускаю, что она несчастна, но это еще не основание, чтобы злиться на весь свет и делать несчастными других.

— Мэйбл ни на кого не злится, — печально ответила Глэдис. — Ей хочется только одного — быть любимой, а Джефф не может или не хочет дать ей этого.

Тут Глэдис спохватилась, что, возможно, сказала

слишком много, но это, наверное, не имело большого значения, поскольку Дуг и так знал о похождениях Мэйбл.

— Искать любви в ее возрасте — смешно, — отрезал Дуг и отпил глоток вина из своего бокала. — О чем она только думает, хотелось бы мне знать?

Глэдис пожала плечами.

— Разве Мэйбл совершила такую уж большую ошибку? Просто она идет не тем путем. Мэйбл как-то призналась мне, как грустно бывает ей оттого, что ее уже никто никогда не полюбит по-настоящему. Очевидно, Джефф остыл к ней, а может, он никогда не был от нее без ума.

— Кто бы не остыл после двадцати лет брака? — с раздражением бросил Дуг. — Ни в сорок пять, ни в пятьдесят человек уже не способен чувствовать так, как он чувствовал в двадцать.

— Если ты имеешь в виду страсть, то я с тобой вполне согласна. Но ведь я говорю о другом, совсем о другом! В пятьдесят лет человек чувствует нисколько не слабее, чем в двадцать, — просто чувства у него иные. Они богаче, разнообразнее, глубже, наконец...

— Все это просто романтическая чушь! — перебил Дуглас, и Глэдис похолодела. Она не верила своим ушам.

— Ты серьезно считаешь, — начала она, с трудом подбирая слова, — что через пятнадцать или двадцать лет брака человек уже не может любить своего супруга или супругу?

— Я просто думаю, что к этому времени так называемая «любовь» проходит. И ни один человек, если только он способен рассуждать здраво, не ожидает ничего другого.

— Чего же он ожидает? — спросила Глэдис странным, напряженным голосом и, поставив бокал на стол возле своей тарелки, посмотрела на мужа.

— Верности, уважения, товарищества, помощи, в

том числе в уходе за детьми, надежности, наконец. Именно этого ожидают от брака в нашем возрасте.

— Но все это может дать хорошая домработница. Или собака.

— А чего бы хотела ты? — Дуглас усмехнулся. — Прогулки под луной, цветы, подарки на Валентинов день — все это для школьников. И не говори, пожалуйста, что до сих пор придаешь этой чепухе какое-то значение, иначе я решу, что ты общаешься с Мэйбл больше, чем следует.

— Я не ожидаю чего-то особенного, Дуг. Никаких чудес, но... Мне нужен кто-то больший, чем «человек, на которого можно положиться». Надеюсь, и тебе нужна не просто женщина, которой ты можешь доверить детей. Или наш брак для тебя — нечто вроде... трудового соглашения?

Выпалив все это единым духом, Глэдис мельком подумала, что от общих вопросов они как-то очень быстро перешли к частностям. И сколько бы Дуг ни называл эти частности «чепухой», для Глэдис они имели огромное значение.

— Наш брак продержался семнадцать лет, — обиделся Дуг. — И продержится еще долго, если ты не станешь раскачивать лодку и перегружать ее бреднями о своей карьере, таланте, поездках в Корею или о какой-то там «любви» после семнадцати лет замужества. Кто в зрелом возрасте способен на подобные детские чувства? Рассчитывать на что-то подобное всерьез — глупость!

Тут Глэдис вздрогнула, словно получила пощечину, и ее устремленные на мужа глаза расширились от ужаса и негодования.

— А вот я рассчитываю на это, Дуг, — сказала она чуть дрожащим голосом. — И всегда рассчитывала. Иначе в нашем браке просто нет смысла. Я люблю тебя по-прежнему, и всегда любила, иначе почему бы я оставалась с тобой?

— Гм-м, приятно слышать, но, право же, пора тебе оставить твои безумные романтические иллюзии. Быть замужем за кем-то, равно как и быть женатым — самая прозаическая вещь на свете.

— Почему так? Почему это должно быть так? — Глэдис решила идти ва-банк. Прошлым вечером Дуглас не оставил камня на камне от ее надежд, сегодня он пустил по ветру уверенность в том, что ее брак — счастливый брак. Глэдис больше нечего было терять. — Ведь семейная жизнь только выиграла бы, если к ней добавить капельку романтики, а без любви она и вовсе не может существовать — я в этом убеждена. Просто многим это невдомек. Если бы тот же Джефф почаще задумывался, как ему повезло, что у него есть Мэйбл, он вел бы себя иначе. Тогда ей и в голову бы не пришло встречаться с чужими мужьями.

— А я уверен, что Мэйбл просто распущенная дрянь и развратница. При чем тут какие-то надуманные промахи или ошибки Джеффа?

— Не будь так уверен! — отрезала Глэдис. — Твой Джефф просто глуп. И слеп в придачу.

— Нет уж, это твоя любимая Мэйбл глупа, если к пятидесяти годам все еще сохраняет детские представления о любви, браке и всем подобном. Это все чушь собачья, Глэдис! Ты не можешь этого не понимать!

Глэдис долго молчала, и только потом слегка кивнула. Она очень боялась, что если заговорит, то не выдержит, и либо расплачется, либо встанет и уйдет. Все же ей удалось сдержаться, но ужин они заканчивали в молчании, лишь время от времени обмениваясь ничего не значащими фразами.

Вот так за один вечер Дуг умудрился разрушить все, во что она верила. Он уничтожил все ее представления о браке вообще и о ее собственной семье в частности. Но, самое главное, он с презрением отозвался о том, что она делала и что мечтала делать. Теперь Глэдис была для Дуга не возлюбленной и даже не женой,

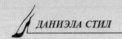

а кем-то, на кого он «мог положиться и доверить воспитание своих детей».

По дороге домой Глэдис думала только о том, не позвонить ли ей Раулю, чтобы принять его предложение. Но как бы сильно она ни сердилась на Дуга и каким бы глубоким ни было ее разочарование, она никогда бы не поступила так с детьми.

— Я прекрасно отдохнул, — заявил Дуглас, сворачивая на подъездную дорожку возле их дома. Глэдис вздрогнула. — Кроме того, я рад, что мы окончательно решили вопрос о твоей работе. Думаю, теперь ты понимаешь, что я по поводу всего этого думаю, и сама позвонишь Раулю, чтобы он навсегда оставил тебя в покое.

Он говорил так уверенно, словно ни секунды не сомневался в том, что достаточно ему высказать свое желание вслух, и Глэдис тотчас же его исполнит. Дуг даже не говорил, а вещал, и одно это вызывало в Глэдис глубокий внутренний протест. И еще страх. Она еще никогда не видела Дуга таким, но, с другой стороны, за все семнадцать лет брака Глэдис еще ни разу не обсуждала с ним столь принципиальных вопросов.

— Что ж, — вздохнула она, пока они еще сидели в машине, — теперь я действительно точно знаю, как ты ко всему этому относишься. И мне, признаться, очень грустно...

— Не глупи, — отозвался Дуг. — Мэйбл несет чушь, а ты ее слушаешь. Она еще не то выдумает, лишь бы оправдать свое поведение, которое становится по-настоящему вызывающим. Она сама это чувствует. Мэйбл нужны единомышленники и сочувствующие, и ты едва не стала одной из них. Я настоятельно прошу тебя, Глэдис, держаться подальше от этой женщины. Хорошему она тебя не научит — только собьет с толку.

Но не Мэйбл сбила ее с толку. Это Дуг заставил Глэдис утратить почву под ногами. Всего за несколько часов он наговорил ей такого, чего никакой Мэйбл не пришло бы в голову. В частности, она узнала — и Дуг заявил ей об этом с предельной откровенностью — что он больше не любит ее и, возможно, никогда не любил. По его мнению, любовь существовала только для дураков и детей.

— Каждому человеку необходимо рано или поздно стать взрослым, — невозмутимо добавил Дуг, отворяя дверцу машины. — Только твоя Мэйбл так и не выросла.

— Зато ты у нас слишком взрослый, — сказала Глэдис.

Ей очень хотелось побольнее уязвить его. Впрочем, Дуглас снова ее не понял, как, похоже, не понимал все эти годы. Теперь она не знала, что думать, что чувствовать и — главное — как жить дальше.

— Мне понравилось в ресторане. А тебе? — спросил Дуг, когда они вошли в прихожую.

В доме было тихо, и Глэдис подумала, что из всех ее детей только Джессика, наверное, еще не спит. Час был действительно поздний.

— По-моему, еда была даже вкуснее, чем обычно, — как ни в чем не бывало продолжал Дуг, не замечая состояния Глэдис. Она вдруг поняла, что он, как айсберг, потопивший «Титаник». Ледяная гора, бесшумно возникшая из тумана, бьет в бок несчастный пароход и величественно удаляется, даже не заметив, что произошло. С кем же это она прожила полжизни? Потонет ли ее корабль сейчас или несколько позднее, но ему не удержаться на плаву. Хотя можно и уступить Дугу, смирившись с ролью надежного и верного «товарища», на которого всегда можно положиться. Этого, во всяком случае, хотел Дуглас. Именно этого он от нее ждал и теперь, и всегда. Где были ее глаза? Ему не нужны были ее душа и сердце, которые теперь осиротели, лишившись главного, что поддерживало ее жизнь.

— Там действительно хорошо готовят. Спасибо, Дуг, — откликнулась она безжизненным, деревянным голосом и поднялась наверх, чтобы проведать детей. Джессика еще смотрела телевизор, и Глэдис посидела с ней минут десять. Остальные, как она правильно догадалась, давно спали, и, заглянув к каждому из них, Глэдис отправилась в свою спальню. Дуг как раз раздевался, но, услышав ее шаги, оглянулся через плечо. Глэдис стояла на пороге, и в ее неподвижной фигуре действительно было что-то странное.

— Все еще переживаешь из-за той чепухи, которую наболтала тебе Мэйбл? — спросил он.

Глэдис немного поколебалась, потом отрицательно покачала головой. «Неужели, — пронеслось у нее в голове, — он действительно настолько глух, слеп и глуп, что не видит, не чувствует, что́ он натворил?» Но пытаться объяснять ему что-либо было бессмысленно — теперь это было ей совершенно очевидно.

И, глядя на него, сидящего на кровати в нелепой позе с одним снятым носком, Глэдис подумала, что этот день она никогда не забудет.

ГЛАВА 3

На протяжении последующих трех недель Глэдис жила как в тумане. Словно автомат, она готовила завтраки и ужины, отвозила детей в школу, забирала из школы, ходила с ними на тренировки и соревнования. Впрочем, внешне она нисколько не изменилась, и даже дети не обратили внимания на то, что впервые за много, много лет их мать выходит из дома без своего любимого «Никона».

А Глэдис казалось, что теперь это ей ни к чему. Она чувствовала себя так, словно кто-то нанес ей смертельную рану. Руки ее безотказно выполняли привычную работу с обычной сноровкой. Но дух ее был мертв, и она не сомневалась, что тело вскоре последует за ним.

И прекрасно. Слова Дугласа настолько лишили ее всякого желания жить, что теперь ей хотелось только одного — ничего не чувствовать и не знать. С каждым днем ей приходилось прилагать все бо́льшие усилия, чтобы исполнять то, что от нее требовалось.

«Я — как заводная кукла, у которой кончился завод, — часто думала Глэдис, в задумчивости замирая посреди кухни с не убранной в шкаф тарелкой в руках или склоняясь над стиральной машиной с невскрытой пачкой порошка. — Или как проколотая автомобильная камера, из которой вышел весь воздух и которая больше ни на что не годится».

Она по-прежнему часто встречалась с Мэйбл Джонс, и ей было известно, что та продолжает встречаться с Дэном Льюисоном. Мэйбл довольно прозрачно намекала Глэдис на какой-то отель, который они облюбовали для своих романтических свиданий. Заметив, что Глэдис пребывает в подавленном настроении, Мэйбл решила, что подруга все еще расстраивается по поводу неудавшейся поездки в Корею.

Но, несмотря ни на что, Глэдис все же не стала звонить Раулю Лопесу и просить его вычеркнуть свое имя из клиентских списков. Больше того, она твердо решила этого не делать, хотя сейчас ей меньше всего хотелось снова поднимать вопрос о работе, отстаивать какие-то свои права, убеждать, добиваться своего. Единственное, что она хотела, это как можно скорее уехать на мыс Код и попытаться забыть все случившееся. Кроме того, ей казалось, что, если они с Дугом не будут видеться каждый день, быть может, они начнут думать друг о друге несколько иначе. В любом случае рана, нанесенная ей мужем, была слишком глубока. Глэдис необходимо время, чтобы оправиться, если, конечно, она собиралась и дальше жить с ним. Если же нет, то силы ей тем более понадобятся.

Это оставалось пока на уровне почти подсознательном, ибо даже в мыслях Глэдис старательно избегала всякого намека на то, что им с Дугом придется расстаться. «Может быть, все еще как-нибудь образуется и мы начнем относиться друг к другу как прежде!» — твердила она себе в минуты отчаяния, хотя и не представляла, как можно относиться «как прежде» к человеку, который чуть не открытым текстом заявил, что больше ее не любит. Как можно уважать человека, который с презрением отмахнулся от твоей любимой работы, пусть даже ее ценность была для него спорной?

После их разговора в ресторане Глэдис стала исподволь наблюдать за Дугом и... не узнавала его. Между тем он вел себя так, словно бы даже не подозревал о том, какую боль причинили Глэдис его пренебрежительные слова. Главным для Дуга по-прежнему оставался бизнес. Дни проходили совершенно как всегда, безо всяких изменений. Когда же они ложились и Глэдис отказывалась от близости, Дуг приписывал это обычной усталости. Ему ни разу даже не пришло в голову, что жена просто не хочет заниматься с ним любовью.

А Глэдис действительно избегала супружеских отношений, однако так не могло продолжаться вечно, поэтому она испытала огромное облегчение, когда пришла пора отправляться на мыс Код. Все необходимое Глэдис собрала и упаковала моментально.

Утром того дня, когда они уезжали в своем «Грейгаунде», как прозвал Сэм их потрепанный универсал, Дуг вышел проводить их на лужайку перед домом. В последнюю неделю Глэдис почти не видела его — он был так занят с новыми клиентами, что дважды даже оставался ночевать в Нью-Йорке, однако на сегодня Дуг специально отпросился, чтобы попрощаться с семьей. Глэдис даже почувствовала, как на сердце у нее теплеет от этого неожиданного знака внимания. Но Дуг чуть не забыл поцеловать ее на прощание, и настроение снова упало. В конце концов она все же по-

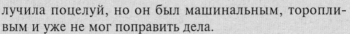

лучила поцелуй, но он был машинальным, торопливым и уже не мог поправить дела.

Но в остальном все было в порядке. Дети и собака — с ней, в салоне универсала, узлы, чемоданы и сумки — в багажном отделении (их оказалось так много, что заднюю дверцу они закрывали втроем), и ничто не мешало отправиться в путь. Глэдис в последний раз махнула Дугу в приоткрытое окошко, и все.

— Звони почаще, хорошо?! — крикнул он, когда машина уже трогалась с места, и Глэдис улыбнулась и кивнула. Через две минуты она уже сворачивала с подъездной дорожки на шоссе.

Глэдис ни разу не обернулась, ни разу не посмотрела в зеркало заднего вида. У нее было такое ощущение, что ее провожал не муж, а какой-то посторонний, малознакомый человек. Дуглас уже сказал ей, что вряд ли сможет навестить их в ближайшие выходные, а буквально накануне отъезда он намекнул, что из-за срочной работы у него вообще не будет выходных вплоть до четвертого июля, Дня независимости. Но ее это только обрадовало; Дуглас же, втайне опасавшийся, что Глэдис будет жаловаться и возмущаться, решил, что она просто «отличный парень». Он так и не заметил, что со дня визита в «Ма Пти Ами» Глэдис ходит как в воду опущенная.

Ехали без приключений. Все дети были в отличном настроении и без умолку болтали, не в силах дождаться, когда же они доберутся до побережья и увидят своих друзей. Только Джессика заметила, что Глэдис сегодня как-то особенно рассеянна.

— Что-нибудь случилось, мама? — спросила она тихонько.

Глэдис была до глубины души тронута вниманием дочери.

— Нет, все в порядке. Просто я, наверное, немного устала, — ответила Глэдис. Рассказывать Джессике о ссоре с Дугом ей не хотелось — вряд ли дочь сумела бы понять ее, несмотря на свои четырнадцать лет. Кроме того, вообще ни к чему, чтобы Джессика знала о разногласиях между ее матерью и отцом.

— А почему папа не сможет приехать к нам в выходные? — снова спросила Джессика. Она была гораздо наблюдательнее, чем предполагала Глэдис, и уже давно заметила, что между ее родителями что-то неладно. Впрочем, она не очень волновалась по этому поводу, решив, что Глэдис и Дуг просто поссорились в минуту дурного настроения. С кем не бывает? Хотя, надо признать, что в их семье такое было редкостью.

— Ему приходится много работать, — объяснила Глэдис. — Боюсь, что и в следующие выходные он тоже не сумеет выбраться. Зато в августе у него отпуск, целых три недели. Разумеется, он проведет их с нами.

Этого оказалось вполне достаточно. Выслушав ее, Джессика натянула на голову наушники своего «Уокмена», и до самого Харвича Глэдис не услышала от нее ни одного слова. Сейчас это было очень кстати, хотя обычно она непременно попыталась бы как-то отвлечь дочь от ее дурацкой музыки.

Накануне отъезда Глэдис еще раз встретилась с Мэйбл. В ближайшие выходные ее подруга должна была лететь в Париж с мужем и детьми, однако никакой особенной радости по этому поводу не испытывала. Ее отношения с Дэном Льюисоном были, что называется, «на мази», и Мэйбл очень не хотелось расставаться с ним. У нее было вполне достаточно здравого смысла, чтобы понимать: этот роман не выдержит испытания ни временем, ни расстоянием. «Стоит мне уехать, — объясняла она Глэдис, — и на мое место найдется с десяток девчонок помоложе и попокладистее. К тому же Дэну тоже надо как-то устраивать свою жизнь. Словом, кобель — он и есть кобель...» — резюмировала она.

Подобная откровенность несколько смутила Глэдис, но она все же попросила Мэйбл позвонить ей, когда та вернется из Европы. «Быть может, — сказала Глэдис, — у тебя останется свободная неделька и ты с мальчиками сможешь приехать к нам на побережье». Мэйбл обещала подумать, хотя и сказала, что из этого вряд ли что-нибудь выйдет.

День клонился к вечеру, когда они наконец добрались, и Глэдис, выйдя из машины, смогла наконец как следует размять затекшие ноги. С их участка открывался превосходный вид на океан, и, вглядываясь в его голубые просторы, Глэдис испытала чувство облегчения. «Да, — подумала она, — я правильно поступила, когда не стала пороть горячку. Полтора месяца в таком чу́дном месте — это как раз то, что мне нужно. Здесь я, по крайней мере, сумею успокоиться и разложить все по полочкам».

В самом деле, до последнего гвоздя знакомый одноэтажный щитовой коттедж буквально дышал спокойствием и действовал на нее умиротворяюще, к тому же рядом было море, созерцать которое рекомендуется даже буйнопомешанным (при мысли об том Глэдис невольно улыбнулась). По соседству — в таких же коттеджах — жили ее старые друзья из Чикаго, Бостона и Нью-Йорка. Все было прекрасно. Исчезали все скучные заботы. Оставалось общение с детьми, полноценное, свободное, не ограниченное массой срочных дел. И оставалось время, то самое время, которого так не хватало, чтобы подумать о жизни. Особенно теперь, в той непростой ситуации, которая сложилась в их семье.

Вдруг Глэдис поймала себя на том, что думать ни о чем таком ей как раз и не хочется. Больше того, ей не хотелось даже звонить Дугу, чтобы сообщить: доехали нормально. Она никак не могла заставить себя сделать это. Кончилось тем, что Дуглас позвонил первым.

— Ну как, все в порядке? — спросил он, и Глэдис уверила его, что все просто отлично. Коттедж к их приезду вымыли и просушили, крыша не протекала, ставни и окна были целы, а дорожка перед крыльцом засыпана свежим песком. Выслушав ее, Дуг поинтересовался:

— Почему ты не позвонила мне сразу, как только вы приехали? Я уже начал беспокоиться, не случилось ли что по дороге.

«Боже мой! — с раздражением подумала Глэдис. — Какая ему разница, когда я позвоню — сразу по приезде или через час? Что ему за дело? Он боится потерять «надежного партнера», которому он может доверить своих детей? Но ведь если со мной что-нибудь случится, всегда можно нанять няню!»

— Извини, Дуг, — ответила она. — Мы все были очень заняты: надо было открыть дом, распаковать и разложить вещи.

— У тебя усталый голос, — заметил он. Глэдис действительно устала — в последние несколько недель она чувствовала себя так, словно по ночам ей приходилось грузить мешки в порту. Отчего же Дуг заметил это только сейчас?

— Ты же знаешь, дорога до Харвича не из легких, — ответила она. «Дети, собака и шофер живы-здоровы и чувствуют себя нормально», — хотелось ей добавить, но она сдержалась. Вряд ли Дуг способен был правильно ее понять.

— Жаль, что я не смог поехать, — промолвил Дуг. — Как бы мне хотелось отдыхать с вами на пляже, вместо того чтобы возиться здесь с клиентами!

Голос его звучал вполне искренне. Возможно, Дуг действительно хотел бы оказаться сейчас с семьей, но не ради нее, а ради отдыха у моря.

— Ничего, — ответила Глэдис. — Когда ты будешь посвободнее, ты сможешь проводить с нами каждые выходные. А там, глядишь, и отпуск...

В голосе ее прозвучала положенная доля участия, но на самом деле больше всего Глэдис хотелось, чтобы этот разговор как можно скорее прекратился. Ей совершенно нечего было сказать Дугу. Она чувствовала себя выжатой досуха, пустой, как фляга пьяницы к утру, еще немного, и она просто засомневалась бы в собственном существовании, настолько покинули ее жизненные силы.

— Мы тебе еще позвоним, — произнесла она как можно естественнее, и через минуту оба положили трубки. Дуг не сказал ей, что любит ее. Странно, что она начала замечать это только сейчас, когда было уже поздно. Может быть, в том, что любовь исчезла, есть доля и ее вины? Что же теперь делать?

Глэдис вернулась к детям и помогла им застелить кровати, поскольку сервис-служба не удосужилась этого сделать. Когда все было готово, они быстро поужинали, после чего дети отправились спать, а Глэдис решила заглянуть в чулан, который она переоборудовала под фотолабораторию.

Они не были здесь уже почти год, однако, включив свет, Глэдис обнаружила, что все осталось как было. На длинном столе в образцовом порядке были разложены бачки, кюветы, баночки с реактивами, стояли красный фонарь, увеличитель в полотняном чехле и японский автомат для цветной печати. Вся стена над столом была увешана фотографиями, сделанными ее отцом. Было и несколько ее снимков, в том числе — портрет Дуга, сделанных лет семь назад.

Остановившись перед ним, Глэдис долго всматривалась в знакомое ей до последней черточки лицо. Заметив в глазах Дуга то же выражение холодности, которое так поразило ее недавно, Глэдис подумала: «Значит, я была слепа и не замечала очевидного». Но почему? Сама ли она хотела обманываться или просто не обратила внимания на то, что человек, которого она когда-то любила, изменился? Почему она прозрела только после того, как Дуг произнес жестокие слова о том, что в браке любовь не нужна? Быть может, потому, что подсознательно ей хотелось любить и быть любимой?

С трудом оторвав взгляд от портрета Дуга, Глэдис посмотрела на фотографию отца. Он был высок, строен, широкоплеч и чем-то напоминал Дугласа в молодости, однако даже на фотографии в его глазах был виден смех, а поза — да и весь его облик — выдавали натуру порывистую, романтичную, страстную. Глэдис почти не сомневалась, что ее отец не потерял бы способности любить в любом возрасте. Но Джек Уильямс погиб, когда ему было сорок два года.

Снимок, сделанный кем-то из друзей-фотографов, запечатлел ее отца лет на пять раньше. Мысленно сравнивая его с Дугласом, Глэдис невольно подумала, что даже на стареньком фото Джек Уильямс выглядит гораздо более живым. И дело было даже не в разнице в возрасте. Просто чуть склоненное, улыбающееся лицо ее отца излучало такую энергию, такую любовь и нежность, каких она не помнила и у двадцатилетнего Дугласа. Не удивительно, что ее мать очень страдала, когда он надолго уезжал. Из-за его постоянного отсутствия жизнь их нельзя было назвать легкой, но Глэдис была уверена, что ее отец и мать очень любили друг друга.

Не любить такого человека, как ее отец, было, наверное, просто невозможно. Но, когда он погиб, любовь матери к нему превратилась во что-то совершенно противоположное. Глэдис помнила это так ясно, словно все было вчера. Ее мать не могла простить мужу, что он погиб так нелепо, оставив их одних. Она, как и Глэдис, не представляла себя без него.

С тех пор прошло двадцать восемь лет — почти целая жизнь, — однако отец продолжал оставаться для Глэдис эталоном мужчины. И ей было вдвойне горько оттого, что Дуглас больше не соответствовал в ее глазах этому высокому идеалу.

Глэдис взглянула и на свои немногочисленные работы. Фотографии были очень хороши — не признавать этого было бы просто глупо. Лица, позы, фон — все было «говорящим», все передавало мысль, чувство, настроение, и это роднило фотографии с живописью. Особенно сильные чувства разбудила в ней одна из самых лучших ее фотографий — портрет молодой индианки, державшей на руках только что родившегося ребенка. Глэдис сама помогала принимать этого малыша, когда работала в миссии Корпуса мира в Кито, и очень хорошо помнила, как лучились счастьем глаза и лицо молодой матери. И, кажется, ей удалось запечатлеть все это.

Каждый снимок был как бы кусочком ее жизни, выхваченным из потока времени, спасенным от тления и забвения, и, глядя на них, Глэдис не хотелось верить, что ничего подобного в ее жизни уже никогда не будет. Не обокрала ли она сама себя? Когда Глэдис вспоминала о детях, ей казалось, что нет. Но ведь дети скоро вырастут, вырастут и уедут. Что останется у нее тогда?

И на этот вопрос ответа Глэдис не нашла.

Проверив оборудование и реактивы, она сделала кое-какие пометки и, погасив свет, пошла к себе в спальню. Она долго лежала без сна, прислушиваясь к неумолчному шороху океана. Этот мирный звук она забывала каждую осень, когда возвращалась в Уэстпорт, и каждое лето открывала заново. В конце концов прибой убаюкал ее, и под тот же мерный рокот Глэдис проснулась утром — проснулась с мыслью, что она здесь одна и что рядом нет никого, кроме детей, ее воспоминаний и океана.

И сейчас это было все, что ей нужно.

ГЛАВА 4

Утреннее солнце сияло по-летнему ярко, и океан казался оправленным в серебро. Когда Глэдис выбралась из спальни, дети уже встали и подкреплялись на кухне молоком и кукурузными хлопьями, предусмотрительно захваченными накануне в одном из «Макдоналдсов». По случаю теплой погоды и начала пляжного сезона Глэдис была в белой майке, шортах и сандалях-римлянках на ремешках, которые она очень любила. Волосы она разделила на пробор и скрепила двумя черепаховыми заколками. Джессика тут же объявила матери, что она выглядит просто прелестно.

— Ну что, какие планы на сегодня? — бодро спросила Глэдис, ставя на огонь воду для кофе и придвигая поближе блюдо с кукурузой. Кроме нее, кофе никто не пил, но она любила посидеть утром на веранде, прихлебывая кофе, любуясь океаном и листая какой-нибудь иллюстрированный журнал. Десять минут подобного праздного времяпрепровождения заряжали ее праздничным настроением чуть не на весь день.

— Я должна навестить Бордманов, — быстро сказала Джессика, и Глэдис кивнула. У Бордманов было трое сыновей пятнадцати, семнадцати и девятнадцати лет, и дочь — ровесница Джесс. С Маршей Бордман Джессика дружила чуть не с детсадовского возраста, но Глэдис подозревала, что теперь ее дочь больше интересуют братья Марши, старший из которых закончил первый курс колледжа.

У Джейсона тоже был в Харвиче приятель, который жил чуть дальше по улице. Он был из Мэриленда, где школьников распускали на каникулы на два дня раньше, и Джейсон еще накануне созвонился с ним и договорился о встрече. Эйми хотела купаться с подругами, и Глэдис обещала обзвонить знакомых и организовать поход к морю («Вот только выпью чашечку кофе, дорогая...»). Сэм же сказал, что не прочь погулять с ней по берегу. Глэдис этот план вполне устраивал. Она пообещала сыну, что они обязательно устроят вылазку, если он разберет свои старые игрушки, оставшиеся в коттедже с прошлого года. Сэм с готовностью согласился, а заодно решил привести в порядок велосипеды.

К половине одиннадцатого утра все вопросы были решены, и Глэдис с Сэмом отправились прогуляться, прихватив собаку. Сэм нашел среди игрушек старый теннисный мяч, который он то и дело бросал Кроку, а тот приносил, бесстрашно забираясь в воду по самое брюхо. Глэдис шагала по плотному, чуть влажному песку немного позади них, и на плече ее снова висел фотоаппарат. Она положила его в машину лишь в последнюю минуту перед отъездом, сделав это скорее по привычке.

Каникулы едва начались, отдыхающие только-только съезжались в Харвич, и они прошли чуть не целую милю, прежде чем встретили знакомых. Дик и Дженни Паркер были хирургами из Бостона, а на мыс Код приезжали с незапамятных времен, когда их сын — ныне студент Гарвардского медицинского колледжа — был еще совсем маленьким. Самому Дику было что-то около пятидесяти, Дженни была на два года его старше, однако оба неплохо сохранились и выглядели много моложе своих лет. Заметив Глэдис и Сэма, они еще издалека заулыбались и замахали руками.

— А я уже давно гадаю, когда же вы наконец приедете! — сказала Дженни, целуя Глэдис. — Как дела, Сэм? А где Дуглас? Неужели работает?

— Мы приехали вчера вечером, — объяснила Глэдис. — У Дуга действительно много работы, так что он, наверное, появится только через неделю, а то и через две. У него сейчас большой наплыв клиентов, а двое клерков выбыли из строя.

— Жаль, жаль, — сказал Дик, качая головой. — Четвертого июля мы хотели устроить пикник, и я надеялся, что вы придете вместе. Что ж, я вас все равно приглашаю, а там как выйдет. В этом году Дженни решила нанять повара, так что жареные ребрышки будут в целости и сохранности.

— Зато бифштексы у тебя получились отлично, — улыбнулась Глэдис, которая прекрасно помнила, как в прошлый раз Дик устроил настоящий фейерверк. Свиные ребрышки горели синим пламенем в буквальном смысле слова, а гамбургеры превратились в головешки.

— Спасибо на добром слове. — Дик тоже улыбнулся. Он был рад видеть Глэдис и к тому же питал слабость к ее мальчишкам, поскольку его собственный сын давно вырос. — Приходите всей семьей, мы вас будем очень ждать.

— Хорошо, мы постараемся, — кивнула Глэдис и тут же спросила, кто еще из общих знакомых уже приехал в Харвич. Дженни назвала ей довольно много имен, и Глэдис была рада узнать, что большинство друзей и соседей уже на месте. Значит, подумала она, у детей будет своя компания.

— Угадай, кто еще будет у нас на пикнике? — добавила Дженни, и Глэдис улыбнулась. У Паркеров было полно знакомых, к ним постоянно кто-то приезжал, и в их коттедже на самом берегу можно было встретить кого угодно — от знаменитого бейсболиста до сенатора Соединенных Штатов.

— Наверное, Майкл Джексон, — сказала она, приняв серьезный вид, и Дженни прыснула.

— Нет, его мы еще не лечили. Впрочем, эти гости тоже не из числа наших пациентов. К нам приедет Селина Смит с мужем!

— Та самая Селина Смит? — удивилась Глэдис. Разумеется, она знала эту известную писательницу, романы которой регулярно попадали в списки бестселлеров. Глэдис читала их все, и у нее сложилось впечатление, что Селина — интересная женщина.

— Ну да, — кивнула Дженни. — Я училась с ней в колледже. Потом мы на несколько лет потеряли друг друга из виду. И только в прошлом году я снова встретилась с ней в Нью-Йорке. Селина очень мила, с ней не соскучишься, да и муж ее мне тоже очень понравился.

— А какая у него яхта! — вставил Дик. — Он с дюжиной друзей обошел на ней вокруг света. Это действительно чудо! Ну вы еще полюбуетесь — Селина и ее муж проведут у нас целую неделю.

— Вы нам скажите, когда они приплывут, и мы обязательно сходим посмотреть, — наивно попросила Глэдис, и Дик и Дженни рассмеялись.

— Такую махину трудно не заметить. Яхта имеет сто семьдесят футов в длину, а экипаж состоит из девяти человек. Селина и ее муж очень хорошо обеспечены, что не мешает им быть по-настоящему приятными людьми. Думаю, что они вам понравятся. Жаль только, что Дугласу приходится работать.

— Да, он, конечно, расстроится, — вежливо сказала Глэдис, хотя ей было прекрасно известно, что при одном взгляде на обычный прогулочный ялик у Дуга начинается морская болезнь. Но не объяснять же это Паркерам, к тому же в ее семье было как минимум два человека, которые морской болезнью не страдали. И она сама, и в особенности Сэм были очень не прочь посмотреть на красавицу яхту и, быть может, даже немного на ней прокатиться.

— А кто ее муж? — поинтересовалась она.

— Да ты наверняка тоже его знаешь. Это Пол Уорд, известный финансист и банкир.

Глэдис кивнула. За последние несколько лет портрет Уорда дважды появлялся на обложке «Таймс», к тому же она читала статьи о нем в «Уолл-стрит джорнэл». Полу Уорду было слегка за пятьдесят, однако выглядел он гораздо моложе. Почему-то Глэдис не связывала его имя с именем Селины Смит, но это было как раз не удивительно — известность одного не зависела от славы другого, поэтому человек, который не следил за светской хроникой, воспринимал их как две вполне самостоятельные фигуры.

— Мне очень хотелось бы познакомиться с ними, — честно призналась Глэдис и улыбнулась. — Похоже, у нас в Харвиче начинает оседать чуть ли не высшее общество — миллиардеры и финансисты, роскошные яхты, знаменитые писательницы... По сравнению с ними все остальные будут выглядеть серенькими воробышками.

— Ну, тебя-то никто не назовет серенькой, — ответил Дик, дружески обнимая ее. Он не только считал Глэдис весьма привлекательной и эффектной женщиной, но и разделял ее страсть к фотографии, хотя по сравнению с ней Дик был, конечно, просто любителем.

— Кстати, мне давно хотелось у тебя спросить... — добавил он. — Ты работала этой зимой? Какие новые репортажи ты сделала?

Глэдис смущенно пожала плечами.

— Нет. После Гарлема я не сделала ничего, что стоило бы внимания.

Она рассказала, как сорвался корейский заказ.

— Да, жалко... — протянул Дик, внимательно выслушав ее. — Очень жалко. Я уверен, что ты сумела бы подать этот материал как никто другой.

— К сожалению, у меня не было возможности оставить детей на целый месяц, — заученно повторила Глэдис. — Кроме того, Дуг выходит из себя каждый раз, когда я заговариваю о работе. Он не хочет, чтобы я возвращалась к фотографии.

— Не понимаю... — пожал плечами Дик, оборачиваясь к Дженни в поисках поддержки, но его жена болтала с Сэмом и, казалось, ничего не слышала. — Ведь у тебя талант! Хоть он тебе и муж, но с его стороны просто преступление запереть тебя в четырех стенах и не давать заниматься делом.

— Очевидно, Дуг так не считает, — кротко ответила Глэдис и вымученно улыбнулась. — Кажется, он боится, что работа помешает мне выполнять мои материнские обязанности. Вряд ли он прав, но переубедить его...

Она снова взглянула на Дика, и по выражению ее

глаз он понял, что эта тема для нее весьма и весьма болезненна.

— Пусть Дженни поговорит с ним об этом, — сказал он решительно. — Примерно пять лет назад я предложил ей уйти на пенсию, так она чуть меня не прибила, хотя мне просто казалось, что она слишком много работает. Ты ведь знаешь, что она не только преподает, но еще и практикует: в Центральной бостонской лечебнице ей поручают самые сложные операции. Честное слово, мы тогда чуть не развелись, и я дал себе слово, что не буду заговаривать об этом, пока Дженни не исполнится лет восемьдесят.

И он с любовью посмотрел на жену.

— Даже и не думай! — отозвалась Дженни, которая уловила последнюю часть разговора. — Не знаю, как насчет практической хирургии, но преподавать я буду до тех пор, пока мне не стукнет сто!

— С нее станется, — кивнул Дик и снова улыбнулся Глэдис. Он всегда получал истинное удовольствие, глядя на нее. Как естественна, как хороша собой! Глэдис, похоже, не отдавала себе отчета в том, какое впечатление она производит. Должно быть, подумал Дик, ей даже в голову не приходит, что, пока она смотрит на мир сквозь объектив своего фотоаппарата, мир смотрит на нее.

Паркеры засобирались домой, чтобы успеть встретить каких-то друзей, которые приезжали сегодня, Глэдис пообещала заглянуть к ним через пару деньков и помочь Дику освоиться с его новым фотоаппаратом.

— Не забудь про Четвертое июля! — напомнила Дженни, и они разошлись. Глэдис, Сэм и Крок пошли дальше по берегу, а Дик и Дженни некоторое время стояли и смотрели им вслед.

— Не понимаю, почему Дуг не хочет, чтобы Глэдис работала, — рассуждал Дик, когда они уже возвращались обратно. — Ведь она не любительница, как я. До того, как они поженились, она делала блестящие фоторепортажи! Да и после этого тоже...

— Не забывай, что у них четверо детей, — напомнила Дженни, которая в любом споре всегда старалась выслушать обе стороны. Впрочем, об отношении Дуга к профессии жены она уже давно догадалась. Дуг почти никогда не говорил о фотографиях Глэдис, не говоря уже о том, чтобы гордиться ее достижениями.

— Ну и что? — спросил Дик. — Дети уже большие. Ты же видела Сэма — он вполне способен позаботиться о себе. А он ведь у них младший.

— В общем-то, ты прав, — согласилась Дженни, немного подумав. — Конечно, девять лет — это еще не девятнадцать, и все же... Да, ты прав! Стыд и срам, что Дуглас не разрешает ей работать! И в эту Корею она вполне могла поехать. Дуг зарабатывает не так уж мало. Ему по карману нанять на это время няню для детей. В любом случае нельзя делать из жены домохозяйку в угоду собственному «я».

— Что-то ты развоевалась, Аттила! — поддразнил ее Дик. — Я-то с тобой согласен. Лучше скажи об этом Дугу.

— Извини. — Дженни улыбнулась, и Дик нежно обнял ее за плечи. Они поженились, еще когда учились в Гарварде, и до сих пор были без ума друг от друга. — Я кричала не на тебя, а вообще. Ты, разумеется, прав. Терпеть не могу, когда мужчина так себя ведет, ведь это чертовски несправедливо. А если бы Глэдис потребовала, чтобы он бросил работу и заботился о детях, пока она будет разъезжать по всему миру? Он небось сразу бы встал на дыбы и решил, что она сумасшедшая!

— Нет, серьезно? Расскажите-ка нам об этом поподробнее, доктор Паркер!

— Хорошо, хорошо, не буду.

В это время Глэдис и Сэм тоже говорили о Паркерах. Сэм был рад, что их пригласили на пикник, к тому же ему не терпелось увидеть яхту мистера Уорда.

— Ты слышала, что сказал дядя Дик? — в десятый раз спрашивал он. — Яхта длиной сто семьдесят футов! Это же почти пятьдесят метров! Все равно что плыть по морю в своем собственном доме со всеми удобствами.

Глэдис кивнула.

— Действительно, очень большая. Сейчас мне просто трудно представить себе, что это такое, но, я думаю, мы скоро увидим ее своими глазами.

— Как ты думаешь, нам разрешат подняться на борт? — с замиранием сердца поинтересовался Сэм. Он недавно заболел морем и собирался записаться в Харвичский яхт-клуб, чтобы научиться ходить под парусами.

— Думаю, что да, — улыбнулась Глэдис. — В любом случае можно попросить Дика, чтобы он это устроил.

При этих словах Сэм буквально засиял. Глэдис вполне разделяла его восторг. Ей тоже было интересно увидеть гигантскую яхту, но еще сильней ей хотелось познакомиться с Селиной Смит.

Дойдя до конца пляжа, они повернули обратно. На полдороге Глэдис сбросила туфли и побрела по щиколотку в воде. Сэм продолжал бросать Кроку мячик, но пес устал и гонялся за ним уже не так резво.

Когда они вернулись домой, никого не было. Перекусив и оставив записку с разъяснениями, где что лежит, они взяли велосипеды, решив объехать соседей и дать им знать о своем появлении. В последнем доме, который они навестили, оказалась целая компания друзей Сэма, и Глэдис со спокойным сердцем оставила сына там.

Когда она вернулась в коттедж, в гостиной надрывался телефон. Глэдис подумала, что это Дуг, и некоторое время размышляла, снимать ли трубку. Разговаривать с мужем ей совершенно не хотелось. Но ведь рано или поздно Дуг все равно до нее дозвонится.

Звонил Дик Паркер.

— Уорды приезжают завтра, — сказал он, едва заслышав в трубке ее голос. — Вернее, будет Пол на своей яхте, и с ним — целая компания. Селина прилетит на выходные самолетом. Я звоню предупредить тебя, чтобы ты могла показать яхту Сэму. Завтра утром они уже будут здесь.

— Хорошо. Спасибо, Дик, — ответила Глэдис и отправилась на кухню, чтобы налить себе чашечку кофе. Никто из ее старших детей так и не пришел обедать. Но она знала, где они, и была совершенно спокойна. Летние каникулы на мысе Код нравились Глэдис главным образом тем, что не было никакой необходимости возить детей в школу и из школы, кормить обедами и укладывать спать. В Харвиче было безопасно, все семьи, приезжавшие сюда на лето, были давно знакомы друг с другом, и все дети постоянно находились под контролем. Усадить за стол товарищей сына или дочери здесь считалось хорошим тоном, поэтому Глэдис была уверена, что ее старшие не умрут с голоду.

Когда ближе к вечеру Сэм вернулся домой, Глэдис рассказала ему о звонке Дика Паркера.

— Дик обещал позвонить, как только яхта придет в яхт-клуб, — закончила она.

— Только бы он не забыл! — с беспокойством воскликнул Сэм, и эту же фразу он повторил, когда Глэдис укладывала его спать. Но она была уверена, что Дик ничего не забудет.

Вскоре после этого вернулись и остальные дети. На ужин имелись оставшийся от обеда суп, лимонад и поп-корн. Единогласным решением суп они решили приберечь до завтра, а остальное вынесли на веранду и долго сидели в полутьме, болтая о разных разностях. Потом дети один за другим потянулись спать, и Глэдис впервые за много месяцев поняла, что ей совершенно нечего делать! Дуг так и не позвонил, а звонить самой Глэдис не хотелось, поэтому, убедившись, что дети спят, она отключила телефон и уединилась в своей лаборатории.

Когда Глэдис в конце концов пошла спать, было уже очень поздно. Над океаном висела полная луна, окруженная мириадами звезд, и Глэдис долго стояла на веранде, глядя на небосвод. Ночь была великолепна, океан негромко шуршал почти у самых ее ног, и на мгновение Глэдис даже пожалела о том, что Дуга нет рядом. Быть может, подумала она, если бы они сейчас были вместе, им удалось бы многое забыть и начать все сначала. Ей хотелось быть любящей и любимой, и — вопреки всему — Глэдис продолжала мечтать об этом.

Неужели правда, что для Дугласа любовь давно стала пустым звуком?! Быть может, утешала себя Глэдис, глядя на испещренное звездами небо, он неточно выразился или она неправильно его поняла? Не может быть, чтобы он действительно видел в ней только надежную няню, гувернантку, уборщицу. Она хотела рука в руке бежать с ним по залитому лунным светом песку, лежать на траве под сосной и целоваться до одурения, как они когда-то целовались в Коста-Рике. Неужели Дуг забыл те времена? Что случилось с тем романтическим и влюбленным юношей, каким Дуг был двадцать лет назад, когда они оба работали в Корпусе мира?

Ответа на этот вопрос Глэдис не знала. Ей было ясно только одно: Дуг строит жизнь, о которой всегда мечтал, — размеренную, спокойную, обеспеченную. В ней было все, кроме любви. Дуг словно переродился, в нем не осталось ничего, или почти ничего, от человека, которого Глэдис когда-то полюбила. По его словам, он просто вырос, стал взрослым. Пусть так, но пока Дуг взрослел, он что-то потерял.

Глэдис, разумеется, тоже изменилась, но не настолько, чтобы забыть все, что их когда-то связывало. Во всяком случае, то, что произошло с ними теперь, иначе как позором она назвать не могла. Им обоим должно было быть стыдно за то, что они сделали с собой и со своей любовью.

Ложась в постель, она все еще продолжала раздумывать об этом, но усталость взяла свое. Незаметно для себя Глэдис заснула и спокойно спала до самого утра, ни о чем не тревожась и не видя снов.

ГЛАВА 5

Когда Глэдис проснулась, за окном сиял еще один погожий, солнечный день, и ветер с моря чуть шевелил занавески. Встав с кровати, Глэдис сладко потянулась и подошла к окну. И остолбенела. По водной глади скользила самая большая парусная яхта, какую ей когда-либо приходилось видеть. По палубе проворно двигались какие-то люди, на мачте и кливер-леере развевались яркие вымпелы, корпус был выкрашен в глубокий синий цвет, а все палубные надстройки блестели, словно серебряные. Красота неописуемая. Дику Паркеру вовсе незачем было звонить — Глэдис и так знала, что в Харвин прибыл Пол Уорд.

Яхта тем временем подошла совсем близко, и Глэдис, совершенно потрясенная ее величиной и высотой грот-мачты, понеслась будить Сэма.

— Сэм, вставай! Ты только посмотри! — воскликнула она, тряся его за плечо. — Она уже здесь!

— Кто — она?.. — Еще не до конца проснувшись, Сэм слез с кровати и, протирая глаза, подошел к окну. Глэдис театральным жестом отодвинула занавеску.

— Ух ты! — вырвалось у Сэма. Сон его как рукой сняло, глаза широко раскрылись, и он впился взглядом в красавицу-яхту. Но почти сразу же его лицо сделалось озабоченным.

— Они что, уже уплывают? — спросил он, испугавшись, что проспал все на свете.

— Я думаю, они идут в яхт-клуб, — ответила Глэдис, разглядывая яркий спинакер. Ветер, казавшийся ей слабым, так надувал парус, что он стал круглым, как мяч, и яхта скользила по воде с приличной скоростью. Несмотря на свои грандиозные размеры, она казалась очень легкой и грациозной, и Глэдис, спохватившись, бросилась за фотоаппаратом. На веранду они с Сэмом выбежали почти одновременно, и Глэдис успела сделать несколько замечательных снимков.

«Для журналов... — смущенно подумала Глэдис. — И для Дика Паркера».

В самом деле, яхта смотрелась очень живописно, и Глэдис была совершенно уверена, что снимки доставят Дику удовольствие.

— А можно позвонить дяде Дику сейчас? — спросил Сэм, с трудом сдерживая волнение, и Глэдис машинально посмотрела на часы.

— Думаю, — рассудительно сказала она, — лучше немного подождать. Сейчас восемь утра, они, наверное, только что встали.

— Но что, если яхта уйдет обратно в Нью-Йорк, прежде чем мы успеем ее посмотреть?

— Они ведь только приехали, милый. Дик говорил, что гости собирались пробыть у них неделю. Яхта никуда от нас не денется. Как насчет оладьев с повидлом, Сэмми?

Оладьи были единственным, что могло помешать Сэму немедленно бежать смотреть яхту, однако позавтракать он согласился весьма неохотно. Оладьи он глотал не жуя и в половине девятого все-таки уговорил мать позвонить Паркерам.

Трубку взяла Дженни, и Глэдис, извинившись за ранний звонок, в нескольких словах объяснила ситуацию. Услышав о том, что Сэм уже почти час сидит как на иголках, Дженни рассмеялась.

— Пол только что звонил нам, — сказала она. — Он приглашает нас на ленч. Яхта будет стоять в яхт-клубе, так что вы все успеете посмотреть.

— Так я и сказала Сэму, — ответила Глэдис. — Мне сразу показалось, что яхта идет в клуб, но ему спокойнее, если вы это подтвердите.

Глэдис бросила взгляд за окно, но яхта уже обогнула мыс и исчезла из вида, и Сэм, выбежавший на веранду с биноклем, разочарованно озирал пустой горизонт.

— Послушай, почему бы нам не пойти на ленч вместе? — неожиданно предложила Дженни. — Мне кажется, что для двух лишних гостей место найдется. Приходите с Сэмом... А если хотите — приходите все. Я позвоню Полу, думаю, он не будет возражать.

— Хорошо, я спрошу детей, а потом перезвоню. Спасибо большое, Дженни, боюсь только, что Сэм не доживет до обеда. Наверное, тебе придется заглянуть к нам и сделать ему успокаивающий укол.

— Это еще что! — ответила Дженни. — Посмотрим, что будет, когда он увидит яхту вблизи.

Проснулись остальные дети, Глэдис рассказала им о яхте и спросила, кто хочет сходить туда «на экскурсию», как она выразилась, однако у всех троих оказались свои планы на сегодняшний день. Джессике и Эйми паруса, пираты и кругосветные плавания были вообще мало интересны, что касалось Джейсона, то он хоть и задумался, однако в конце концов общество друзей показалось ему более привлекательным, и он тоже отказался.

— Ну вы и тупые! — с отвращением выпалил Сэм, пока они с аппетитом приканчивали оладьи. — Это наверняка самая большая яхта в мире! Мистер Уорд обошел на ней вокруг света и побывал в самых дальних странах.

— Откуда ты знаешь? — спросил Джейсон, на которого это заявление — в высшей степени эмоцио-

нальное если не по содержанию, то по тону — не произвело почти никакого впечатления. Вчера к его друзьям Тилтонам приехала их троюродная сестра. Такой прелестной девочки он не видел еще никогда в жизни — во всяком случае, ни одна яхта в мире не могла с ней сравниться.

— Но я сам видел яхту сегодня утром! — возмутился Сэм. — Скажи же им, мама! Она огромная, как... как...

Ему явно не хватало слов. Глэдис улыбнулась.

— Яхта действительно очень большая, — подтвердила она.

Но это никак не изменило ситуации. Эйми — как и Дуг — была подвержена морской болезни, и ничто не могло заставить ее ступить на палубу яхты, пусть даже надежно пришвартованной к причалу. Что касалось Джессики, то ее крайне интересовал старший из братьев Бордманов — тот самый, который поступил в колледж Дьюка, — поэтому она заявила, что уже вышла из того возраста, когда каждая дырявая калоша кажется как минимум Колумбовой каравеллой.

— Значит, мы пойдем вдвоем, — поспешила подвести итог Глэдис, и обалдевший от счастья Сэм великодушно простил сестре ее непочтительную реплику. — А вы сможете пойти в следующий раз, если, конечно, нас пригласят. Как бы там ни было, яхта стоит у причала и любоваться ею со стороны может всякий. Я постараюсь сделать как можно больше фотографий.

Надо заметить, что стосемидесятифутовая яхта была событием и в ее жизни, и она твердо решила не пропустить его.

Когда пробило двенадцать, они с Сэмом сели на велосипеды и отправились в гости. Сэм так волновался, что его велосипед все время опасно вилял. Дважды он чуть не свалился, и Глэдис пришлось сказать сыну, чтобы он успокоился.

— Без нас, — заявила она, — яхта все равно никуда не поплывет.

— Думаешь, мы сегодня выйдем в море? — спросил Сэм с надеждой.

— Не знаю, может быть, — честно призналась Глэдис. — Вывести такую громадину в море и снова вернуться к причалу — дело не простое, так что мистер Уорд, возможно, не захочет возиться. Но на палубе мы побываем обязательно.

— Ты только снимай побольше, ладно? — напомнил ей Сэм, и Глэдис рассмеялась. Она была очень рада видеть сына таким счастливым и взволнованным и тоже начинала смотреть на предстоящий визит на яхту детскими глазами. От этого вся ее тревога сразу куда-то улетучилась.

Вскоре они добрались до места и покатили по причалу прямо туда, где стояла гигантская яхта. Она была пришвартована в самом дальнем доке, но видно ее было издалека. Огромная мачта вздымалась на высоту шестнадцатиэтажного дома, а сама яхта была едва ли не больше, чем здание клуба со всеми его пристройками. Ни одна из яхт, стоявших тут же у причала, не могла сравниться с океанской красавицей, хотя среди них были и очень дорогие модели.

К огромному облегчению Глэдис, Паркеры были уже на борту. В противном случае ей было бы очень неловко, кроме Дика и Дженни, она никого здесь не знала. Что касалось Сэма, то ему было, по-видимому, все равно. Казалось, чтобы попасть на борт, он готов был драться с пиратами. Глэдис только негромко ахнула, когда ее сын, стремительно промчавшись по раскачивающимся мосткам, спрыгнул на палубу, где его уже поджидал, широко раскрыв объятия, Дик Паркер.

Глэдис бесстрашно двинулась за ним. Вообще-то она не боялась ни высоты, ни качки, но у мостков почему-то не было перил, и она дважды пошатнулась на

самой середине. Впрочем, через два шага Глэдис была уже в безопасности.

— Вот это энтузиазм! — воскликнул Дик Паркер, с улыбкой рассматривая ее. Глэдис была в белых шортах и голубой майке; ее длинные волосы были зачесаны назад и схвачены широкой голубой лентой. В этом наряде она была больше похожа на старшую сестру Сэма, чем на его мать.

— Эти мостки для матросов, а вход для гостей — чуть дальше, — добавил Дик, и Глэдис расхохоталась.

— Должно быть, я заразилась волнением от Сэма, — объяснила она, обмениваясь рукопожатием с Дженни, которая тоже подошла к ним.

На палубе находилось еще несколько человек. Среди них выделялся высокий моложавый мужчина с густыми, хотя и чуть тронутыми сединой волосами. Когда он подошел ближе, Глэдис увидела, что на самом деле его волосы были почти такого же цвета, как у нее, просто в них было так много седых прядей, что они казались намного светлее. Подтянутый, спортивный. Глаза его поражали своей пронзительной голубизной, а обветренное, покрытое красноватым загаром лицо, казалось, было выточено из камня искусным резчиком. Одет мужчина был в белые шорты и ярко-красную футболку, обтягивавшую мощные плечи.

Встав рядом с Диком Паркером, мужчина скользнул взглядом по лицу Глэдис, потом наклонился к Сэму и с улыбкой протянул ему руку.

— Ты, наверное, и есть Сэм — друг Дика, — обратился он к мальчику приятным, густым баритоном. — Мы давно тебя ждем.

— Мама еще не освоилась с велосипедом после зимы, — пояснил Сэм, пожимая протянутую руку. — Она могла бы упасть, если бы я поехал быстрее.

Мужчина улыбнулся.

— Ну, если судить по тому, с какой ловкостью ты и мама прошли по этим узким мосткам, вам обоим не страшны ни велосипеды, ни дикие мустанги, — сказал он дружелюбно и снова посмотрел на Глэдис. В его глазах танцевали искорки смеха, и Глэдис улыбнулась в ответ. «Как быстро он нашел общий язык с Сэмом! — подумала она. — Очко в его пользу».

А Пола Уорда — ибо это был именно он — действительно очень заинтересовали и Сэм, и его мать. Глэдис показалась ему очаровательной молодой женщиной — не глупой, веселой и довольной жизнью. Она явно гордилась своим сыном, и, проговорив с ним несколько минут, Пол понял, что для этого у нее были все основания. Сэм оказался вежливым, смышленым ребенком. Он так искренне интересовался устройством яхты, что это не могло не польстить ее владельцу. Сэм засыпал Пола вопросами и обнаружил недюжинные познания. Он сам сказал, что яхта Пола принадлежит к классу кеч[1], правильно определил высоту грот-мачты, исходя из длины судна, и перечислил названия всех парусов. Сэм действительно с некоторых пор был неравнодушен к парусникам, и Пол сразу почувствовал к мальчугану расположение.

Прошло не менее пяти минут, прежде чем хозяин яхты выпрямился и представился Глэдис, хотя она уже и так догадалась, кто перед ней. Пол Уорд выглядел совсем не так, как Глэдис его себе представляла. Она даже немного растерялась. Она просто не знала, что сказать могущественному магнату и миллионеру, который оказался таким простым и таким приятным человеком. Спас ее Сэм, который, похоже, уже считал Пола своей собственностью. Не прошло и нескольких секунд, как оба они отправились в рулевую рубку, чтобы взглянуть на штурвал и все такое прочее.

Тем временем Дик Паркер представил Глэдис остальным гостям. Вскоре все весело шутили по поводу

---

[1] Кеч — двухмачтовое парусное судно водоизмещением 100—250 тонн.

того, как Глэдис и Сэм попали на борт, и болтали о всякой всячине. Подошедшая официантка предложила Глэдис на выбор шампанское или «Кровавую Мэри», но она попросила принести ей «чистый томатный сок», что вызвало новый взрыв смеха.

Томатный сок ей подали в тяжелом, хрустальном бокале с серебряным ободком, на котором затейливыми буквами было выгравировано название яхты. Судно Пола называлось «Морская звезда». Несмотря на расхожее название, яхта была уникальной. Из разговоров с гостями Глэдис узнала, что ее построили в Италии по индивидуальному проекту и что второй такой в мире просто нет. До этого у Пола тоже была классная яхта, однако она не шла ни в какое сравнение с «Морской звездой», хотя именно на ней он совершил свое первое кругосветное путешествие. Пол вообще был фанатиком парусного спорта и, по всеобщему мнению, — отличным мореходом.

— Ваш сын может многому у него научиться, — сказал Глэдис один из гостей. — В молодости Пол несколько раз участвовал в гонке на Кубок Америки и с тех пор «заболел» этим видом спорта. Он частенько грозится бросить Уолл-стрит, уйти в отставку и отправиться в третью кругосветку, но я думаю, что Селина вряд ли ему это позволит.

При этих словах все рассмеялись, а Глэдис ничего не поняла.

— Разве миссис Смит не путешествует с мужем? — спросила она с любопытством. На самом деле ей не терпелось начать фотографировать яхту, однако она хотела сделать это, не привлекая ничьего внимания.

Ее вопрос вновь вызвал общий хохот. Кто-то из гостей взялся разъяснить ей, в чем соль шутки.

— Для Селины прокатиться на прогулочном катере от Канн до Сен-Тропе — все равно что обогнуть мыс Горн. Пол же, напротив, чувствует себя обманутым, если во время плавания его не разу не потреплет тайфун или ураган. Селина старается встречать его во всех портах, куда он заходит, благо что аэропорты есть почти везде. Вот уже пару лет она уговаривает его купить самолет, чтобы он поменьше плавал, но Пол стоит насмерть.

Мужчина, сидевший рядом, согласно кивнул головой.

— Все это верно, но лично я поставил бы на Селину. Она терпеть не может, когда Пол надолго уходит в плавание. При всех своих достоинствах Селина отнюдь не моряк, и ей не нравятся трудности, связанные с длительным плаванием. Впрочем, она ничуть не изнежена — я знаю, что она поднималась на Килиманджаро и участвовала в африканских сафари, правда, только в качестве зрительницы, но спала в палатке и страдала от жары и москитов вместе со всеми.

Глэдис слегка пожала плечами. С ее точки зрения, плавание на «Морской звезде» было ненамного тяжелее жизни в самом комфортабельном отеле. Возможно, знаменитая писательница страдает морской болезнью. Как бы там ни было, ее нелюбовь к морским прогулкам была, похоже, хорошо известна ее друзьям и служила одной из основных тем для дружеских шуток. Слушая болтовню гостей, Глэдис старалась понять, что представляет собой Селина Смит как человек. Она казалась ей сложной и противоречивой личностью, наделенной к тому же твердым и решительным характером. Глэдис еще больше захотелось с ней познакомиться.

Пользуясь тем, что гости увлеклись разговором о Селине, Глэдис потихоньку достала фотоаппарат и привычно защелкала затвором. Прошло совсем немного времени, когда кто-то из гостей заметил, что она делает, и похвалил ее «Никон». Это действительно была хотя и старая, но очень дорогая профессиональная фотокамера. Дик Паркер счел необходимым кое-что пояснить.

— Глэдис — отличный фотограф, — произнес он гордо. — Ее отец был знаменитым фотожурналистом; за свои репортажи он получил Пулитцеровскую премию. Глэдис непременно повторит его успех, если вернется к активной работе. Она побывала во многих странах мира, и ее фотографии из «горячих точек» много раз публиковались в самых престижных изданиях. Жаль, если вы их не видели — снимки отличные.

— К сожалению, — вмешалась Глэдис, — в последнее время я почти не работаю. Когда я вышла замуж, мне пришлось оставить карьеру и посвятить себя семье.

— Ну, это еще не поздно изменить, дорогая, — возразила ей Дженни.

После этого разговор свернул на какую-то общую тему, и прошло еще добрых полчаса, прежде чем вернулись Пол и Сэм. Сын Глэдис сиял, как только что выпущенный пятицентовик. Пол Уорд, которого мальчик уже запросто называл «дядя Пол», даже показал ему, как работают паруса. Яхта была полностью компьютеризована, поэтому при желании Пол мог управлять ею даже в одиночку, что он часто и делал. Команда из девяти человек нужна была ему только для страховки — на случай, если что-нибудь выйдет из строя. При этом Пол был настоящим моряком и умел не только нажимать на кнопки компьютера. Сэм это сразу понял.

— Боюсь, Глэдис, — сказал с улыбкой Пол, возвращая сына матери, — что ваш Сэм — прирожденный мореход. Не знаю уж, как вы к этому относитесь, но кое-кто считает это серьезным заболеванием. Я бы даже добавил — трудноизлечимым, так что у вас, вероятно, есть повод для беспокойства. Я, например, купил свою первую яхту, когда мне было двадцать. Тогда у меня было гораздо меньше денег, чем сейчас, но я готов был продать душу дьяволу за возможность ходить под парусами.

— А можно мне тоже как-нибудь сплавать с вами,

дядя Пол? — спросил Сэм, потягивавший газированную воду, которую принесла ему официантка.

Пол улыбнулся и ласково взъерошил ему волосы. Общаться с детьми ему всегда нравилось, но у них с Сэмом неожиданно обнаружились еще и общие интересы.

— Думаю, сегодня мы уже не будем выходить в море. Как насчет завтра, сынок? Мы с друзьями собирались посетить какие-нибудь острова, и я был бы рад взять тебя с собой. Что скажешь?

Но Сэм не мог ничего сказать. От радости он буквально лишился языка, однако слова были ни к чему. Ответ был написан на его лице. Пол повернулся к Глэдис.

— А вы? Не хотите ли и вы принять участие в нашем завтрашнем походе? Думаю, Сэм будет доволен.

— Еще бы! — улыбнулась Глэдис. — Только... Только не будет ли это вам в тягость? — добавила она, всерьез опасаясь, что Сэм с его неумеренным энтузиазмом может помешать взрослым отдыхать. Да и она сама слишком мало знала Пола, чтобы с ходу принять подобное предложение, сделанное, возможно, из простой вежливости.

— Сэм знает о парусниках больше некоторых моих друзей, — ответил Пол. — Мне бы очень хотелось показать ему, как работает вся эта механика. Знаете, еще никогда в жизни не приходилось готовить юного моряка. Большинство моих гостей больше интересуется баром, чем леерами, шкотами и парусами. А Сэму эта прогулка может принести реальную пользу.

— Это было бы замечательно, — сдалась Глэдис, заметив, что он говорит искренне. — Спасибо вам большое.

Разговаривая с ним, она постоянно ловила себя на том, что почему-то смущается. Обычно Глэдис не стеснялась незнакомых людей и легко находила с ними общий язык. Конечно, Пол не был обычным человеком: в его манере держаться и говорить проскальзывало порой что-то очень властное, почти жесткое, но таким, наверное, и должен был быть «хозяин Уолл-стрит», как часто называли Уорда газеты. К тому же Сэм был им совершенно очарован и ничуть не стеснялся «дяди Пола», к которому он, забывшись, уже несколько раз обращался на «ты». Пол со своей стороны старался сделать все, чтобы мальчик чувствовал себя на яхте как дома, и Глэдис была тронута этим до глубины души. Одна только эта черточка многое говорила о характере Пола Уорда, и, болтая с ним о всякой чепухе, Глэдис поинтересовалась, есть ли дети у него самого. Она была уверена, что есть. Человек, сумевший так быстро подружиться с девятилетним мальчиком, просто не мог быть бездетным эгоистом.

Пол улыбнулся и кивнул.

— Да, у меня есть сын от первого брака, — сказал он, — только он терпеть не может лодки, яхты, катера и все, что плавает по воде. Он бы скорее согласился сесть на электрический стул, чем подняться на палубу моей «Морской звезды». Сейчас Шон уже взрослый, у него двое своих детей, но и они, к сожалению, тоже не любят море. Что касается моей второй жены, то она, как вы наверняка уже знаете, относится к плаванию под парусами ненамного лучше Шона. Впрочем, «Морскую звезду» она любит, но только когда та стоит на якоре. К сожалению, у нас с Селиной нет детей, так что ваш Сэм может оказаться единственным объектом моего педагогического рвения. Надеюсь, я не успею надоесть ему своими советами.

Он взял с серебряного подноса предложенный стюардессой бокал шампанского и вдруг заметил фотоаппарат Глэдис.

— Я вижу, даже на отдыхе вы не расстаетесь с камерой, — заметил он. — Дик говорил мне, что вы — замечательный фотограф.

— Боюсь, как фотограф я уже давно дисквалифицировалась, — честно ответила Глэдис. — Вот уже много лет я не занимаюсь профессиональной фотожурналистикой. Я снимаю только собственных детей.

Пол кивнул.

— Дик предупредил меня, что вы очень скромны и что я не должен верить ни одному вашему слову, когда вы говорите о себе и о своем таланте. Насколько я знаю, вашими излюбленными съемочными площадками были зоны боевых действий и катастроф, не так ли?

Это весьма вольное переложение ее биографии заставило Глэдис рассмеяться, хотя доля истины в том, что рассказал Полу Дик, несомненно, была. В молодости она действительно выполняла довольно опасные задания и побывала в таких местах, добровольно отправиться в которые нормальному человеку вряд ли пришло бы в голову.

— Мне это знакомо, — продолжал между тем Пол. — Правда, я никогда не увлекался фотографией, но в молодости был военным летчиком, а потом — до того, как женился во второй раз, — занимался доставкой гуманитарных грузов в самые отдаленные уголки земного шара. Думаю, мы с вами бывали в одних и тех же местах...

Он говорил об этом без малейшей бравады, и Глэдис подумала, как было бы интересно заснять на пленку хотя бы часть его приключений.

— И вы до сих пор занимаетесь подобными вещами? — спросила она. Разумеется, она понимала, что миллионер и финансист вряд ли продолжает лично летать в районы бедствий, чтобы доставить нуждающимся воду, продовольствие или теплые вещи, но бог его знает. Перед ней был человек многогранный, полный внутренних контрастов и, несомненно, обладающий беспокойным, сильным характером. Вряд ли, размышляла она, жизнь в окружении роскоши и комфорта способна была полностью удовлетворить его, хотя своего богатства Пол ничуть не стыдился. Его яхта была наглядным тому примером. Кроме того, Глэдис слышала о громких победах Пола Уорда на Уолл-стрит, где он стал живой легендой. Это тоже требовало ума, собранности и характера.

— Я бросил летать несколько лет назад, — ответил Пол спокойно. — Селине казалось, что это слишком опасно. Однажды она даже заявила, что у нее нет особенно сильного желания остаться вдовой.

— С ее стороны это... разумно, — промолвила Глэдис, чтобы что-нибудь сказать. Она просто не знала, как бы сама она повела себя на месте Селины Смит.

— За все время мы не потеряли ни одного пилота, ни одной машины, — доверительно сообщил ей Пол. — Но я не хотел расстраивать ее. Впрочем, хотя сам больше не летаю, я продолжаю финансировать мою Ассоциацию бывших военных летчиков. Только в последние годы мы совершили несколько рейсов в Боснию, доставляя медикаменты, детское питание и другие гуманитарные грузы. И, разумеется, мои люди работали в Руанде...

Пол произвел на Глэдис сильное впечатление. Ей захотелось немедленно сфотографировать его, но она не решилась.

Потом Пол разговаривал и с другими гостями. Полчаса спустя он пригласил всех в столовую. Здесь явно соблюдались правила этикета. Посуда была из тонкого фарфора, бокалы — из хрусталя, белоснежные полотняные скатерти были накрахмалены и покрыты искусной ручной вышивкой. Глэдис подумала, что Пол содержит яхту в безупречном порядке. Словно роскошный отель или, точнее, дом, в котором всем гостям должно быть хорошо и уютно. Очевидно, Пол Уорд был не только отличным моряком, но и гостеприимным хозяином.

За ленчем Глэдис неожиданно для себя оказалась по правую руку от Пола, и это почетное место ей очень польстило. Кроме того, сидя рядом, они могли беспрепятственно разговаривать. Казалось, нет такой вещи, о которой Пол не знал бы или не имел своего мнения. Даже в искусстве он разбирался почти профессионально, хотя в ответ на прямой вопрос Глэдис Пол признал, что его страстью является политика. Он просто поразил Глэдис нестандартностью подхода к общеизвестным вопросам. Именно таким и должен был быть человек, сумевший столь многого добиться в жизни. Но в нем угадывались мудрость и доброта, не лишен он был и чувства юмора, причем смеялся больше над собой, чем над другими, и это не могло не понравиться Глэдис, как любому нормальному человеку.

Но в конце концов разговор всегда возвращался к парусам, яхтам и морским просторам. Очевидно, это давало ему силы, чтобы преуспеть на всех остальных поприщах.

Тут, ненадолго отвлекшись от разговора, Глэдис перехватила улыбку Сэма, болтавшего с Диком Паркером. Эта улыбка сказала ей очень многое. Всего за каких-нибудь пару часов Пол Уорд стал кумиром ее сына, затмив в какой-то степени и отца, и даже ее самое.

— Мне очень понравился твой сын, — сказал Пол, когда после обеда они пили кофе из чашек тончайшего лиможского фарфора (за обедом они все-таки перешли на «ты», хотя Глэдис это далось нелегко). — Селина никогда не хотела детей. Она чрезвычайно предана своей писательской карьере и боится, что дети помешают ей добиться успеха.

Он сказал это совершенно спокойно, не сделав никаких замечаний по поводу того, как он сам относится к подобному решению. Глэдис подумала, что для него, возможно, это не имело большого значения. У него-то уже был сын. Но как в свете всего вышесказанного будет выглядеть в глазах Пола она сама, пожертвовавшая карьерой ради детей?

— Селина никогда не жалела о своем решении, — продолжал тем временем Пол. — По крайней мере, мне так кажется. И, честно говоря, — добавил он доверительно, — я не думаю, что Селина сумела бы обращаться с детьми как до́лжно. У нее непростой характер, к тому же она действительно очень занята.

В его последних словах слышалось чуть ли не сожаление, и Глэдис захотелось спросить у него, что, собственно, значит «непростой характер», но она не осмелилась. У нее было такое чувство, что Пол счастлив с Селиной, и подобный вопрос был бы просто бестактным.

После кофе и десерта разговор продолжался уже на палубе. Пол и Глэдис сели рядом в глубокие кресла и заговорили о путешествиях.

— Каждый раз я как будто открываю новую землю, — признался он. — Вот почему мне понадобилась яхта, способная добраться до любого самого далекого острова в самом далеком океане. К сожалению, сейчас у меня слишком мало свободного времени. Я, наверное, уже раз сто собирался уйти в отставку, но Селина пока не собирается бросать свою карьеру. А без нее мне свободное время ни к чему... — Он печально улыбнулся. — У меня такое ощущение, что, когда Селина отложит перо, я буду уже глубоким стариком и меня будут возить в инвалидном кресле.

— Надеюсь, что нет, — вежливо заметила Глэдис.

— Я тоже, — твердо ответил он и посмотрел на нее. — А ты? Ты собираешься вернуться к своей работе или все еще слишком занята с детьми? У тебя ведь их, кажется, четверо? И Сэм — самый младший?

— Да, Сэм самый младший. Моей старшей дочери — четырнадцать, остальные двое поместились между ними... — машинально ответила Глэдис, раздумывая о том, представляет ли он, что такое иметь четверых детей.

Полу действительно казалось, что четверо — это, пожалуй, чересчур, однако он не собирался навязывать Глэдис свое мнение, к тому же она, похоже, была горда своим материнством. Единственный, о ком за все время она не сказала ни слова, был ее муж, и Пол сразу это заметил. Заметил и сделал кое-какие выводы.

— ...Что касается моего возвращения в фотожурналистику, то это довольно сложный вопрос, — продолжала Глэдис. — Мой муж... он... очень возражает против этого. Он не понимает, зачем это нужно, хотя мне кажется, что я все ему объяснила...

И, сама толком не зная, зачем она это делает, Глэдис рассказала Полу о предложении Рауля сделать репортаж о корейских детях и о том, как к этому отнесся Дуглас.

— Дуглас даже не понимает, как это для меня важно! — закончила она. — И он нисколько бы не расстроился, если бы я вовсе забросила фотографию.

— Похоже, мистер Тейлор отстал от жизни лет на сто! — заметил Пол. — Не стоит всерьез ожидать, чтобы женщина, которая оставила работу, где явно добилась успеха, и стала домашней хозяйкой, была довольна своим положением. Лично я на его месте не был бы столь самонадеян.

«Или глуп», — подумал он про себя, но вслух ничего не сказал. Он знал, что рано или поздно Дугласу Тейлору придется дорого заплатить за свою ошибку. Рано или поздно, но обязательно.

— Мне показалось, Глэдис, что ты скучаешь по своей прежней работе, — сказал он осторожно. — Я прав?

Он знал, что прав, просто ему хотелось получше узнать эту удивительную женщину. В Глэдис было что-то магнетическое, и его влекло к ней с почти неодолимой силой. Каждый раз, когда она говорила что-то Сэму, нежность и забота, звучавшие в ее голосе, трогали Пола до глубины души, и — по контрасту — он сразу вспоминал Селину. Нет, он любил свою жену и не мог сказать о ней ничего плохого, однако любовь к детям никогда не была в числе ее достоинств. Инте-

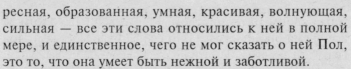

ресная, образованная, умная, красивая, волнующая, сильная — все эти слова относились к ней в полной мере, и единственное, чего не мог сказать о ней Пол, это то, что она умеет быть нежной и заботливой.

В этом отношении Селина так резко отличалась от Глэдис, словно они родились на разных планетах. В Глэдис были и мягкость, и завуалированная чувственность, прекрасно сочетавшиеся с острым умом и веселым, легким характером, который казался Полу едва ли не самой привлекательной ее чертой. Искренность и прямота Глэдис тоже были ему приятны, ибо его отношения с Селиной всегда были запутанными и сложными.

— Да, пожалуй, мне не хватает моей работы, — произнесла наконец Глэдис после некоторой паузы. — Самое смешное, что довольно долгое время я вовсе не вспоминала о том, кем я когда-то была. Только в последние месяц или два, когда я поняла, что мои дети скоро станут совсем взрослыми, мне начало казаться, что в моей жизни появилась какая-то пустота.

Дуг просто отмахнулся от нее и от ее чувств, и сейчас Глэдис чувствовала потребность выговориться. И уже одно то, что ее кто-то слушал, принесло ей неожиданное облегчение.

— Не понимаю, — пожал плечами Пол, — почему ты не можешь вернуться к фотожурналистике уже сейчас? Конечно, для заданий, наподобие этой поездки в Корею, выкроить время на первых порах будет трудновато, но ведь необязательно начинать с чего-то грандиозного! Сначала можно делать небольшие работы, а там...

Вдруг он опять вспомнил Селину. Она работала как одержимая: снимала одновременно два фильма, участвовала в четырех телевизионных шоу, а недавно заключила двухлетний контракт на серию из шести книг. Никакой необходимости так надрываться на самом деле не было, но, когда Пол попытался сказать ей об этом, Селина даже не стала его слушать, утверждая, что он посягает на ее личную свободу.

— Около двух лет назад я сделала репортаж, посвященный положению детей в Гарлеме, — сказала Глэдис. — Для меня это было почти идеальное задание. К сожалению, для таких работ держат штатных фотографов. Наша судьба — ехать в самые «горячие точки» и рисковать там жизнью ради одного-двух удачных кадров. Но именно за такие съемки, как правило, и дают Пулитцера нашему брату фотожурналисту. — Она вздохнула. — Увы, Рауль каждый раз предлагает мне задания, связанные с поездками в страны, в которых происходят революции, перевороты и прочие безобразия. Очевидно, он считает, что это получается у меня лучше всего. Мне и самой так кажется, но, если я уеду бог знает куда на месяц или полтора, Дугу и детям придется нелегко одним.

— Не говоря уже о том, что это небезопасно, — сказал Пол и нахмурился. Он не был уверен, что ему понравилось бы, вздумай Селина рисковать жизнью в поисках сюжетов для своих произведений. — Думаю, вам придется выработать что-то вроде компромисса, Глэдис. Ты не должна отказываться от фотографии, коль скоро эта работа для тебя не столько деньги, сколько пища для ума и сердца. Всем нам обязательно нужно что-нибудь эдакое... — Он негромко рассмеялся. — Видишь ли, есть и еще одна причина, которая не дает мне удалиться от дел. Власть благотворно влияет на мое «эго». Иными словами, мне нравится быть финансовым воротилой с Уолл-стрит.

Глэдис тоже улыбнулась. Ей очень понравилось, что Пол говорит с ней о своих пристрастиях так свободно и открыто. Подобная искренность делала его по-человечески уязвимым и понятным, хотя ни один человек, описывая Пола Уорда, не употребил бы такого слова, как «уязвимость». И все же Глэдис ясно почувствовала в нем это... это качество, решила она, ибо назвать его недостатком у нее не повернулся язык. Мужество и стойкость странным образом сочетались в нем с откровенностью, открытостью и неожиданной мягкостью натуры... И все это, а также многое, многое другое, очень нравилось Глэдис.

Вскоре гости — Паркеры и те, кто жил в Харвиче, — начали расходиться, остались только несколько человек, приплывших с Полом на яхте. Собравшись в баре, они затеяли игру в кости. Увидев, что время близится к четырем, Глэдис тоже засобиралась домой, но Пол неожиданно предложил покатать Сэма на маленькой парусной лодке, которая, как он сказал, служила на яхте «в качестве спасательного и посыльного судна». Отличный случай показать ему, как управляться с парусами. Сэм немедленно загорелся этой идеей, и Глэдис не оставалось ничего другого, кроме как согласиться. Тем более что Пол уже надевал на ее сына оранжевый спасательный жилет. Двое матросов спустили швертбот на воду, бросили веревочный трап, и не успела Глэдис оглянуться, как Пол и Сэм уже удалялись в сторону океана.

Она побаивалась, что они могут перевернуться, но один из матросов успокоил ее, сказав, что Пол — отличный пловец. Кроме того, спасательные жилеты не дадут им утонуть.

Отплыв совсем недалеко, они принялись выписывать восьмерки и круги по глади залива. Глэдис было хорошо видно, как Сэм смеется, глядя на Пола. В конце концов она не выдержала и, сняв с плеча фотоаппарат, занялась любимым делом. У нее был достаточно мощный объектив, и в окошке видоискателя Глэдис отчетливо различала выражения лиц обоих. Сделав несколько снимков, она невольно подумала, что никогда еще не видела двух столь счастливых людей, какими казались ей сын и его взрослый товарищ.

Было уже начало шестого, когда Пол и Сэм вернулись на «Морскую звезду» и вскарабкались на борт.

— Как здорово было! — воскликнул Сэм, бросаясь к ней. — Мам, ты видела? Пол показал мне, как управлять парусом, и у меня сразу же получилось! — Сэм сиял так, словно сегодня у него был день рождения и он получил в подарок какую-то долгожданную игрушку. Глэдис, сразу отметив, что он перестал называть Пола «дядей», почувствовала легкий укол ревности. Очевидно, за час, проведенный в лодке, эти двое подружились еще больше. Ей стало даже немного обидно, что Дуг ни капли не похож на Пола. Впрочем, на кого она обижается, Глэдис и сама не знала.

— Я все видела, — успокоила она его. — И даже сумела несколько раз вас снять. Завтра или послезавтра я напечатаю фото... — Она перехватила устремленный на нее взгляд Пола и улыбнулась.

В следующее мгновение Сэм, успевший совершенно освоиться с географией яхты, сорвался с места, намереваясь принести всем троим содовой, и Глэдис сказала:

— Теперь Сэм твой друг до гробовой доски. Вряд ли он сумеет забыть сегодняшний день. Я еще никогда не видела его таким счастливым.

— У тебя отличный парень, Глэдис, — ответил Пол. — Я и сам бы хотел иметь такого... друга. — Перед последним словом он слегка запнулся, но Глэдис сделала вид, что ничего не заметила. — Да-да, — еще раз подтвердил Пол, — Сэм отлично соображает, к тому же он очень внимательный слушатель. Редкое качество для его возраста. Он искренний и добрый мальчик, и у него — отменное чувство юмора... Как и у его мамы, — добавил он.

Пол чувствовал, что Сэм послужил для них чем-то вроде связующего звена.

— И все это ты узнал за какой-то час, который провел с ним в лодке размером чуть побольше ванны? — спросила Глэдис шутливо, стараясь скрыть, как глубоко она тронута тем, что Пол сказал о ее сыне.

— Только так и можно узнать человека, — серьезно ответил он. — Съесть вместе пуд соли или пройтись пару раз под парусом — это примерно одно и то же. И чем меньше лодка, тем быстрее идет процесс взаимного узнавания. Кстати, если ты беспокоилась, то могу тебя заверить, что Сэм вел себя очень осторожно. Он очень разумный мальчик, так что волноваться за него не стоит.

— Ну, совсем не волноваться я все равно не смогу, — ответила Глэдис, с признательностью улыбаясь Полу. — Такие чувства никогда полностью не контролируются.

— Мне очень хотелось бы увидеть фотографии, — признался Пол.

— Думаю, до завтра я успею проявить пленку и напечатать самые лучшие кадры.

— Мне хотелось бы их увидеть, — повторил Пол и повернулся к Сэму, который спешил к ним с тремя баночками кока-колы.

Глэдис взглянула на часы и, спохватившись, стала прощаться. Уходить не хотелось — она прекрасно провела время, и этот день стал одним из самых радостных и в ее жизни, — но она понимала, что оставаться дольше просто неудобно. К тому же, если она хотела успеть проявить пленки, надо было спешить.

Услышав, что пора возвращаться, Сэм сразу погрустнел, но Пол взял его за подбородок и, заставив приподнять голову, посмотрел мальчугану прямо в глаза.

— Ты ведь вернешься завтра, — напомнил он. — Приходи пораньше, если хочешь. Мы с тобой сделаем одно дело, а потом снова поучимся ходить под парусом, договорились?

— А во сколько можно прийти, Пол? — с надеждой спросил Сэм, и Глэдис невольно рассмеялась. Она-то знала, что, дай Сэму волю, он разбудит Пола ни свет ни заря.

— В девять утра будет не слишком поздно? — сказал Пол, но, увидев, как вытянулось лицо мальчика, поспешил исправить свою ошибку. — Хотя лучше в половине девятого, — промолвил он, вопросительно глядя на Глэдис. — Что скажешь?

— Обычно мы встаем рано, — пожала она плечами. — Дети еще не успели отвыкнуть от школьного режима. Я вполне успею накормить их и отправить по гостям.

— Если хочешь, приезжайте все, — предложил Пол. — Завтра мои друзья собирались на экскурсию на берег, на яхте никого не будет. Только я.

— Хорошо, я спрошу их, — кивнула Глэдис, хотя знала почти наверняка, что и завтра яхта не соблазнит ее дочерей. Да и Джейсон, похоже, не особенно горел желанием увидеть «Морскую звезду». Если бы красавица яхта хоть немного его заинтересовала, он пошел бы взглянуть на нее уже сегодня. Единственным энтузиастом парусного спорта в ее семье был Сэм и... она сама.

— В любом случае спасибо, — добавила она, пожимая руку Полу. На мгновение их глаза встретились, и Глэдис увидела в его взгляде нечто такое, от чего ей вдруг стало жарко. Восхищение, любопытство, дружелюбный интерес, еще что-то... К счастью, продолжалось это лишь мгновение. В следующую секунду Пол отвел глаза, и Глэдис тихонько с облегчением вздохнула.

Весь обратный путь ей ужасно хотелось повернуть и помчаться к причалу со всей возможной скоростью, но Глэдис знала, что не может себе этого позволить. Отъехав от яхт-клуба на порядочное расстояние, она немного успокоилась и стала раздумывать о Поле, стараясь при этом не отстать от Сэма и не свалиться с велосипеда. В деловых кругах Пол Уорд был известен как «уолл-стритский лев». Это означало, что он агрессивен и даже безжалостен. Сегодня эти стороны его натуры отчего-то никак не проявились. Напротив, Пол был предельно мягок, терпелив и внимателен и к ней, и к Сэму.

«Быть может, это потому, что я не пытаюсь перехватить у него крупный пакет акций, — с усмешкой подумала Глэдис. — Вот если бы мы столкнулись с ним на фондовой бирже, Пол наверняка вел бы себя иначе».

И все же он был чрезвычайно обаятелен, и Глэдис знала, что ни ей, ни тем более Сэму никогда не забыть сегодняшнего дня.

ГЛАВА 6

Когда Сэм и Глэдис вернулись в свой коттедж, старшие дети уже были там. Они тоже прекрасно провели время и были очень довольны тем, как начинаются каникулы. Сэм тут же принялся рассказывать им свои приключения. Брат и сестры выслушали его без особого интереса. Очевидно, любовь Сэма ко всему связанному с морем, парусниками и дальними путешествиями была в их глазах чем-то вроде увлечения моделями самолетов или танков, и они отнеслись к его восторгам по-родственному снисходительно.

Пока дети болтали, Глэдис успела приготовить ужин, добавив к основному рациону пару пицц, ибо у нее было сильнейшее подозрение, что день визитов еще не кончился. И она не ошиблась. В семь часов, когда они сели за стол, к ним неожиданно зашли двое приятелей Джейсона и подруга Эйми, которые, конечно же, не отказались «от кусочка пиццы». Эти неожиданные гости хотя и производили немало шума, нисколько не были Глэдис в тягость. Именно так они жили каждое лето, и, покуда не иссякли замороженные продукты, Глэдис было все равно, сколько детей вертится под ногами.

После ужина Эйми и Джейсон с друзьями снова убежали куда-то. Джессика взялась помогать матери убирать со стола, а Сэм слонялся из угла в угол, очевидно, считая оставшиеся до завтра часы. В конце концов Глэдис сочла за благо призвать его на подмогу. Они как раз заканчивали загружать грязные тарелки в посудомоечную машину, когда зазвонил телефон. Это был Дуглас. Сэм схватил трубку первым и, пока Глэдис споласкивала и вытирала руки, успел рассказать отцу об их сегодняшнем посещении «Морской звезды», которая в его пересказе с каждой минутой становилась все больше похожа на легендарную «Катти Сарк» — правда, с поправкой на современные технологии. Глэдис, слушая, как сын описывает компьютерную систему управления парусами, с удивлением подумала, как много, оказывается, он успел узнать за сегодняшний день.

Когда наконец настала ее очередь говорить по телефону, Дуг кисло поинтересовался, что такое творится с Сэмом.

— Эта яхта действительно такая большая, как он говорит, или просто старое корыто из Харвичского яхт-клуба так выросло в его воображении?

— Это довольно красивое корыто, — ответила Глэдис и улыбнулась, вспоминая чудесные часы, проведенные на борту «Морской звезды». — Яхта принадлежит одному из друзей Дика и Дженни. Да ты наверняка его знаешь — это Пол Уорд, который женат на известной писательнице Селине Смит. Селина сейчас в Лос-Анджелесе — там как раз снимается фильм по ее последнему роману, — а Пол с друзьями гостит у Дика и Дженни. Он пробудет здесь еще целую неделю, так что ты, быть может, его еще застанешь. Его яхта — настоящее чудо, Дуг! Если бы ты только видел, как она, распустив все паруса, скользит по волнам, ты бы...

— Нет уж, уволь, это удовольствие не для меня, — сухо перебил ее Дуг. — Ты прекрасно знаешь, что я человек сухопутный. А вот с Полом Уордом я бы с удовольствием познакомился. Говоришь, ты его видела? Какой он? Надменный, как черт знает что? Холодный сукин сын? Какой?!

Глэдис вздохнула. Именно так Дуг и должен был представлять себе Пола, зная, какого успеха он достиг и сколько влияния и власти сосредоточил в своих руках. Ему в голову не приходило, что даже столь богатый и могущественный человек может быть обаятельным, добрым, веселым.

— Да нет, мне он показался вполне приличным человеком. Пол удивительно хорошо отнесся к Сэму. Он учил его управляться с парусами. Они подружились, представь себе, — сдержанно ответила она. То, что Дуг автоматически причислил Пола к богатеньким подонкам, вызвало в ней приступ такого сильного раздражения, что ей лишь с большим трудом удалось справиться с собой.

— А я слышал, что Пол Уорд — настоящая акула, — отозвался Дуглас. — На Уолл-стрит его, во всяком случае, боятся как огня. У него репутация человека, который готов живьем сожрать любого.

Дугласа было не так-то легко переубедить, но Глэдис и не собиралась с ним спорить.

— На меня он не произвел подобного впечатления, — заметила она кротко. — Сэму он, во всяком случае, понравился.

Глэдис хотела рассказать Дугу, что завтра Пол и Сэм снова собирались вместе выйти в море на маленьком паруснике, но почему-то передумала.

— Как у вас дела? — спросил тем временем Дуг, и Глэдис вздохнула с облегчением. Как удачно, что он сменил тему и избавил ее от необходимости говорить о Поле Уорде. Впрочем, добавить ей было, пожалуй, нечего. Разве что сообщить, как Пол уговаривал ее вернуться к работе. Дугу это вряд ли могло понравиться.

— У нас все в порядке. Здесь очень хорошо. Дети

целыми днями бродят где-то с друзьями. Дик и Дженни передавали тебе привет. А так... ничего нового.

Ничего нового... Знакомые лица, знакомые приятные заботы... Жить летом на мысе Код было все равно что валяться на постели в любимой ночной сорочке.

— А что у тебя? — в свою очередь спросила она.

— По-прежнему занят выше головы, — ответил Дуглас. — И до четвертого июля я вряд ли сумею освободиться.

— Я знаю, ты мне говорил, — сказала Глэдис, но прозвучало это — помимо ее желания — довольно холодно. Она не могла забыть этот чертов ужин в «Ма Пти Ами».

— Мне очень жаль, что так получилось, — промолвил Дуг извиняющимся тоном. — Не хотелось бы оставлять вас одних, но...

— Мы и не будем одни. Четвертого Паркеры устраивают барбекю. Нас уже пригласили.

— Это славно! — воскликнул Дуг, не скрывая своего облегчения. — Только боюсь, вы останетесь голодными: Дик умеет готовить только бифштексы, все остальное у него горит!

При упоминании об этом Глэдис улыбнулась.

— В этом году, — сказала она, — Дженни решила нанять повара, чтобы спасти мясо.

Дуглас коротко рассмеялся.

— Я по вас скучаю, — сказал он небрежно, и Глэдис прикусила губу. Она бы предпочла, чтобы Дуг сказал «я скучаю по тебе», но рассчитывать на это глупо. Да и сама она тоже не сказала Дугу, что скучает без него, потому что это было неправдой. Дуг спокоен, он уже все забыл, а вернее, ничего такого особенного не замечал. Просто походя указал ей ее место. А она так и не поняла, кто она ему теперь — друг, экономка, гувернантка его детей? Кто угодно, только не жена. И не возлюбленная. Теперь между ними пролегла пропасть. Главное было разрушено, и Глэдис было почти все равно. Пусть даже Дуг считает ее чем-то вроде бесплатного приложения к их семиместному универсалу.

— Ну, пока, я позвоню вам завтра, — попрощался Дуг. — Спокойной ночи, Глэдис...

Она ждала, что он скажет «я люблю тебя», но не дождалась и, вешая трубку, невольно задумалась, не повторяет ли она историю Мэйбл. Ее подруга тоже чувствовала себя ненужной, нелюбимой, опустошенной и... умирала со скуки. Эта скука — вкупе с желанием что-то исправить в собственной жизни — и толкала ее в объятия других мужчин. Нет, такого Глэдис не хотела. Но чего же она хотела?!

Этот вопрос Глэдис продолжала задавать себе, даже когда, отправив Сэма спать, заперлась в темной комнате, чтобы проявить пленки и напечатать сделанные днем фотографии. Она так глубоко ушла в собственные невеселые мысли, что работала почти автоматически, и потому была весьма удивлена, когда на плотном листе бумаги, который она опустила в кювету с проявителем, внезапно появилось знакомое лицо.

Ей потребовалось несколько мгновений, чтобы сообразить, что перед ней — Пол Уорд. Он смеялся чему-то вместе с Сэмом, прищурившись, глядел вдаль, напрягая сильные руки, натягивал какой-то трос, просто улыбался, глядя, казалось, в самый объектив... Это была целая галерея потрясающих портретов. Глэдис не ожидала, что Пол так хорошо выйдет на снимках.

Результаты собственных трудов настолько поразили ее, что, вывесив на веревке еще мокрые фотографии, Глэдис отступила назад и некоторое время разглядывала их. Теперь, потеряв почву под ногами, она все время примеривалась к чужим судьбам. В голову лезли самые разные сравнения. Кстати, что рассказывал ей Пол о своей жене? Впечатление, которое осталось у нее от этого разговора, было двойственным. Селина Смит попеременно представлялась ей то верхом совершенства, то средоточием множества противоречий. Но Глэдис почти не сомневалась, что Пол по-настоящему любит ее, и, несмотря на восьмилетний стаж супружества, Селина по-прежнему остается для него волнующей и загадочной. Он утверждал, что счастлив, однако Глэдис инстинктивно чувствовала, что все не так просто и счастье это наверняка не безоблачно.

И снова ее мысли вернулись к тому, что произошло между ней и Дугом. Существует ли на свете такая вещь, как удачный брак? Сама Глэдис уже начинала в этом сомневаться. Еще совсем недавно она твердо знала, что такое счастливая семейная жизнь, и могла не задумываясь перечислить все ее составляющие. Но вдруг стало ясно, что дети, дом и отсутствие финансовых проблем — это еще не все. Далеко не все. Главного — взаимопонимания и любви — у них с Дугласом как раз и не было, хотя она не могла не признать, что до сих пор отношения у них были вполне дружескими.

Иное дело — Селина и Пол. Они оба были совершенно самостоятельны и независимы друг от друга, к тому же, если верить Полу, его жена обладала неуступчивым, подчас просто агрессивным характером. И все же он любил ее; это было видно, что называется, невооруженным глазом.

В чем же тут секрет? Глэдис не могла понять этого, как ни старалась. Почему разваливается ее брак? Что удерживает вместе Пола и Селину? Ответов не было.

«Что ж, — рассудила Глэдис, — со временем я, наверное, это узнаю». И, подумав так, она повесила сушиться последние отпечатки и пошла проведать детей. Сэм спокойно спал, Джессика и один из братьев Бордманов доедали на кухню холодную пиццу, а остальные дети затеяли на берегу игру в салочки с электрическими фонариками. Иными словами, в ее маленьком мире все было в порядке. Все, кроме одного...

Еще месяц назад она твердо знала, что значит для нее брак с Дугласом. Его слова изменили все. Так легкий поворот рукоятки радиоприемника заставляет замолчать музыку. Да и звучала ли она когда-нибудь для них с Дугом или все это Глэдис придумала?

Глэдис все же склонялась к мысли, что между ними что-то было. Было, но с годами они утратили это. Быть может, в конце концов подобное случается со всеми: волшебство и романтическое очарование уходят, оставляя лишь горечь и гнев. Но тогда... тогда это действительно конец. Жить вместе без любви — все равно, что пытаться вычерпать океан чайной ложкой. И пример тщетности подобных попыток был у нее перед глазами. Та же Мэйбл старалась вычерпать океан своего одиночества ложечкой редких, случайных встреч, не сознавая, насколько это безнадежно.

Глэдис вышла на веранду, чтобы взглянуть на детей, но оказалось, что они давно забросили салочки и устроились в гостиной, негромко переговариваясь под включенный телевизор. Судя по всему, мать была им совершенно не нужна, и Глэдис оставалось только стоять на веранде, смотреть на звезды, высыпавшие на небо, и гадать, как будет складываться ее дальнейшая жизнь.

Возможно, ничего не изменится, с горечью подумала она. Будет все так же возить детей в школу, пока Джейсон не станет достаточно взрослым, чтобы заменить ее. Тогда она, разумеется, сможет вздохнуть свободнее, но... Что ей делать с этим свободным временем? Все равно придется стирать и готовить, пока дети не поступят в колледжи и университеты и не разъедутся по разным городам, чтобы возвращаться домой только на каникулы.

Ну и что тогда? О чем они станут разговаривать с Дугласом, когда останутся только вдвоем? О чем, если уже сейчас она чувствует себя такой одинокой и пустой внутри?

Опустошенность, ощущение разбитости, чувство, что тебя предали, — вот и все, что испытывала сейчас Глэдис. Необходимость и дальше жить и действовать так, словно ничего не произошло, угнетала ее больше всего. Ведь не машина же она, в самом деле!

Со стороны океана неожиданно донеслись далекие звуки музыки, и Глэдис, глянув в ту сторону, вдруг увидела ее. «Морская звезда», вся в сиянии огней, с освещенными иллюминаторами, плавно скользила в ночном мраке. Она была так прекрасна, что у Глэдис невольно защемило сердце. Казалось, это ее жизнь проходит мимо под звуки прекрасных мелодий, под звон бокалов с искристым шампанским и посвист соленого морского ветра. Волшебный ковер-самолет, способный унести ее, куда бы она ни захотела, отправился в путь без нее, а она осталась на берегу, ощущая на губах соленый вкус то ли моря, то ли слез.

Глэдис подумала, что в каких бы дальних морях и океанах ни странствовал Пол, с ним всегда был его дом, защищавший от бурь и непогоды. С ним всегда был его маленький, безопасный мир, куда он мог укрыться от холода, дождя и тоски. Для Глэдис же это было недостижимо, и вовсе не потому, что у нее не было такой яхты, а потому, что у нее не было дома. Ее мир потерпел крушение, и она всем сердцем завидовала Полу и жалела, что не может сейчас плыть вместе с ним к дальним островам.

«Жаль, что Сэм спит и не видит всего этого великолепия», — подумала она, провожая взглядом уходящую к горизонту «Морскую звезду». Эта мысль неожиданно отрезвила ее. Глэдис вздрогнула, как от холода, хотя ночь была по-летнему теплой. О чем она только думает!..

И все же, все же завтра «Морская звезда» вернется, и они с сыном снова поднимутся на ее гостеприимную палубу.

В начале двенадцатого Глэдис отправила детей спать и сразу же легла сама. В половине восьмого она снова была на ногах и разбудила Сэма, который проснулся и вскочил, едва только она протянула руку, чтобы тронуть его за плечо.

Глэдис уже была причесана и одета в голубую майку, белые джинсы и бледно-голубые сабо, которые Мэйбл в прошлом году привезла ей из Франции. Пока Сэм умывался, она успела приготовить завтрак. Вечером дети поделились с нею своими планами на сегодня. Кроме всего прочего, предполагался обед у друзей и поход за мороженым, стало быть, она была совершенно свободна. На крайний случай Глэдис оставила номер спутникового телефона Пола, так что они могли позвонить ей прямо на яхту.

Ровно в восемь двадцать они с Сэмом сели на велосипеды и отправились в гости.

Стоя на палубе, Пол уже поджидал их. Друзья его, гостившие на яхте, как раз собирались на экскурсию в Глостер; вчера они взяли напрокат микроавтобус и теперь, смеясь и обмениваясь шутками, усаживались в него.

Автобус отъехал. Сэм, широко улыбаясь, взбежал по сходням на палубу, и Пол обнял его правой рукой за плечи.

— Готов спорить на что угодно, после вчерашнего катания ты спал без задних ног, — заявил он и рассмеялся, когда Сэм кивком подтвердил его догадку.

— Я тоже спал очень крепко, — добавил Пол. — Ходить под парусом — нелегкая работенка, но удовольствие, которое при этом получаешь, нельзя сравнить ни с чем. Впрочем, я думаю, что сегодня нам будет попроще. Я хотел предложить вам прокатиться до Нью-Сибери, пообедать там и вернуться. Что скажете?

— По-моему, отличный план, — произнесла Глэдис со счастливой улыбкой.

— А вы завтракали? — неожиданно забеспокоился Пол.

— Только овсяные хлопья и молоко, — протянул

Сэм с таким видом, словно дома его морили голодом, и Глэдис снова улыбнулась.

— Ну, какой это завтрак для моряка! — с сочувствием воскликнул Пол. — Как насчет вафель и чая? Настоящих вафель, которые только что испекли на настоящем корабельном камбузе?

— Отлично, — быстро кивнул Сэм, и Пол предложил Глэдис оставить висевшую у нее через плечо сумку с вещами (велосипеды они еще раньше закатили под навес яхт-клуба) в одной из пустующих гостевых кают.

Вслед за Полом Глэдис спустилась по трапу в жилой отсек. Каюта поразила ее своими размерами и роскошью. Стены были отделаны панелями из полированного красного дерева, надраенные дверные ручки и петли сверкали, словно золотые, стенной шкаф мог поспорить своими размерами с небольшим гаражом, а над кроватью и над столом висели картины кисти самых известных современных художников. Но отделанная белым мрамором туалетная комната была вне конкуренции. Здесь нашлось место не только для душа, но и для настоящей бронзовой ванны на гнутых ножках. Каюта производила впечатление номера люкс в каком-нибудь очень дорогом отеле.

Глэдис достала из сумки конверт с фотографиями и, держа его в руках, отправилась в столовую. Сэм уже сидел там перед огромным блюдом с вафлями. Губы его были в сладком кленовом сиропе, щеки оттопыривались, однако это не мешало ему вести с Полом серьезный мужской разговор.

— А ты, Глэдис? Как насчет вафель? — предложил Пол, увидев ее, но Глэдис отрицательно покачала головой.

— Нет, спасибо, — сказала она смущенно. — Мне и так неловко... Можно подумать, будто я не кормлю моих детей.

— Перестань, — успокоил Пол. — Просто любому

моряку необходим большой завтрак, иначе у него не будет сил. Может, выпьешь хотя бы кофе, Глэдис?

Полу нравилось, как звучит ее имя, и он старался произносить его почаще. Вчера он спросил, кто назвал ее так, и она ответила, что это была идея отца. Когда она родилась, Джек Уильямс как раз работал в Шотландии возле озера Глэдис, и ее назвали в честь этого географического объекта. Полу это показалось занятным. В имени Глэдис ему чудилось что-то аристократическое.

На кофе Глэдис согласилась. Одна из двух официанток, обслуживавших стол, сразу налила ей горячий кофе в тонкую чашку лиможского фарфора с россыпью маленьких голубых звездочек на ней. Весь фарфор и хрусталь были либо со звездочками, либо с названием яхты. Глэдис подумала про себя, что одно это, наверное, обошлось Полу в астрономическую сумму.

Было уже начало девятого, когда Сэм наконец сказал, что больше не может. Тогда Пол предложил обоим подняться на мостик. Погода была великолепной. С берега дул легкий бриз, что было как нельзя кстати. Пол некоторое время вглядывался в голубое небо, по которому скользили редкие барашки облаков, потом отдал приказ капитану. От яхт-клуба он собирался отойти на дизеле и только потом поставить паруса.

На палубе закипела работа. Матросы бросились отдавать швартовы, где-то глубоко внизу ожил и мерно застучал двигатель, а на приборной доске вспыхнули зеленые и желтые огоньки. Пол сам встал к штурвалу, готовясь вести яхту в открытое море, однако каждое свое действие он сопровождал подробными объяснениями, и Сэм слушал его как завороженный.

Через несколько минут яхта стала медленно отходить от причала. Вскоре она развернулась носом на восток и, набирая ход, двинулась в открытое море.

Минут через десять Пол выключил двигатель и, нажав рычаг опускания киля, внимательно посмотрел на Сэма.

— Готов? — спросил он.

— Готов, — серьезно ответил Сэм и облизнул пересохшие от волнения губы. Еще вчера Пол показал ему все кнопки управления, и теперь он никак не мог дождаться, когда же наконец можно будет идти под парусами.

И вот этот момент настал! Сэм нажал одну за другой три кнопки, и высоко над головой Глэдис, которая сидела в сторонке и наблюдала за ними обоими, стали разворачиваться и надуваться огромные паруса из серебристой металлизированной ткани. Первым наполнился ветром похожий на сверкающий рыбий пузырь кливер, за ним — стаксель и грот и наконец бизань. Все это заняло едва ли больше минуты, и не успела Глэдис удивиться, как палуба под ней упруго вздрогнула, и «Морская звезда», набирая скорость, рванулась вперед. Казалось, она не скользит по воде, а летит по воздуху. Глэдис машинально ухватилась за попавшую ей под руку леерную стойку.

Это было незабываемое впечатление. Ветер посвистывал в ушах, снасти негромко гудели, Сэм сиял, стоя на мостике рядом с Полом, а Глэдис любовалась ими обоими.

«Морская звезда» на всех парусах неслась к Нью-Сибери. Ветер был попутным, однако Пол и Сэм время от времени изменяли положение парусов, и Пол объяснял мальчугану, почему он это сделал и какой регулятор надо повернуть, чтобы добиться максимальной скорости. Он даже позволил Сэму немножко подержаться за штурвал, после чего передал управление капитану, а сам сошел вниз, к Глэдис. Сэм предпочел остаться на мостике.

— Ты его испортишь, — со смехом сказала Глэдис, когда Пол сел в кресло напротив нее. — После «Морской звезды» любая яхта будет казаться ему просто дырявой калошей. Впрочем, я его понимаю. Прогулка просто волшебная!

Говоря это, Глэдис нисколько не кривила душой. Она и в самом деле была довольна не меньше Сэма.

— Я рад, — ответил Пол и кивнул с довольным видом. — Мне тоже очень нравится моя яхта. На ее борту я провел лучшие часы моей жизни.

— Думаю, что не только ты один, но и все, кто когда-либо поднимался на борт, — заметила Глэдис. — Твои друзья вчера рассказывали мне о твоих путешествиях.

Пол лукаво посмотрел на нее.

— Почему-то мне кажется, что мои друзья говорили не столько обо мне или о яхте, сколько рассказывали анекдоты о Селине. Она действительно грозится прыгнуть за борт каждый раз, когда яхта начинает двигаться. Что ж, не все ведь рождаются моряками.

— У нее что, морская болезнь? — спросила Глэдис и тут же прикусила язык. — Прости, я не хотела!..

Пол покачал головой.

— Насколько я знаю — нет. На моей памяти Селину замутило лишь однажды, да и то не на «Морской звезде», а на прогулочном катере, когда мы попали в серьезную болтанку в Мексиканском заливе. Просто она почему-то терпеть не может парусники. И вообще все, что плавает.

— Но ты их так любишь! — воскликнула Глэдис. — Разве это не... мешает вашим отношениям?

— Мешает. Из-за моего пристрастия к парусному спорту мы проводим вместе меньше времени, чем могли бы. Селина способна в одну минуту изобрести тысячу и одну причину, чтобы не подниматься на борт, и я нисколько ее не виню — по большей части она действительно очень занята, а добраться из Нью-Йорка в Лос-Анджелес, конечно, проще самолетом, чем через Панамский канал. Впрочем, иногда эти ее срочные встречи со сценаристами, продюсерами и издателями — это просто предлог. Сначала я пытался уговаривать ее, но теперь предоставляю ей поступать так, как она захочет. И иногда Селине удается преодолеть свое отвращение и провести со мной день или два на яхте, но только пока она стоит на якоре.

— А когда ей это не удается? Что ты чувствуешь тогда? — Это был, пожалуй, чересчур личный вопрос, но Глэдис чувствовала себя настолько свободно, что ей уже начинало казаться, будто она знает Пола не один десяток лет. Кроме того, сейчас ее очень интересовало, как другим людям удается сохранить свои чувства в браке. Быть может, убеждала себя Глэдис, она узна́ет что-нибудь, что будет полезно ей самой.

— Иногда меня это беспокоит, — признался Пол и кивнул подошедшей официантке, которая принесла на подносе два бокала «Кровавой Мэри». — Без Селины мне бывает не по себе, я чувствую себя одиноко, но я уже привык к этому. Не стоит заставлять кого-то делать то, чего он делать не хочет. А если ты все-таки решаешься, то впоследствии приходится дорого за это платить. Иногда слишком дорого. Я убедился в этом, когда был женат первый раз. Только потом я понял, что делал все не так, и тогда я поклялся себе, что если женюсь снова, то не повторю прежних ошибок. И, кажется, мне это удалось. Жизнь с Селиной отличается от моего первого брака как небо и земля. — Он усмехнулся. — Правда, я долго выбирал. Мне хотелось быть уверенным, что я принимаю правильное решение.

— Ну и как, ты не ошибся? — Глэдис задала вопрос предельно мягким тоном, чтобы Пол не подумал, будто она вторгается в его частную жизнь.

— Думаю, что нет. Мы с Селиной очень разные люди. Мы не всегда хотим от жизни одного и того же, однако вместе нам очень хорошо. Я уважаю Селину, и мне кажется, что это взаимно. Успех, которого она добилась, ее сила, упорство и способность работать приводят меня просто в восхищение. Селина — человек редкого мужества, но иногда это сводит меня с ума. — Тут он грустно улыбнулся.

— Извини, что накинулась на тебя с расспросами, — сказала Глэдис. — Просто в последнее время я очень часто задаю себе... похожие вопросы, но не всегда нахожу на них ответы. Раньше мне все было ясно, но теперь... Очевидно, я с самого начала в чем-то ошиблась.

Пол внимательно посмотрел на нее.

— Ты говоришь странные вещи, — сказал он осторожно. Глэдис вздохнула. Ей неожиданно захотелось выговориться. Казалось, что здесь, в открытом океане, на яхте, идущей под всеми парусами, они могут сказать друг другу все, что угодно.

— Говоря словами героев фантастических боевиков, которые когда-то так любили мои дети, я потеряла всякую ориентацию во времени и в пространстве. Я не знаю, что я делаю, зачем и что ждет меня впереди. Последние четырнадцать лет моей жизни... они как будто рухнули в пропасть. Семнадцать лет я была замужем. Раньше мне казалось, что все отлично, что лучше просто не бывает, и вот... — Глэдис запнулась.

— Что — «вот»? — спросил Пол. Он от души сочувствовал Глэдис, хотел чем-то помочь, но не знал как. В ней было что-то такое, что заставляло Пола тянуться к ней всем сердцем. И это не измена Селине, это другое. Он и Глэдис могли быть друзьями, настоящими друзьями, способными говорить открыто о самом сокровенном.

— Четырнадцать лет назад я бросила свою карьеру фотожурналиста. До этого я два года работала в «Нью-Йорк таймс», а еще раньше — побывала в Азии, Африке и в Латинской Америке... Боже мой, Пол, я объездила весь мир. Мне очень нравилась моя жизнь и моя работа, но Дуглас сказал, что, если я не брошу свои сумасбродства, между нами все будет кончено. И я уступила. Дуг не хотел, чтобы я подвергала себя опасности, фотографируя в гетто, в трущобах и гоняясь за бандами хулиганов и налетчиков в надежде сделать удачный снимок. И он был прав. Я оставила фотографию и переехала вместе с ним в Коннектикут. За пять лет я родила Дугу четверых детей, и с тех пор они стали главным содержанием моей жизни. Памперсы, ночные кормления, детские болезни, школа, автопул и прочее... Интересного мало, не так ли?

— И ты... ненавидишь такую жизнь? — спросил Пол, хотя ему казалось, что ответ он знает заранее. Четырнадцать лет попали в мусорный контейнер вместе с использованными памперсами. И он не мог, просто не мог понять мужчину, который обрек Глэдис на подобное унылое существование.

— Иногда, — честно ответила Глэдис. — Да и кто бы на моем месте не возненавидел? Можешь быть уверен, что не об этом я мечтала всю свою сознательную жизнь. Хотя я люблю моих детей, люблю общаться с ними, они выросли счастливыми — это тоже что-нибудь да значит.

— А ты? Ты сама? Прости за грубый вопрос, но что ты с этого имеешь?

— Моральное удовлетворение, — ответила она и улыбнулась. — Нет, я не шучу. Мне нравятся мои дети. Кажется, из них вырастут славные люди, и мне очень приятно быть с ними.

Пол прищурился, словно стараясь запомнить ее слова.

— И что ты собираешься делать дальше? — спросил он наконец. — Вернешься к своей карьере или будешь возить детей в школу до тех пор, пока тебя не лишат водительской лицензии по старости?

— В этом-то и проблема. Я только недавно об этом задумалась, но мой муж... Дуг решительно возражает против того, чтобы я снова вернулась в фотожурналистику. Из-за этого между нами возникла, гм-м... небольшая размолвка. Несколько недель назад у нас состоялся серьезный разговор, и Дуг напрямую высказал мне, чего он ждет от нашего брака.

— И чего же? — подбодрил Пол, заметив, что Глэдис опустила голову и замолчала.

— Увы, не многого. Как он сказал, ему нужен человек, которому он «мог бы доверить своих детей». И это все, Пол! Больше я ему ни для чего не нужна.

— На мой взгляд, звучит не очень романтично, — сухо заметил Пол, и Глэдис улыбнулась. Разговаривать с ним было легко и приятно. Пол понимал ее буквально с полуслова, и от одного этого ей становилось легче на душе. Должно быть, ей давно надо было выговориться.

— Зато теперь у меня не осталось никаких иллюзий, — заявила Глэдис. — Я словно бы прозрела и, оглядываясь назад, ясно вижу, что значу для него очень мало. И так было с самого начала... Ну, во всяком случае, довольно давно, — тут же поправилась она, хотя обоим было ясно, что это было сказано не от чистого сердца, а лишь в качестве фигуры вежливости, этакое «уважение к памяти покойного».

— Иными словами, почти всю мою жизнь я была экономкой, няней, уборщицей, поварихой и черт знает чем еще! У меня не было времени заметить, во что я превратилась. Быть может, если бы у меня была возможность работать, я бы как-то смирилась. Но ведь Дуг фактически запретил мне даже думать о фотографии, — закончила Глэдис.

— Это очень глупо с его стороны, — заметил Пол. — Однажды я пытался играть в ту же игру и проиграл с треском. Я имею в виду свою первую жену. Когда мы познакомились, я еще учился в колледже, а она уже работала редактором крупного журнала. Такая работа требует много времени, и я, наверное, немного ревновал Мэри Энн к ее редакторскому месту. Когда я закончил колледж и получил перспективное место, Мэри Энн забеременела. Я настоял на том, что она должна оставить работу. В те времена многие мужчины поступали подобным образом, но Мэри... Мэри возненавидела меня за это и так никогда и не простила. Она обвиняла меня в том, что я погубил ее карьеру и обрек на никчемную, пустую жизнь. Впрочем, Мэри Энн никогда не смогла бы стать хорошей матерью просто по складу характера, но меня это, разумеется, не извиняет. Как бы там ни было, дети ей были не нужны, а потом и я тоже стал не нужен. Наш брак рассыпался, и Мэри Энн вернулась на работу. Сейчас она — старший редактор «Вог» и по-прежнему ненавидит меня... — Он перевел дух. — Вот откуда я знаю, как опасно пытаться подрезáть женщине крылья. Подобная хирургическая операция слишком часто приводит к трагическим последствиям. И именно поэтому я стараюсь не вмешиваться в то, чем занимается Селина. Я не стал настаивать, когда она сказала, что не хочет иметь детей. Теперь-то я понимаю, нам с Мэри Энн тоже не стоило заводить ребенка. Она быстро вернулась на работу, и с тех пор моего сына Шона воспитывали гувернантки. В десять лет он оказался в пансионе, а в тринадцать... В тринадцать мы с ним остались вдвоем. До сих пор Шон не очень близок со своей матерью, так что в этом отношении ты поступила правильно. По крайней мере твои дети не чувствуют себя сиротами при живой матери.

Он сказал это очень уверенно, ибо ему достаточно было пообщаться с Сэмом, чтобы понять, какая Глэдис мать.

— Не стоит принуждать людей к тому, что не является для них естественным, — сказал он. — Хотя бы потому, что из этого все равно ничего не выйдет. Странно, что твой муж этого не понимает.

— Пока мои дети были маленькими, я даже получала удовольствие, ухаживая за ними, — задумчиво сказала Глэдис. — Мне нравится моя семья, и мне нравится быть матерью. И хотя дети уже совсем большие, мне не хотелось бы их бросать даже ради карьеры. Я не могу оставить их на попечении гувернанток, чтобы, как прежде, носиться по всему миру как угорелая. Но, мне кажется, никому не повредит, если раза два в год я буду уезжать на неделю или две. Я могла бы делать небольшие репортажи на местном материале. Это занимает еще меньше времени. Главное, что, работая хотя бы время от времени, я не чувствовала бы себя никем. — Она улыбнулась. — Нет, я, конечно, мать четверых детей. Просто никому нет дела до того, от чего я ради этого отказалась. В первую очередь — моему мужу. Он не хочет понимать, что за жертву я принесла. Для него мое увлечение фотожурналистикой — это даже меньше, чем хобби. Дуг считает, что до того, как мы поженились, я просто приятно проводила время, путешествуя по разным странам и щелкая камерой.

— Дик Паркер говорил, что за свои фотографии ты получила целую кучу престижных премий.

— Четыре или пять, — призналась Глэдис. — Но дело не в них. Просто внезапно я поняла, как много для меня значит фотография. А Дуг и слышать не хочет о моем возвращении в профессиональную фотожурналистику.

— И что ты собираешься делать дальше? Послушаешься мужа или устроишь скандал? — Селина, не колеблясь ни минуты, выбрала бы второе, но Глэдис была совсем другим человеком, и Пол ясно видел это.

— Не знаю. — Глэдис пожала плечами и бросила быстрый взгляд на Сэма. Он все еще стоял на мостике рядом с капитаном и глядел вдаль в настоящий морской бинокль. — Я еще не успела принять решение. Начались каникулы, и мне пришлось поехать с детьми сюда. Последнее, что сказал мне Дуг, это чтобы я позвонила моему агенту и отказалась от сотрудничества.

— Не делай этого, — решительно сказал Пол. Он

знал Глэдис еще не достаточно хорошо, но отлично чувствовал: если она послушается мужа и уступит, какая-то часть ее личности будет потеряна навсегда. Он сразу понял, фотография была для Глэдис одной из форм самовыражения, языком, с помощью которого она общалась с миром и утверждала в нем свое «я». Отказаться от фотографии было бы для нее все равно что перестать дышать.

— Кстати, где сейчас твой муж? — неожиданно спросил Пол.

— Дома. В Уэстпорте.

— А он знает, как сильно тебя расстроили его слова?

— Вряд ли. Мне кажется, он не вполне отдает себе отчет в том, что происходит.

— Да-а... — протянул Пол. — Моя бывшая жена три года исподтишка вымещала на мне свою досаду, а я имел глупость этого не замечать. Однажды ей это надоело, и она в лицо высказала мне все, что думает. И опять я ошибся, думая, что это просто начало нового, не очень счастливого периода в нашей жизни. На самом деле это был конец — конец нашего брака и наших отношений. Я и опомниться не успел, как мне пришло уведомление от ее адвоката.

— Не думаю, чтобы я была способна на такое, — задумчиво сказала Глэдис, — но я действительно теперь на многое смотрю по-другому. Моя жизнь разваливается буквально у меня на глазах. Можно ли здесь что-то спасти? Нельзя? Я просто не знаю. Что мне говорить, что думать, во что верить? Я не знаю, кто мне Дуг... и кто я ему. Два месяца назад я была счастливой и всем довольной. А сегодня... сегодня я все чаще запираюсь в своей лаборатории и плачу. Кстати, — неожиданно спохватилась она, — я ведь кое-что принесла.

Конверт с фотографиями лежал на кресле рядом с ней, и она, мило краснея, протянула его Полу.

— Это вчерашние снимки. Кое-что вышло удачно.

Пол достал фотографии из конверта и внимательно просмотрел их одну за одной. Некоторые из них, где был изображен он сам, ему польстили, фотографии Сэма заставили улыбнуться. Сразу было ясно, что Глэдис мастер своего дела. Она снимала с большого расстояния и практически без всякой подготовки, а вышло просто великолепно. За годы вынужденного бездействия она не погубила свой талант.

— Отличные фото, Глэдис, — сказал Пол, убирая снимки в конверт. Он хотел вернуть их, но Глэдис сказала, что он может оставить их себе. В конце концов у нее были пленки.

— У тебя настоящий талант, — покачал головой Пол, вертя конверт в руках. — Таким талантом нельзя бросаться.

Глэдис неловко усмехнулась.

— Ты, наверное, думаешь, что я — сумасшедшая. После всей той чепухи, что я тебе наговорила...

— Это не чепуха, — перебил он. — Ты мне доверяешь — и правильно делаешь. Можешь не сомневаться — я никому не скажу о нашем разговоре.

— Я понимаю, и все равно... Все равно я чувствую себя немножечко глупо. Но ты прав — мне показалось, что с тобой можно говорить откровенно, и я... я хотела знать, что ты скажешь.

— Ну, полагаться на мое мнение не очень-то стоит — в свое время я наделал немало ошибок, — ответил он, но Глэдис знала, что это не совсем так. Быть может, когда-то Пол был другим, но его нынешний брак с Селиной представлялся ей достаточно прочным и, как ни странно, счастливым.

Пол как будто подслушал ее мысли.

— Сейчас я счастлив, — сказал он. — Селина — исключительная женщина. Она не любит пустой болтовни, и за это я ее уважаю. Быть может, и тебе следует поступить подобным образом. Прямо скажи мужу, чего ты хочешь. Ему будет полезно это послушать.

— Но я не уверена, что он вообще станет меня слушать. Я ведь уже пыталась, но он просто отмахнулся от меня. Дуг порой ведет себя так, словно семнадцать лет назад я нанялась к нему на работу. Но главная проблема даже не в этом... — добавила она, поднимая на него глаза, которые неожиданно наполнились слезами. — Главная проблема в том, что я не знаю, любит ли он меня.

— Я думаю, что да, просто он слишком глуп, чтобы понимать это. Но если он тебя не любит, ты должна знать это, как бы больно тебе ни было. В таких вещах просто нельзя обманывать себя. Ты еще молода и очень красива, чтобы жертвовать своей жизнью ради человека, который тебя не любит. Думаю, в глубине душе ты это понимаешь, и от этого тебе сейчас так тяжело.

Глэдис кивнула, а он взял ее за руку и долго удерживал ее пальцы в своих.

— Это слишком большая жертва, Глэдис, — повторил он негромко. — И я уверен, что ты не заслужила подобной участи.

— Но что же мне делать? Уйти от него? — спросила Глэдис. — И что? Мне придется работать с утра до вечера, и я все равно не смогу быть с детьми.

— Будем надеяться, что тебе придется работать, только когда ты сама этого захочешь, и выполнять только те задания, которые сама выберешь. Черт побери, он просто обязан помочь тебе после того, как ты почти пятнадцать лет ухаживала за его детьми и за ним самим! — воскликнул Пол, и Глэдис, поглядев на него, поняла, что он вне себя от возмущения.

— Так далеко я не заглядывала, — вздохнула она. — В идеале, конечно, все должно быть именно так, но в реальности... В реальности мне скорее всего снова придется подставить шею под тот же хомут.

— Но почему? — спросил Пол. Глэдис почувствовала, что внутри у нее все окаменело.

— Как же мне быть?

— Ты не сможешь делать то, что тебе нравится, значит, ты не сможешь быть цельным человеком. Отказаться от мечты — что может быть хуже? Без мечты, без упований, без надежды человек в конце концов засохнет, как бесплодная смоковница. Взгляни повнимательнее вокруг. Немало таких, кто разочаровался в жизни и теперь тихо доживает свой век. В них нет ничего, кроме горечи. Фактически они уже мертвы...

Глэдис с ужасом слушала его, гадая, уж не разглядел ли он в ней того, о чем говорил с таким жаром, но Пол увидел ее глаза и ободряюще улыбнулся.

— Я не имею в виду тебя, но с тобой это тоже может случиться. И с тобой, и с каждым. Это чуть было не случилось со мной, когда мой первый брак доживал последние месяцы. Я чувствовал себя несчастным и бросался на всех как бешеный пес. В конце концов я возненавидел свою жену, но боялся сказать ей об этом или уйти. Жизнь моя была ужасна. Слава богу, Мэри хватило решимости положить конец этой жалкой пьесе, пока она не убила нас обоих. По счастью, я и Селина любим друг друга, и это помогает нам относиться друг к другу терпимо. Мне нравится то, чем она занимается, и я не требую, чтобы она бросила писать и сидела с детьми. И пусть Селина терпеть не может мои яхты, зато она любит меня. В этом разница...

— Я понимаю. — Глэдис слушала его и думала о том, что Пол не только умен и умеет тонко чувствовать, но и прекрасно разбирается в людях.

— А если понимаешь, ты должна, нет — просто обязана что-то сделать! Я прошу тебя... Ты должна знать, чего ты хочешь в жизни, и добиваться этого, добиваться решительно и без страха. В мире слишком много напуганных или слишком робких людей, но и те, и другие одинаково несчастны. Зачем увеличивать их число? Для этого ты слишком красива, слишком умна и талантлива. Нет, я просто не позволю тебе поступить с собой так!..

Интересно, как это он ей не позволит, подумала Глэдис. Что он может сделать? Впрочем, наверное, многое. К примеру, они познакомились только вчера, а она уже почувствовала к нему такое доверие, что рассказала историю всей своей жизни. Ничего более странного Глэдис никогда не совершала, но она не жалела о своей откровенности. Ему можно было доверять — Глэдис чувствовала это всем сердцем и всей душой.

Слушать его было очень приятно. Один его голос дарил ей ощущение невероятной свободы и раскрепощенности и, повинуясь внезапному импульсу, она наклонилась вперед и поцеловала его в щеку, как целуют брата или близкого друга.

— Спасибо, Пол. Наверное, сам господь послал мне тебя. Честно говоря, я ужасно растерялась и не знала, что делать, но тут появился ты и расставил все по своим местам. Ты меня просто спас! Я уже думала, что моя жизнь летит под откос и этого не остановить.

— Твоя жизнь только начинается, — возразил Пол. — Нужно только немного потерпеть и приложить кое-какие усилия. Возвращаться после такого перерыва даже к любимому делу непросто. Но тебе повезло — твои талант и мастерство при тебе.

И Пол выразительно похлопал рукой по конверту с фотографиями.

Глэдис машинально кивнула. Допустим, талант у нее есть, но есть ли у нее семья, муж? Внутри снова проснулись неуверенность и страх.

К счастью, именно в этот момент к ним подбежал Сэм, который отвлек ее от грустных размышлений. Яхта подходила к Нью-Сибери, и капитан прислал его узнать, будет ли «Морская звезда» заходить в яхт-клуб.

— Думаю, мы встанем на рейде и бросим якорь, а сами отправимся на берег на вспомогательном судне, — решил Пол.

— А можно будет после обеда вернуться на яхту и поплавать? — замирая от восторга, спросил Сэм.

— Конечно! Если хочешь, можно даже снова походить под парусом, — ответил Пол, и Сэм кивнул. Он изо всех сил старался казаться серьезным, но рот его сам собой разъезжался чуть не до ушей. Ему очень нравился его новый старший друг, и Глэдис, наблюдавшая за сыном, почувствовала новый прилив благодарности к Полу. Селине Смит очень повезло с мужем: Пол Уорд был удивительным человеком. Возможно, даже единственным в своем роде.

Моторный катер, который спустили для них матросы, доставил их на берег за считанные минуты. За ленчем они говорили в основном о парусах и яхтах, Пол рассказывал о своем последнем кругосветном плавании. Сэм слушал его, широко раскрыв глаза, и, казалось, вовсе перестал дышать. Даже Глэдис была поражена описанием циклона в Индийском океане. Тогда Пол спас двух матросов с погибшего каботажного судна.

После ленча они вернулись на яхту. Сначала Сэм вдоволь накупался, потом они с Полом снарядили швертбот и отправились в плавание. Глэдис тоже не скучала. Она снова фотографировала их с борта яхты и любовалась живописным побережьем.

Вскоре Пол и Сэм вернулись, и Глэдис подумала, что они исчерпали свою программу, но ошиблась. Пол достал доску для виндсерфинга и снова спустился на воду. Он явно хотел продемонстрировать ей и Сэму все свое искусство, и ему это удалось. Пол управлялся с подвижным парусом с таким мастерством, что Глэдис, знавшая, какой это тяжелый спорт, прониклась невольным восхищением.

Когда день начал клониться к вечеру, ветер неожиданно улегся и было решено возвращаться в Харвич на дизеле. Сэм был несколько разочарован этим обстоятельством, но Пол снова поставил его к штурвалу, и мальчуган легко утешился. Впрочем, он так устал за день, что минут через двадцать сам спустился с мостика и, устроившись в уголке мягкого дивана, сладко заснул.

Некоторое время Пол и Глэдис, улыбаясь, смотрели на него.

— Как я завидую, что у тебя такой сын, — первым нарушил молчание Пол. — Интересно было бы взглянуть на остальных.

— Думаю, рано или поздно ты обязательно их увидишь, — ответила Глэдис, потягивая белое вино. Пол только что пригласил ее поужинать на борту, и Глэдис согласилась.

— Как ты думаешь, удастся мне обратить их в свою веру и сделать из них настоящих моряков? — шутливо поинтересовался Пол.

— Не знаю. Пока они считают, что болтаться по всему поселку с друзьями гораздо интереснее. Особенно это касается девочек, но и Джейсон сейчас как раз в таком возрасте, что...

— Сколько ему сейчас? Двенадцать? Тринадцать? Знаешь, когда мой Шон был в таком возрасте, я буквально сходил от него с ума. Он...

Тут Сэм пошевелился, и Глэдис погладила его по голове. Глядя на нее, Пол улыбнулся. Ему нравилось смотреть на Глэдис и ее сына. Вчерашняя прогулка под парусами, сегодняшний поход на яхте — он хотел бы видеть здесь своего родного сына, но Шон никогда не разделял любви отца к морю.

— Вы проведете здесь все лето? — спросил Пол у Глэдис. Она кивнула.

— Да. Мы вернемся в Уэстпорт только в сентябре. В августе у Дуга будет отпуск, и он, наверное, проведет с нами недели три. Нам с ним нужно многое решить. Боюсь только, что нам обоим будет не до отдыха.

— Да-а... — Подумав о том, какие нелегкие дни предстоят Глэдис, Пол невольно вздрогнул. Впрочем,

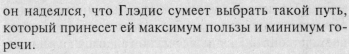

он надеялся, что Глэдис сумеет выбрать такой путь, который принесет ей максимум пользы и минимум горечи.

— А где будешь в это время ты? — поинтересовалась Глэдис.

— В Европе, вероятно, — рассеянно ответил Пол. — Август мы с Селиной обычно проводим на юге Франции. А в сентябре мне нужно будет ехать в Италию. Собираюсь поучаствовать в ежегодной парусной регате.

— И Селина поедет с тобой? — не без зависти спросила Глэдис. Такая жизнь была как раз по ней.

Пол улыбнулся.

— Поедет, если не сможет придумать никакой отговорки. Впрочем, обычно ей это неплохо удается.

Потом настало время ужина, и Глэдис не без сожаления разбудила Сэма. Специально для него корабельный кок приготовил чизбургер с французской картошкой. Сами они ели холодный суп «виши», спагетти по-милански и салат. На десерт подали персиковый шербет, который был так нежен, что буквально таял во рту.

После ужина капитан отвез их на моторке на берег. Глэдис, Сэм и Пол провели вместе почти тринадцать часов, но никому из них не верилось, что этот чудесный день подошел к концу.

— Не хочешь ли заглянуть к нам чего-нибудь выпить? — предложила Глэдис, когда они прощались на причале.

— Боюсь, у меня есть кое-какие дела, — покачал головой Пол. — Кроме того, я не хочу совсем уж похищать у детей их маму — ведь они не видели тебя целый день.

Глэдис бросила взгляд на часы, было почти девять.

— Сомневаюсь, чтобы они уже вернулись, — ответила она. — Впрочем, ты, наверное, прав.

Потом Пол пожал Сэму руку, поцеловал Глэдис в щеку и спрыгнул в катер, который сразу же отчалил от берега. Некоторое время они махали ему вслед, потом разыскали под навесом свои велосипеды и медленно поехали домой. Глэдис не знала, увидятся ли они еще или нет, но была уверена, что никогда не забудет Пола. Похоже, за несколько часов он сумел изменить всю ее жизнь. Пол вернул ей решимость добиваться своего, а для Глэдис это означало свободу.

Не больше, но и не меньше.

ГЛАВА 7

Последующие два дня Глэдис занималась детьми, проявляла пленки и печатала фотографии, которые сделала во время поездки в Нью-Сибери. Когда снимки были готовы, она отвезла их Полу, но его самого не застала — он уехал с друзьями в Глостер. Он неожиданно позвонил ей сам, взяв номер телефона у Дика Паркера.

— Как поживаешь, Глэдис? — у него был глубокий, густой голос, который Глэдис сразу же узнала.

— Спасибо, неплохо. Хожу с детьми на пляж, играю с ними в теннис и бадминтон... В общем, как всегда.

— Мне очень понравились фотографии, спасибо. Как там поживает мой друг Сэм?

Глэдис улыбнулась.

— Он все время тебя вспоминает. От него только и слышно: «Вот когда мы с дядей Полом ходили на яхте в Сибери...»

Пол расхохотался.

— Он, наверное, успел до смерти надоесть брату и сестрам!

— Нет, нисколько. По-моему, они считают, что он все выдумал. Ни один из них не верит, что Сэм стоял за штурвалом твоей «Морской звезды» и управлял парусами.

— Может быть, ты как-нибудь приведешь их, чтобы они увидели яхту своими глазами? Тогда каждый из них сможет постоять за штурвалом.

План был хороший, но времени, чтобы привести его в исполнение, уже не оставалось. Сегодня у детей был решающий матч по волейболу с командой соседней улицы, а завтра Пол собирался в Бостон, чтобы встретить Селину. Четвертое июля тоже было занято, а сразу после праздника Пол и его друзья отплывали обратно в Нью-Йорк.

Глэдис расстроилась. Она знала, что это глупо, — в конце концов, у Пола были свои дела, своя жизнь, в которой просто не могло быть места для скучной, обремененной семьей домохозяйки, — но ничего не могла с собой поделать.

— А когда ты собираешься во Францию? — спросила она дрогнувшим голосом.

— Через несколько недель. Думаю все же полететь туда самолетом вместе с Селиной, а яхту отправлю своим ходом. У меня достаточно опытный экипаж, они смогут пересечь Атлантику недели за две с половиной. В первых числах августа мы должны быть в «Отель дю Кап». — Он хмыкнул. — Именно так Селина представляет романтическое, полное опасностей путешествие в дикие, нецивилизованные страны.

В его голосе не было ни досады, ни злобы, и они оба рассмеялись. Глэдис подумала, что не отказалась бы от такой поездки, хотя Антибы мало походили на те страны, где ей и Полу довелось побывать в молодости.

— Я позвоню тебе перед отъездом, — продолжал тем временем Пол. — Мне хотелось, чтобы ты познакомилась с Селиной. Как ты смотришь на то, чтобы позавтракать втроем?

Он не сказал ей, что Селина обычно встает не раньше двенадцати дня. Она привыкла засиживаться за работой до трех-четырех часов ночи. Так что «завтрак» вряд ли мог состояться раньше двух. Впрочем, светское понятие «завтрак» редко бывало привязано к какому-то определенному времени суток.

— Я буду очень рада, — искренне сказала Глэдис. Ей действительно хотелось еще раз увидеть Пола и познакомиться с его женой. И это еще не все. Когда дело касалось Пола — а Глэдис поняла это только сейчас, — ей начинало хотеться сразу множества вещей, которые были одновременно и невозможными, и не особенно важными. В последний раз она испытывала нечто подобное, когда двадцать лет назад познакомилась с Дугом. Вся разница заключалась в том, что тогда она была свободна. Теперь же ее смятенные чувства старательно рядились в тогу дружеского интереса, ибо в противном случае Глэдис способна была сама испугаться того, что с ней творится.

— Ну что ж... Береги себя и Сэма, — сказал Пол голосом, который прозвучал неожиданно хрипло, выдавая его внутреннее волнение. Отчего-то ему показалось, что он обязан защищать Глэдис и ее сына. От кого? От чего? Бог весть. — Я тебе еще позвоню.

Она поблагодарила его за звонок и повесила трубку. Странно было сознавать, что Пол где-то совсем рядом и в то же время — недосягаем, словно они обитали в двух параллельных мирах. Но ведь и вправду так. Пусть недавнее непродолжительное общение и обнаружило некоторое родство душ, их жизни никак не пересекались, и знакомство с Полом было чистой случайностью из разряда тех, что вполне могли и не состояться.

Поздно вечером она улеглась в постель и долго думала о Поле, вспоминая во всех подробностях их разговор. И снова она начала сомневаться. Хватит ли ей мужества последовать его совету? Глэдис была уверена, что если она напрямик заявит Дугу о своем желании вернуться в профессиональную фотожурналистику, это вызовет такую бурю, которая не оставит от их брака камня на камне.

На следующий день Глэдис долго гуляла по берегу, раздумывая о том, что ей теперь делать. Проще всего было, конечно, сдаться. Спокойно вернуться к той жизни, которую она вела на протяжении четырнадцати лет, как будто ничего не произошло. Но это лишь на первый взгляд. Глэдис была уверена, что не сможет этого сделать. Нельзя же вернуться в светлое и беспечальное младенчество. Кроме того, убедившись, что Дуг не способен оценить принесенные ею жертвы, она просто не хотела уступать ему. С какой стати, если даже ее отказ от собственного «я» он принимает как должное?

А еще через день наступило Четвертое июля. Дети, наконец-то отвыкшие от напряженного школьного режима, спали до полудня и, после легкого обеда, они всей семьей отправились к Паркерам на барбекю. Пикник был уже в самом разгаре. Все соседи собрались вокруг длинного стола, поставленного в тени под деревьями и ломившегося от самых разных вкусностей, приготовленных предусмотрительно нанятым поваром. Благодаря этому ни одно блюдо не подгорело, и все выглядело очень аппетитно.

Глэдис беседовала со своими старыми знакомыми, когда приехал Пол. Он был в белых джинсах и крахмальной голубой рубашке и держал под руку редкой красоты женщину с длинными темными волосами и роскошной фигурой. Это и была Селина Смит. Глэдис тотчас же ее узнала. В жизни она была еще красивее, чем на обложках своих книг. Она притягивала к себе все взгляды, и не таращиться на нее во все глаза было невероятно трудно. Селина была одета в короткое белое платье без спинки, лиф на завязках. В ушах у нее поблескивали большие серьги-обручи, тонкое золотое ожерелье обвивало высокую, стройную шею, а на ногах красовались белые кожаные сандалии.

Иными словами, Селина Смит выглядела так, словно только что сошла со страниц модного французского журнала. В ней были шарм, элегантность и утонченная чувственность, разливавшаяся в воздухе, подобно аромату жасмина. Вот она что-то сказала Полу, и он рассмеялся. Глэдис подумала, что он выглядит очень счастливым. Такую женщину, как его жена, невозможно было не заметить и невозможно было забыть. В любой толпе на нее непременно оборачивались бы не только мужчины.

Как зачарованная Глэдис следила за Селиной. Вот она поздоровалась с Диком Паркером, расцеловалась с Дженни и тут же взяла бокал белого вина, предложенный подоспевшим официантом. При этом она даже не взглянула в сторону последнего, что говорило о привычке жить в роскоши, среди слуг, готовых исполнить любое твое желание, любой каприз. Это произвело на Глэдис особенно сильное впечатление. Она с горечью подумала о том, что, похоже, всю жизнь была для Дуга чем-то вроде служанки.

Между тем, словно почувствовав взгляд Глэдис, Селина величественно повернулась и посмотрела прямо на нее. Пол тотчас наклонился к ней и шепнул что-то на ухо. Селина кивнула, и звездная пара двинулась сквозь толпу к Глэдис, у которой от волнения сразу вспотели ладони. «Что он ей сказал?» — гадала она. «Знаешь, дорогая, я тут познакомился с одной женщиной из Уэстпорта. У нее четверо детей и муж-эгоист. Мне стало ее жалко, будь и ты к ней снисходительна...»?

Тут Глэдис передернуло. Нет, она не завидовала ни богатству, ни яркой внешности Селины. Только одно не давало ей покоя: знаменитая писательница была ни капельки не похожа на женщину, способную смириться с ролью простой «спутницы жизни» и «помощницы по хозяйству». Одного взгляда на Селину было достаточно, чтобы каждый понял: она не настолько глупа или безвольна, чтобы отказаться от своей карьеры или от своего «я» и годами ухаживать за детьми. Нет, она была, несомненно, обаятельна, сексуальна, по-хорошему напориста и умна, не говоря уже о том, что у нее были несравненные ноги и безупречная фигура. По сравнению с ней Глэдис чувствовала себя просто гадким утенком. Нет-нет, ведь он потом превратился в лебедя, а... а...

Найти наиболее подходящее сравнение Глэдис не успела. Пол тронул ее за плечо, и по всему телу Глэдис словно пробежал слабый электрический ток.

— Привет, Глэдис. Познакомься с моей женой. Селина Смит. А это — Глэдис Тейлор. Это она сделала снимки, которые я тебе показывал. Тот юный моряк, которого ты видела на фотографиях, — ее сын.

Глэдис потихоньку вздохнула. По крайней мере, Пол, кажется, не сказал Селине о ней ничего дурного. Но, стоя так близко от знаменитой писательницы, она еще острее ощущала свое несовершенство. Улыбка Селины была ослепительна. Выглядела жена Пола по меньшей мере на пятнадцать лет моложе Дженни Паркер, с которой они учились в колледже. («Дженни никогда не красится, а все равно выглядит на сорок пять, хотя ей уже пятьдесят два, — мстительно подумала Глэдис. — А миссис Селина раскрашена, словно топ-модель, и это, конечно, ее молодит!»)

— Очень рада познакомиться, — произнесла она вслух, стараясь, чтобы голос звучал независимо и твердо. Больше всего Глэдис боялась, как бы ее не приняли за одну из восторженных поклонниц, готовых обмочить штанишки при виде своего кумира. Впрочем, демонстрация безразличия, которого она не чувствовала, была бы просто смешна. — Я читала почти все ваши романы, и они мне очень понравились. Кое-что мне даже хотелось бы перечитать, но, к сожалению, из-за детей у меня не слишком много свободного времени.

— Могу себе представить, — дружелюбно сказала

Селина. — Пол говорил, у вас их не то два, не то три десятка. — Она снова ослепительно улыбнулась. — Но дело не в количестве. Если все они так же очаровательны, как тот мальчуган на снимке, то... Я вас понимаю. Ваш Сэмми — просто прелесть...

Глэдис вздрогнула. Она никак не ожидала, что Селина запомнит имя ее сына, которое она, конечно, узнала от Пола. Да еще не «Сэм», а «Сэмми»... Но ведь Пол говорил, что его жена равнодушна к детям, так почему же тогда?..

— Как я поняла, ваш Сэмми хочет стать моряком, — продолжала Селина. — В этом вроде бы и нет ничего плохого, но на вашем месте я бы сделала все, чтобы как-то его отвлечь. Парусный спорт — это болезнь, которая разрушает мозг и разъедает душу. И если процесс зайдет достаточно далеко, дела уже не поправишь. За примерами далеко ходить не надо...

С этими словами Селина так выразительно посмотрела на Пола, что Глэдис, которой поначалу показалось, что знаменитая писательница пытается учить ее жизни, не выдержала и расхохоталась.

— Вы наверняка уже знаете, что я не люблю лодки, катера, пароходы, — добавила Селина. — Пол просто не мог об этом не упомянуть. Он рассказывает об этом буквально всем, в крайнем случае за него это с удовольствием делают его друзья. А как вы относитесь к морской романтике?

И снова Глэдис не знала что ответить. Пол, как назло, отошел в сторону, чтобы взять себе бутылку пива.

— Мне очень понравилась яхта вашего мужа, — ответила она честно. — Сэм — тот просто влюбился в нее. Должно быть, на «Морской звезде» очень приятно путешествовать?

— Пожалуй, но только первые десять минут, — небрежно заметила Селина и так странно посмотрела на Глэдис, что та едва не покраснела.

Что, если Селина догадалась, как сильно ей нравится Пол? — пронеслось у Глэдис в голове. Едва ли это могло прийтись ей по вкусу.

— Я хотела попросить вас об одном одолжении... — неожиданно сказала Селина, и Глэдис, бросив на нее быстрый взгляд, внутренне напряглась, с тревогой ожидая продолжения. О каком «одолжении» собиралась попросить ее эта блестящая светская красавица? Чтобы она держалась от Пола подальше? В эти мгновения Глэдис готова была даже к подобному повороту событий, ибо ей не давало покоя ощущение собственной вины. Она провела почти целый день в обществе интересного привлекательного мужчины, жалуясь на то, как глубоко она несчастна, как одинока и как тяжело ей живется с собственным мужем. Любая женщина, которая не знала Глэдис как следует, могла счесть это примитивной попыткой соблазнить Пола.

«Неужели Пол ей все рассказал?! — в панике подумала Глэдис. — Боже, как глупо с моей стороны было так разоткровенничаться!»

— ...Как только я увидела фотографии Пола и Сэмми, — продолжала тем временем Селина, — я поняла, что вы именно тот человек, который мне нужен. Дело, видите ли, в том, что завтра вечером мы уезжаем, а мне срочно нужна хорошая фотография для новой книги. Я, конечно, уже заказала несколько портретов, но все они мне не понравились. Не могли бы вы заглянуть к нам завтра утром и сделать несколько снимков? Я уверена, что у вас получится — ваша манера очень мне импонирует. Правда, по утрам я обычно выгляжу ужасно. Возможно, потребуется ретушер, но ведь это можно как-то решить, правда? — Селина посмотрела на Глэдис почти умоляюще, и та едва не поперхнулась томатным соком.

— Ну, я не знаю, получится ли... — нерешительно протянула Глэдис. Она и в самом деле растерялась — слишком уж неожиданный оборот принял их разговор.

— Обязательно получится! — воскликнула Селина,

заметно оживляясь. — Я же видела, как вы сняли Пола. Обычно он выходит на снимках преотвратно. На большинстве фотографий у него такое лицо, словно он сейчас кого-то убьет. Вы не поверите, но у меня до сих пор нет ни одной приличной его фотографии, а вы всего за несколько часов сделали их больше десятка. — Она перевела дыхание. — Ну что, Глэдис, беретесь? Правда, Пол говорил мне, что портреты не ваш конек. Насколько мне известно, вы специализируетесь на съемках войн, катастроф, революций и мертвых тел...

Услышав это перечисление, Глэдис с облегчением рассмеялась. Селину, похоже, нисколько не взволновал тот факт, что она провела с ее мужем столько часов и успела сделать поистине неприличное количество его фотографий. За это Глэдис готова была ее просто расцеловать. Ее и... Пола, который не выдал жене ни одного из их общих секретов. Правда, все дело могло быть в том, что Селина не видела в ней серьезной соперницы, но сейчас Глэдис было на это наплевать.

— Ну, если говорить откровенно, — сказала она, — то я не снимала войны и катастрофы уже почти пятнадцать лет. В последнее время я только и делаю, что фотографирую детей — своих и соседских. Ваше предложение одновременно и льстит мне, и пугает, поскольку я действительно мало работала с портретами. Когда-то я была фотожурналисткой, поставляющей в газету новости, а сейчас я просто мать.

Селина улыбнулась.

— Судя по тем фотографиям, которые вы сделали, эти две ипостаси отлично в вас уживаются. Мне, во всяком случае, показалось, что вы — замечательная мать и отличный фотограф. Мне, конечно, трудно судить — ведь я никогда не была ни тем, ни другим. Итак, если вы согласны, то приходите на яхту завтра утром. Лучше всего — в начале десятого. К этому времени я постараюсь окончательно проснуться и не об-

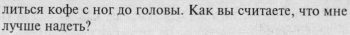

литься кофе с ног до головы. Как вы считаете, что мне лучше надеть?

Глэдис ненадолго задумалась. Селина была из тех женщин, что выглядят потрясающе в любой одежде, но интерьер яхты несколько ограничивал выбор костюма.

— Я не знаю, как вы видите обложку будущей книги, — сказала она наконец, — но я бы посоветовала что-нибудь простое и светлое. Скажем, белая блузка и белые джинсы. Это идеально для солнечной погоды. Если будет пасмурно, можно попробовать синие джинсы и голубую рубашку.

— Отлично! — обрадовалась Селина. — Меня почему-то все время фотографируют в вечернем платье, заставляют надевать какие-то пыльные перья, от которых у меня аллергия. Если бы вы знали, как я устала от этой помпезности! Благо бы фотографии выходили как следует, так ведь нет — ни одна обложка не удовлетворила меня полностью.

— Мне очень лестна ваша просьба, — повторила Глэдис. — Будем надеяться, что у меня выйдет что-нибудь путное.

На самом же деле она была почти уверена в успехе. Селина казалась ей благодатным объектом для съемки. Очевидно, все ее фотографы были мужчинами и работали на стереотипе «роскошная женщина — роскошная одежда». В Селине же главным были не изящное телосложение, не тонкие, аристократические черты, а противоречивость и порывистость характера, которые можно было подчеркнуть только простой одеждой. Она будет удачно контрастировать с одухотворенной выразительностью лица, в то же время не станет отвлекать от него внимание.

Кроме того, Глэдис очень хотелось снова очутиться на борту «Морской звезды», снова увидеть Пола. Вряд ли им удастся поговорить с прежней откровенностью, поскольку Селина будет рядом. В конце кон-

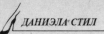

цов, она была его женой и имела полное право быть вместе с мужем.

— Хорошо, в девять я буду у вас, — кивнула Глэдис, и они заговорили о другом — о фильме, который ставился в Голливуде по роману Селины, о ее последней книге, о путешествии на юг Франции, которое они с Полом собирались предпринять через несколько недель, и даже о детях Глэдис.

— Я просто не знаю, как вы на это решились, — сказала Селина, не скрывая своего восхищения. — Я всегда боялась, что ребенок — пусть даже один — может серьезно помешать моей карьере. Даже когда мне было двадцать, я не хотела иметь детей. Правда, когда Пол женился на мне, он настаивал на том, что мы должны завести ребенка, но к этому времени мне уже исполнилось тридцать девять, и детей я хотела еще меньше, чем в молодости. На самом деле я, наверное, просто боялась ответственности, боялась сложностей и неудобств, которые связаны с появлением в доме маленького существа. Ко всему прочему, я была очень занята, а родить ребенка просто потому, что все так делают, — родить, чтобы тут же отдать его на воспитание кормилицам и гувернанткам, — это, наверное, тоже не выход.

— А я, признаться, люблю детей, и мне нравится то, чем я занимаюсь, — просто сказала Глэдис. Ей очень хотелось спросить Селину, не жалеет ли она о своем решении, но это было бы бестактно. Глэдис прекрасно понимала, что они — слишком разные люди, почти антиподы. Глэдис всегда предпочитала говорить то, что думала, и не любила ничего скрывать. Селина, напротив, была прирожденной лицедейкой. Напористая агрессивность сочеталась в ней с изощренным умом, привыкшим добиваться своего искусным маневром, интригой, даже притворством. Похоже, она в совершенстве усвоила принцип «разделяй и властвуй» и, следуя ему, получала удовольствие не только от результата, но и от самого процесса.

И все же, несмотря ни на что, Селина нравилась Глэдис. Теперь она ясно видела, за что Пол так любит свою жену. Селина была настолько сильной, — «нравной», как сказал бы отец Глэдис, — что жить с ней было все равно что мчаться по пересеченной местности на чистокровном, не до конца объезженном скакуне. Общаться с ней каждый день было, наверное, нелегко. При этом Селина оставалась бесконечно женственной, и это было, пожалуй, единственным, что объединяло их с Глэдис.

Пол вскоре вернулся к ним и стоял, молча потягивая свое пиво и любуясь контрастом между обеими женщинами. Селина и Глэдис как будто воплощали два полюса женственности, и обе бесконечно восхищали его, хотя признаться в этом даже себе он — в силу некоторых причин — не осмеливался.

Пол почувствовал даже некоторое облегчение, когда к ним подошел Сэм. Глэдис представила сына Селине. Сэм вежливо пожал руку знаменитой писательнице, но, разговаривая с ней, он чувствовал себя довольно неловко. Селина совершенно не умела общаться с девятилетними мальчиками. Она разговаривала с Сэмом, как со взрослым мужчиной маленького роста, и ее шутки пропали втуне. Сэм их просто не понял.

— Он — прелесть, — сказала Селина, когда Сэм с явным облегчением вернулся к группе сверстников, затеявших поблизости игру в волейбол. — Если вы, Глэдис, когда-нибудь утром обнаружите, что Сэмми нет в его кроватке, можете не сомневаться, Пол взял его с собой в Бразилию, и плывут они в какой-нибудь скорлупке под парусами.

— Сэму бы это понравилось, — улыбнулась Глэдис.

Селина вздохнула.

— В том-то и дело, что Полу это тоже понравилось

бы. Но что естественно для мальчишки, в шестидесятилетнем мужчине вызывает только жалость. Мужчины — такие дети, вы не находите? Каждый раз, когда они не получают того, чего им хочется, они обижаются, как маленькие, и способны дуться часами.

— Не знаю, — ответила Глэдис, думая о Дуге. В нем не было ничего мальчишеского. Напротив, он казался ей очень серьезным, очень взрослым, почти... старым. Но вслух она ничего не сказала.

Они поболтали еще немного. Потом Пол и Селина уехали. А еще через несколько часов пикник закончился, и Глэдис с детьми вернулись домой. Они так устали, что почти сразу легли спать, и впервые за все время Глэдис мгновенно заснула, ни о чем не думая и не тревожась.

На следующий день Глэдис разбудила Сэма в половине восьмого. Наскоро позавтракав, они сели на велосипеды и отправились в яхт-клуб.

На причале они были без четверти девять, но Пол, который встречал их у сходней, сказал, что Селина уже встала.

Когда Глэдис поднялась на палубу, Селина вышла ей навстречу из кают-компании. Несмотря на свое вчерашнее предупреждение, выглядела она безупречно. Прическа — в идеальном порядке, белая блузка сверкала, словно сахарная, на отглаженных джинсах не было ни единой складки. Лицо с минимумом косметики дышало утренней свежестью и молодостью. У Глэдис отлегло от сердца — она боялась, что при дневном свете у нее могут возникнуть проблемы с чрезмерным гримом Селины.

— Ну что, готовы? — спросила Селина, увидев Глэдис.

— Да, мэм. — Глэдис улыбнулась. — Начнем?

— Мы с Сэмом, пожалуй, вас покинем, — заявил Пол, беря мальчугана за руку. С его стороны это ни в малейшей степени не было жертвой, скорее наоборот. Глэдис поняла это, едва взглянув на его лицо.

— Сейчас спустят швертбот, — добавил Пол, — и мы еще поучимся управлять парусами. Сегодня хороший ветер.

— Какая скукота! — протянула Селина и сделала вид, что зевает. По ее глазам Глэдис видела, что она действительно считает подобное времяпрепровождение достаточно скучным.

Остаток утра пролетел незаметно. Селина действительно была «благодатной натурой», и Глэдис успела отснять шесть кассет. Несколько кадров должны были получиться отлично, но она ничего не сказала Селине, боясь сглазить. Пока шла съемка, Селина развлекала Глэдис веселыми историями из жизни знаменитых писателей, режиссеров и продюсеров, с которыми ей доводилось сталкиваться в Голливуде. Когда Глэдис вынула последнюю пленку и убрала фотоаппарат, Селина пригласила ее перекусить. Глэдис, неожиданно почувствовав, как сильно она проголодалась (с ней часто бывало так после удачных съемок), с радостью согласилась.

Устроившись на палубе, которую Селина предпочитала столовой, вызывавшей у нее приступы клаустрофобии, они ели сандвичи, запивая их яблочным соком. Вернулись Сэм и Пол.

— А нам что-нибудь осталось? — весело поинтересовался Пол, взбираясь на палубу по веревочному трапу и помогая подняться Сэму. — Мы умираем с голода!

— Только крошечки, — откликнулась Селина, лучезарно улыбаясь. Пол притворился, будто жутко огорчен, но старший официант уже спешил к ним с полным подносом всякой снеди. Он принес пикули, клубные сандвичи, две чашки горячего бульона и — специально для Сэма — картофельные чипсы.

— Ничего себе — крошечки! — заметил Пол, помогая Сэму поудобнее устроиться в одном из кресел, которое было ему велико.

Они прекрасно провели время и накатались до приятной тяжести в мускулах. Правда, ни тот, ни другой не признались Глэдис, что один раз чуть было не перевернулись. Она видела это сама — и видела, как быстро Пол спас положение. Впрочем, кто бы возражал против небольшого купания — погода стояла очень теплая. Сэм был в спасательном жилете, так что ему ничего, в сущности, не грозило.

После ленча Глэдис засобиралась домой. Правда, Селина уже сообщила ей, что они с Полом перенесли свой отъезд в Нью-Йорк с сегодняшнего вечера на завтрашнее утро, но Глэдис не терпелось поскорее попасть в свою темную комнату, чтобы поработать над фотографиями.

— Я пришлю их вам через несколько дней, — пообещала она, вставая. — Думаю, один-два снимка могут вам понравиться.

— Я совершенно в этом уверена, — отозвалась Селина. — Если на ваших снимках я буду выглядеть хотя бы вполовину так же хорошо, как Пол, для меня это будет выдающимся достижением. Я сделаю из них фотообои и велю обклеить ими нашу нью-йоркскую квартиру. По-моему, это будет только справедливо, ведь я куда красивее Пола!

Она засмеялась, и Глэдис тоже не сдержала улыбки. В этих словах характер Селины раскрывался особенно выпукло и рельефно. Было так понятно, за что Пол любит свою жену. С ней не соскучишься. Она была до краев полна перцем, уксусом и медом — это подтверждали и те веселые анекдоты, которые она рассказывала Глэдис о своих знаменитых знакомых. Впрочем, себя Селина тоже нисколько не выгораживала, и это особенно понравилось Глэдис. Она и не знала, что можно быть такой беспощадной к себе и при этом не потерять ни грана самоуважения и уверенности в своих достоинствах.

Они распрощались. По дороге домой Глэдис так глубоко задумалась, что все-таки свалилась с велосипеда.

— Что с тобой, мама? Ты не ушиблась? — заботливо спросил Сэм, помогая ей встать, но Глэдис только улыбнулась и покачала головой.

— Нет, я не ушиблась, просто задумалась. Боюсь, что на будущий год мне придется купить себе специальный велосипед на трех колесах. Знаешь, из тех, что предназначены для стариков, — ответила она, отряхиваясь от пыли и песка.

Сэм засмеялся и придержал ее велосипед, пока Глэдис снова садилась в седло. Остаток пути они проехали без приключений, только Сэм как-то странно молчал, и Глэдис поняла, что он тоже вспоминает «Морскую звезду» и Пола и мысленно прощается с ними. Они расстались как старые друзья, и Пол обещал, что они обязательно увидятся снова, но кто знает? Теперь, когда Глэдис познакомилась с Селиной, она чаще вспоминала о том, что Пол женат и что в его жизни есть вещи гораздо более важные, чем дачное знакомство с многодетной матерью.

Добравшись до коттеджа и убедившись, что детей дома нет, Глэдис включила Сэму видео, а сама поспешила в темную комнату. Как только пленки были готовы, она пропустила их через проектор. Очень и очень недурно. Она с удовольствием отобрала самые лучшие кадры. Селина выглядела на них просто роскошно. Никаких сомнений — знаменитая писательница останется довольна. Лучше всего удался последний кадр, где Селина была запечатлена вместе с Полом. Он стоял, опершись на спинку ее кресла, а на заднем плане виднелись часть мачты и океан, простирающийся до самого горизонта и отливающий почти небесной лазурью. Даже «ньютоновы кольца», которые среди фотографов-профессионалов обычно считаются браком, были здесь более чем уместны. Именно они создавали на снимке атмосферу солнечного и ясного полдня.

На следующий день Глэдис отослала готовые фотографии экспресс-почтой в Нью-Йорк. Вскоре ей позвонила Селина.

— Глэдис, вы — гений! — заявила она без всяких предисловий, и Глэдис сначала даже не поняла, кто говорит. — Нет, в самом деле это бесподобно! Хотела бы я на самом деле выглядеть так, как на ваших снимках!..

Только тут Глэдис догадалась, что это Селина.

— Вы выглядите гораздо лучше, — возразила она, хотя похвала была ей приятна. Глэдис уже знала, что Селина Смит вряд ли способна похвалить кого-то просто из вежливости. — Значит, они годятся для вашей обложки?

— Для обложки?! — воскликнула Селина. — Ну, разумеется!.. И не только для обложки. Знаете, Глэдис, я просто влюбилась в них. В моем альбоме с фотографиями просто нет ничего подобного. Неудобно так говорить про себя, но ваши... то есть мои... нет, ваши фотографии — это настоящее произведение искусства!

— А вам понравился снимок, где вы вместе с Полом? — спросила Глэдис, не знавшая, куда деваться от смущения.

— Я такого не видела... — озадаченно ответила Селина. — Погодите-ка, взгляну еще раз... Нет, его нет в конверте, — добавила она после паузы, и Глэдис почувствовала острое разочарование.

— Должно быть, я забыла вложить эту фотографию в конверт! Когда я отбирала снимки, она еще не до конца просохла, и я оставила ее в лаборатории. А потом просто забыла! Ну ничего, я перешлю ее вам за-

втра. Там есть один интересный эффект, который... в общем, сами увидите.

— Вы меня заинтриговали. — Тон Селины неожиданно стал более деловым. — Знаете, Глэдис, сегодня утром я разговаривала со своим издателем, он готов заплатить вам за использование ваших снимков. Издержки плюс авторское вознаграждение.

— Право же, это совершенно ни к чему, — смущенно отозвалась Глэдис. — Это... подарок. Сэму было так хорошо с Полом. Фотографии — это та малость, которую я могу сделать для вас, чтобы отблагодарить...

— Не говорите глупости, Глэдис! — перебила Селина. — Бизнес есть бизнес. Что скажет ваш агент, если узнает, что вы раздаете ваши прекрасные снимки направо и налево?

— Да откуда же он узнает? В крайнем случае я всегда могу сказать, что сделала эти фотографии для друзей. Нет-нет, я не хочу, чтобы вы платили мне за них.

— Вы безнадежны, Глэдис, — вздохнула Селина. — Если вы будете раздавать свои работы бесплатно, ни к чему хорошему это не приведет. Ведь на то, чтобы проявить пленки и напечатать фотографии, наверняка ушло немало времени! Вот если бы я была вашим агентом!.. — Она немного помолчала. — Извините, Глэдис, если я сказала что-то не то, — добавила она неожиданно мягким тоном. — Просто обидно за вас — фотографии великолепны! Я даже не знаю, какую из них использовать для обложки. Ничего, скоро вернется Пол, мы посоветуемся, и когда я решу, то обязательно позвоню вам. Спасибо большое, Глэдис, я действительно очень вам признательна. — Она вздохнула. — И все-таки мне хотелось бы, чтобы вы позволили мне заплатить.

— В следующий раз — обязательно, — поспешила обратить разговор в шутку Глэдис. Впрочем, она дей-

ствительно рассчитывала, что следующий раз обязательно будет.

Они попрощались, но Глэдис еще долго вспоминала этот разговор. Когда Селина сказала «мы посоветуемся», она просто не поверила своим ушам, но тут же последовало властное «...я решу», и все встало на свои места. «Все-таки, — с грустью подумала Глэдис, — они с Полом слишком независимы друг от друга. Я бы, наверное, так не смогла».

Пролетело еще несколько дней, а в субботу в Харвич наконец приехал Дуг. За те две с лишним недели, что они не виделись, он немного похудел, но выглядел почти счастливым оттого, что увидит детей. Шесть часов за рулем утомили его, однако, искупавшись перед ужином, он заметно приободрился.

Должно быть в виде исключения все четверо их детей ужинали дома, и Дуг успел наговориться с каждым. Но после ужина они снова улизнули с друзьями, чтобы бродить по берегу в темноте и рассказывать друг другу страшные истории, и Глэдис с Дугом остались одни.

Глядя за окно, где все еще мелькали огоньки карманных фонариков, Дуглас улыбнулся. Ему очень нравилось бывать летом в Харвиче.

Глэдис, сидевшая напротив него на диване, чувствовала себя скованно. С тех пор как она в последний раз виделась с Дугом, она слишком много передумала, поняла, испытала. Одна только встреча с Полом Уордом до того изменила ее взгляд на вещи, что сейчас, оказавшись в давно знакомой семейной обстановке, она растерялась.

Да, она могла рассказать Дугу и о «Морской звезде», и о дружбе Сэма и Пола, и о том, как она фотографировала знаменитую Селину Смит, но по какой-то неведомой причине ей этого не хотелось. Глэдис чувствовала, что должна сохранить что-то только для себя.

— Ну, что ты поделывала все это время? — небрежно спросил Дуг, и Глэдис подумала, что таким тоном он мог бы обращаться к любому из соседей по поселку. В его голосе не было ни тепла, ни подлинного интереса. Ее внезапно поразила страшная мысль, что Дуг так разговаривал с ней всегда. Только прежде она этого не замечала.

— Да, собственно, ничего, все как обычно. Дети благоденствуют, собака — тоже, — ответила она, в точности подражая его тону. На этот раз ничего не заметил он.

— Не могу дождаться, когда мне наконец дадут отпуск, — проговорил Дуг и зевнул. — В Нью-Йорке стоит адская жара. У нас в Уэстпорте лишь ненамного легче.

— Как твои новые клиенты? — спросила Глэдис и тотчас поймала себя на том, что задала мужу вполне равнодушный светский вопрос.

— А-а... — Дуглас махнул рукой. — В общем, неплохо, только приходится тратить на них уйму времени. Несколько раз я задерживался в офисе чуть до десяти. В этом смысле даже хорошо, что тебя и детей нет дома — не нужно спешить на шестичасовой поезд.

Глэдис сочувственно кивнула. «Идиотский разговор!» — мелькнуло у нее в голове. В самом деле, после двух недель разлуки они могли бы поговорить о чем-то более интересном, чем погода и работа. Дуг приехал в Харвич и ни разу не сказал ей, что соскучился, что с нетерпением ждал того дня, когда они наконец увидятся. Откровенно говоря, Глэдис даже не помнила, когда он в последний раз говорил ей нечто подобное. И тут же ей пришло в голову, что Селина Смит ни одной минуты не стала бы мириться с подобным отношением. Все в ней выдавало страстную, чувственную натуру, которая не могла не вызывать ответной страсти. Отношения же Глэдис с Дугом были пресными, словно диетическая пища. «Они были такими всегда, с

самого начала, — с горечью подумала Глэдис. — Просто я этого не замечала!»

До тех пор, пока дети не вернулись домой, они оба сидели в гостиной и разговаривали на какие-то общие темы. Потом Дуг включил телевизор, а Глэдис пошла поить всю ораву теплым молоком.

Когда дети улеглись, они тоже решили отправиться спать. Предполагая, что Дуг захочет заняться с ней любовью, Глэдис долго плескалась в душе и выбирала самую короткую ночную рубашку, но когда она наконец вошла в спальню, он уже крепко спал, зарывшись лицом в подушку. Глэдис стало так одиноко, что она даже не рассердилась. Прислушиваясь к его негромкому храпу, она подумала, что это — достойный конец «вечера вдвоем», который они провели за разговорами о жаре в Нью-Йорке, о клиентах Дуга и тому подобной ерунде. Конец вечера и конец их совместной жизни. Такой вердикт вынесло ее сердце, и обжалованию он не подлежал.

Все же в эту ночь Глэдис легла рядом с мужем — легла осторожно, чтобы не разбудить его. Заснуть ей никак не удавалось. В окно светила полная луна, и, глядя на ее холодный свет, квадратами ложившийся на мебель и стены, Глэдис тихо плакала, мечтая о том, чтобы какой-нибудь волшебный ураган унес ее подальше отсюда.

ГЛАВА 8

Следующий день Дуг и Глэдис провели на пляже вместе с детьми, а когда жара спала, устроили в местном кафе что-то вроде званого ужина для своих старых знакомых и соседей. Лишь поздно вечером, когда они наконец вернулись домой, Дуг увлек Глэдис в постель.

Но все теперь стало иным. Романтическое очарование близости, тепло, нежность, уют его объятий — казалось, все это Глэдис просто выдумала. То, что Дуг проделывал с ней, не заботясь даже о том, приятно ей это или нет, напоминало Глэдис какую-то гигиеническую процедуру, наподобие профилактического осмотра у стоматолога. Предупредить нежелательные последствия воздержания, дать организму необходимую разрядку, исполнить свой супружеский долг — все это молча, как будто по обязанности. Когда же — после всего — Глэдис повернулась к нему пошептаться, Дуг уже негромко похрапывал. Она едва не разрыдалась. Таких неудачных выходных у Глэдис уже давно не было.

А на следующее утро, когда дети ушли гулять, Дуг неожиданно спросил:

— Что с тобой, Глэдис? С тех пор, как я приехал, ты как-то странно себя ведешь.

Глэдис ответила ему растерянным взглядом. Что говорить, как сказать все, что у нее на душе, она не знала.

— Со мной?.. Ничего. Ничего особенного. Я тут размышляла кое о чем, но стоит ли это сейчас обсуждать?

Глэдис действительно считала, что ни к чему возвращаться к разговору о ее карьере. Не то чтобы она передумала — просто она считала себя не вправе сбросить на мужа этакую бомбу прямо сейчас. Вечером ему предстояло возвращаться в Уэстпорт. Вот когда он приедет в отпуск, тогда они и поговорят.

— Может быть, тебя что-то беспокоит? — продолжал допытываться Дуг. — Проблемы с Джесс?

Этой зимой Джессика действительно несколько раз нагрубила матери, но теперь эти трудности переходного возраста были уже позади.

— Напротив, Джесс мне очень помогает. И она, и все остальные. Нет, Дуг, дело не в детях, а во мне.

— Так выкладывай, в чем дело, — нетерпеливо

бросил он, и Глэдис показалось, что сейчас он посмотрит на часы. — Ты же знаешь, я терпеть не могу всяких недоговоренностей. Что за тайны у тебя завелись? Надеюсь, это не интрижка с Диком Паркером?

Он, разумеется, шутил, и в другой раз Глэдис непременно бы улыбнулась, но сейчас — нет. Дуг всегда был слишком уверен в ней: Глэдис не может изменить. Глэдис никуда не денется. Он был прав. Но Глэдис впервые пожалела о том, что действительно не может этого сделать, каким бы привлекательным мужчиной ни казался ей Пол Уорд.

— Я думала о своей жизни.

— И что, черт возьми, это означает? — осведомился Дуг. — Надеюсь, ты не собираешься взяться за старое — подняться на Эверест или добраться до Южного полюса на собачьей упряжке?

Глэдис не собиралась ни на полюс, ни на Эверест, но то, как он это сказал, снова ранило ее в самое сердце. Можно было подумать, что Дуг просто-напросто считает ее неспособной на поступок. «Твое место в детской, только там ты можешь чего-то достичь», — вот что означал его «шутливый» вопрос.

И Глэдис решилась.

— Помнишь наш последний разговор в «Ма Пти Ами»? — начала она. — Тогда ты все очень доходчиво мне объяснил. Есть только одно маленькое «но»... Дело в том, дорогой, что мне никогда не хотелось быть просто твоей «спутницей жизни». Я думала, нас связывает нечто большее, чем чисто деловое соглашение.

Дуг уже понял, куда она клонит.

— Ради всего святого, Глэдис, нельзя же быть такой мнительной! Ведь ты прекрасно поняла, что я имел в виду. Я не говорил, что не люблю тебя. Просто после семнадцати лет брака трудно ожидать, чтобы отношения между людьми оставались на уровне вздохов и поцелуев.

— При чем тут вздохи и поцелуи? — возразила Глэдис. — Хотя я не понимаю, почему нельзя подарить любимой жене цветы даже после семнадцати лет брака. Или для тебя это слишком обременительно?

— Вся эта твоя так называемая романтика хороша в юности, — упрямо повторил Дуглас. — Когда человеку двадцать лет, он еще может позволить себе расходовать время на всякие глупости. Но когда работаешь как вол, чтобы семья ни в чем не нуждалась, когда каждый день мчишься как угорелый на шестичасовой поезд, чтобы успеть домой к ужину, и валишься с ног от усталости, и не желаешь ни слышать, ни видеть никого, включая собственную жену, — вот тогда всякая романтика проходит. Да и что это такое, если разобраться? Блажь, дурь, пустое место!..

— Картина, которую ты только что нарисовал, действительно не очень романтична, — согласилась Глэдис, — но ведь я говорю не об усталости. Я говорю о чувствах! О том, что даже после семнадцати лет брака можно любить свою жену и делать так, чтобы она ощущала себя любимой. Я, например, не уверена, любишь ли ты меня.

— Ты знаешь, что люблю! И вообще, чего ты от меня хочешь? Чтобы я каждый день распевал серенады у тебя под балконом или охапками носил тебе цветы?

— Нет, было бы вполне достаточно, чтобы ты дарил мне цветы хотя бы раз в год. Интересно, ты помнишь, когда ты в последний раз принес мне цветы? Я — нет.

— Я помню. Это было в прошлом году, в годовщину нашей свадьбы. Я купил тебе ровно семнадцать роз.

— Да, ты поставил их в вазу и сел смотреть телевизор. Ты даже не повел меня в ресторан, сказал, что лучше отложить это на будущий год.

— Мы были в ресторане месяц назад. Теперь, когда я вижу, к чему это привело, мне кажется, что водить тебя по ресторанам — не такая уж замечательная идея.

— Ты думаешь, что я поднимаю шум на пустом

месте? Речь идет о моей жизни! Я все стараюсь понять, ради чего я бросила работу, которая так мне нравилась. Я знаю, что пожертвовала своей карьерой ради детей, но этого недостаточно. Я должна быть уверена, что сделала это ради человека, который любит меня и понимает, от чего я отказалась, чтобы быть с ним. А ты? Ты способен оценить мою жертву?

Это был прямой и честный вопрос, и теперь Глэдис ожидала такого же прямого и честного ответа.

— А-а... — протянул Дуг. — Так ты опять о своей дурацкой работе? Я же, кажется, уже сказал тебе, это невозможно. Кто будет заботиться о детях, если ты на полгода уедешь в какую-нибудь захудалую Камбоджу? С финансовой точки зрения это не имеет смысла. Вряд ли ты заработаешь больше, чем за это же время уйдет на гувернанток для детей и приходящую прислугу. И не говори мне про Пулитцеровскую премию — насколько я помню, все твои призы и премии не дали тебе ничего, кроме сомнительной известности. Что это за карьера, если она не приносит денег? Для девчонки, отработавшей один срок в Корпусе мира, это действительно неплохой шанс найти себе нормальную работу, но для взрослой женщины... К тому же у тебя четверо детей, Глэдис, не забывай об этом. И заботиться о них и есть твоя главная работа! Я не позволю тебе болтаться по всему миру в поисках неизвестно чего!

У Дугласа сделалось такое лицо, словно он собирался вскочить и уйти из комнаты, но Глэдис не собиралась оставлять за ним последнее слово. Он не имел никакого права распоряжаться ею.

— Ты не можешь что-то мне позволять или запрещать, — холодно ответила она, с трудом взяв себя в руки. — Я сама имею право решать, что мне делать. За свои деньги, мистер, вы получили четырех здоровых и счастливых детей, что, на мой взгляд, не так уж мало. Но дело не в этом. Дело в том, что мне кажется, я потеряла слишком много, но не получила за это почти ничего. Тебя это, похоже, ни капельки не волнует. Для тебя мое увлечение фотожурналистикой было и остается ничего не значащим капризом избалованной девчонки, вообразившей о себе невесть что. А ведь работай я в полную силу все это время — Пулитцер был бы у меня в кармане. Это мне говорят многие. Три тысячи долларов на дороге не валяются. А кроме того — престиж, известность, дорогостоящие контракты... — Тут она вспомнила о фотографиях Селины и пожалела, что не взяла за них денег или, хотя бы, не узнала, сколько ей причиталось. Для Дугласа это могло бы оказаться доводом куда более веским, чем все ее разглагольствования о своих правах. — Вот от чего я отказалась ради того, чтобы убирать за твоими детьми! — закончила она, теряя самообладание.

Дуглас презрительно поджал губы.

— Если для тебя это так важно, что ж... Никто не тянул тебя в Нью-Йорк на аркане. Ты могла бы оставаться там, где ты была — в Зимбабве, Кении или Каламанго, — и фотографировать своих партизан, обезьян и прочих... Но почему же ты предпочла вернуться, выйти за меня замуж и завести четырех детей? Почему, Глэдис?

— Если бы не ты, я бы вполне могла совмещать одно и другое.

— Это невозможно, и ты отлично это знаешь. Заруби себе на носу, Глэдис: твоя карьера за-кон-че-на, — произнес он по слогам. — Закончена, хочешь ты того или нет. Надеюсь, тебе это понятно?

— Боюсь, что закончена не моя карьера, а кое-что другое, — храбро ответила она, хотя по лицу ее давно текли слезы. Но Дуг не собирался уступать, и Глэдис ясно видела — почему. У него в отличие от нее было все: работа, карьера, дети и жена, которая обо всем заботилась. И только у нее не было ничего.

— Ты что же это, угрожаешь мне? — спросил Дуг

зловеще. — Не знаю, от кого ты набралась таких идей — от своего проныры-агента, от этой шлюхи Мэйбл или от Дженни с ее феминизмом, — мне на это глубоко наплевать. От того, что ты будешь их слушать, хуже будет только тебе. Наш брак, Глэдис, будет существовать только до тех пор, пока все будет по-прежнему. Если же нет — значит, нет. Надеюсь, я ясно излагаю?

— Наш брак — это не сделка, и я — не клиент, с которым можно разорвать договор, если условия тебе не подходят! — выпалила Глэдис. — Я — живой человек, Дуглас. Ты запер меня в четырех стенах и лишил меня всего, чем живут нормальные люди. Я просто сойду с ума, если в моей жизни и дальше не будет ничего, кроме этого проклятого автопула, школы, готовки, стирки и прочего...

Она громко всхлипнула, но Дуга это ни капельки не тронуло. В эти минуты он явно не испытывал ничего, кроме раздражения.

— Значит, тебе скучно? Но ведь раньше ты никогда не жаловалась на скуку. Что с тобой случилось? Скорее всего маловато дел по дому.

— Я выросла, Дуг, — Глэдис горько улыбнулась сквозь слезы. — Дети больше не нуждаются во мне, как раньше; у тебя своя жизнь, а у меня... У меня ничего. Мне скучно, пусто, одиноко. Я хотела бы заняться чем-нибудь для души. Четырнадцать лет я сознательно отказывала себе во всем, что мне было интересно. Я имею полное право работать. Я вовсе не собираюсь бросить тебя и детей ради карьеры, меня устроил бы любой компромисс. Ведь я фактически превратилась в домашнюю прислугу, а я этого не хочу... больше не хочу. Разве я прошу так много?

Дуг пожал плечами.

— Я не понимаю, о чем ты, — сказал он. — Это просто бред какой- то...

— Нет, это не бред! — в отчаянии воскликнула

Глэдис. — Но я не поручусь, что действительно не сойду с ума, если ты не выслушаешь меня!

— Я тебя выслушал. Дичь какая-то!.. Ты на себя посмотри — ну какая из тебя журналистка?!

Они редко ссорились, но сейчас Дуг был просто вне себя. Глэдис поняла, что все бесполезно. Он не отступит.

— Но почему ты против того, чтобы я хотя бы попробовала? — сделала она последнюю попытку. — Я могла бы выполнить одно-два небольших задания, никуда надолго не уезжая. Очень может быть, что этого хватило бы мне еще на несколько лет. Я бы успокоилась и не возвращалась к этому вопросу до тех пор, пока дети не станут совсем взрослыми!

— Блажь надо искоренять сразу! — отрезал Дуг. — Я прекрасно знаю, что ты не успокоишься, пока не попадешь в какую-нибудь богом забытую дыру, где надо будет ежеминутно уворачиваться от пуль и сутками сидеть на дереве, чтобы сфотографировать какого-нибудь головореза, по которому давно веревка плачет! Ты утверждаешь, что у тебя есть какие-то права, но ведь и у твоих детей есть право иметь нормальную мать, а не могилу, к которой раз в год полагается приносить цветочки. Или ты настолько эгоистка, что не думаешь о своих детях? Каково им будет, если тебя ухлопают в какой-нибудь Корее?

— Эгоизма во мне не больше, чем в тебе. Что касается детей, то им нужна мать, которой они могли бы гордиться. А не тупая, утратившая всякое уважение к себе домработница, которая может похвастаться только количеством вынесенных горшков да блестящим знанием таблицы умножения, которую она учила с каждым из детей по очереди? Мне одиноко, тоскливо, скучно, наконец. Я должна найти себе занятие по душе!

— Тогда тебе придется заодно найти себе и нового мужа.

— Ты это серьезно? — Глэдис посмотрела на него,

гадая, действительно ли Дуг способен зайти так далеко, или он сказал это просто в пылу ссоры. На мгновение ей показалось, что Дуг серьезен, как никогда, но взгляд ее, казалось, несколько отрезвил его.

— Не знаю, может быть, — ответил он неохотно. — Мне нужно подумать, Глэдис. Если ты настаиваешь на своих бредовых идеях, что ж... Возможно, нам и в самом деле пора задуматься о том, как быть дальше.

— Но я не могу поверить, что ты готов пожертвовать нашей семьей только потому, что тебе не хочется мне уступить. Я поступала, как ты хотел, на протяжении всех семнадцати лет!

— И прекрасно. Так должно продолжаться и впредь. Ты совершенно не думаешь о детях!

— Я думаю о детях! Но я имею право иметь свои собственные желания. В конце концов, мне надоело постоянно жертвовать своими интересами. С меня довольно, Дуг!

Ничего подобного она никогда ему не говорила. Но больше терпеть это было невозможно. Его менторский тон просто выводил ее из себя. Хуже того, слушая его, она окончательно убедилась, что Дуг ее не любит. Да и как он мог любить ее после того, как она нарушила условия их договора, после того, как пренебрегла интересами его и детей ради своей глупой прихоти? Нет, ему совершенно не за что было любить ее — капризную сумасбродку и безответственную эгоистку.

Но, понимая все это, Глэдис не удержалась, чтобы не сделать еще одну, последнюю попытку.

— Послушай, Дуг, — сказала она, стараясь не замечать его покрасневшего лица и сердито сдвинутых бровей, — ведь фотография — это не просто работа! Это — искусство. Через фотографию я выражаю свои мысли и чувства, и только так я могу заявить миру: «Я есть. Я существую». Мне это просто необходимо, чтобы чувствовать себя полноценным человеком. Пой-

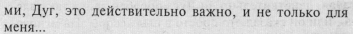

ми, Дуг, это действительно важно, и не только для меня...

Но она уже видела, что для него это совершенно не важно. Дуг просто не понимал того, что она пыталась ему объяснить. Не понимал и не хотел понять.

— Об этом, — холодно сказал он, — тебе следовало подумать семнадцать лет назад, когда ты выходила за меня замуж. Подумать и сделать выбор раз и навсегда. Я тебя ни к чему не принуждал — ты сама решила, что я для тебя важнее твоей Пулитцеровской премии. Тогда ты считала, что поступила правильно, и если теперь ты думаешь по-другому... Словом, придется это как-то решать.

— Нам нужно решить только одно: имею я право на свою личную жизнь или нет, — с горячностью возразила Глэдис.

— Ты ведешь себя, словно коза, сорвавшаяся с привязи, — перебил ее Дуг. — Все, что ты мне тут наговорила, — это полная чушь. И если ты будешь упорствовать, ты навредишь не только себе или мне, но в первую очередь — детям. Это же элементарно, Глэдис, неужели ты не понимаешь?

— Мне очень жаль, но это ты не понимаешь!.. — ответила она и, негромко всхлипнув, быстро вышла из гостиной. Дуг не сделал ни малейшей попытки ее остановить. Теперь обратного пути нет. Кончено. Он ее совсем не любит.

Она удалилась в спальню и сидела там, вытирая слезы насквозь промокшим платком. Вошел Дуг. Не глядя на нее, он принялся бросать свои вещи в сумку.

— Что ты делаешь? — спросила Глэдис, судорожно всхлипнув.

— Возвращаюсь в Уэстпорт, — сухо ответил он. — И в следующие выходные я скорее всего не приеду. У меня нет никакого желания проводить по шесть часов за баранкой, чтобы в свои законные выходные выслушивать всякие глупости по поводу твоей так называемой «карьеры». Нам нужно отдохнуть друг от друга, Глэдис.

Она вздохнула.

— Откуда ты так хорошо знаешь, что будет хорошо для нас, для меня, для детей? — спросила она. — Почему из нас двоих именно ты всегда устанавливаешь все правила?

— Потому что так должно быть и всегда будет. А если тебе не нравится, ты можешь уйти и поискать себе другого мужа.

— Как у тебя все просто получается... — покачала головой Глэдис.

— А это и есть просто. Проще некуда. — Он повесил сумку себе на плечо и посмотрел на Глэдис. Она с горечью подумала о том, как быстро рассыпался по кирпичику их семнадцатилетний брак, казавшийся ей таким прочным. Но, как видно, Дуг давно решил, что в их семье все должно быть так, как он сказал. Так — или никак. С ее точки зрения, это было несправедливо, но Дуглас даже не собирался обсуждать это с ней.

— Попрощайся с детьми от моего имени, — глухо произнес он. — Скажи им, что я приеду через две недели. Надеюсь, за это время ты успеешь одуматься.

Но Глэдис в этом сомневалась. Дело было не в ее упрямстве или нежелании идти на компромисс. За последние несколько недель она поняла наконец, чего хочет, и уже не могла от этого отказаться.

— Почему ты не хочешь меня выслушать? — в последний раз спросила она, хотя и знала, что все без толку. — Все движется, и нам всем необходимо меняться, приспосабливаться к новым идеям, к новым обстоятельствам.

— Нам не нужны никакие новые идеи, — отрезал Дуг. — И еще меньше они нужны нашим детям. Им нужно только одно: нормальная мать, которая думает не о себе, а о них. И то же самое нужно от тебя мне.

— Почему бы тебе не нанять гувернантку? — бросила Глэдис. — Ее, по крайней мере, ты можешь уволить, как только она перестанет тебя устраивать.

— Возможно, так и придется поступить, если ты вздумаешь пойти по стопам своего отца.

Глэдис вспыхнула:

— Я не настолько глупа, чтобы работать в районах вооруженных конфликтов. Мне только хотелось сделать несколько действительно приличных репортажей...

— Хватит об этом, — холодно прервал ее Дуг. — К концу лета, когда мы вернемся в Уэстпорт, ты должна выбросить из головы все эти бредовые идеи насчет фотожурналистики, Пулитцеровской премии и прочего. Когда ты выходила за меня замуж, ты говорила, что готова ухаживать за нашими детьми, и это я имею право от тебя потребовать.

Из глаз Глэдис снова брызнули слезы. Какой же он бесчувственный! Она и не подозревала, что Дуг может вести себя так! Его безразличие к ее переживаниям было просто поразительным. Пока она играла по его правилам, все было в порядке, но стоило ей высказать какое-то желание, которое пришлось ему не по нраву, и Дуг уперся, как осел! И это было не просто упрямство — это была самая настоящая жестокость, порожденная эгоизмом и ограниченностью.

Дуг тем временем шагнул к двери спальни и, обернувшись в последний раз, сказал почти с угрозой:

— Я не шучу, Глэдис! Приди в себя, иначе ты пожалеешь!

И она уже жалела. Она не сказала Дугу ни слова, но долго стояла у окна, глядя, как он садится в машину, едет по улице. Все еще не верилось, что это происходит именно с ними, но от жестокой действительности никуда не укрыться.

Она все еще плакала, когда вернулся Сэм.

— А где папа? — спросил он.

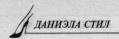

— Уехал, — коротко ответила Глэдис, украдкой вытирая глаза.

— Но он забыл попрощаться со мной! — возмутился Сэм.

— Тебя не было, а у папы срочная встреча с клиентом, — солгала Глэдис.

Сэм неожиданно успокоился.

— Ну ладно, — сказал он. — Тогда я пойду к Джону.

— Возвращайся к ужину, — с улыбкой сказала Глэдис. Ее глаза были все еще влажны, но Сэм этого не заметил.

В следующую минуту он уже исчез. Глэдис услышала, как хлопнула входная дверь, и подумала о том, как же она все-таки любит их всех — и Сэма, и Джесс, и Джейсона, и Эйми. Раньше ей казалось, что эта любовь — главная гарантия того, что все они будут счастливы, но теперь она вовсе не была в этом уверена.

Все изменилось, и возврата к прошлому не было.

ГЛАВА 9

Дуг сдержал слово. В следующие выходные он не приехал. Звонил он за это время только один раз. Когда же в конце второй недели он все-таки появился, оба испытывали странную неловкость и отчуждение, хотя старались не вспоминать о том, что произошло между ними. Глэдис, конечно, знала, что нового объяснения не избежать, но спешить не хотелось. Лучше отложить разговор до осени. Возвращение в фотожурналистику по-прежнему оставалось ее заветной мечтой, но форсировать события Глэдис просто боялась — слишком высоки были ставки. Бросаться очертя голову в авантюры было не в ее характере.

В результате за все выходные они едва ли перемолвились двумя-тремя словами. Дуг держался так, словно Глэдис совершила какой-то непростительный поступок. Правда, он не требовал, чтобы ему постелили отдельно, однако, когда они легли, Дуг отвернулся и заснул.

В воскресенье он уехал обратно в Уэстпорт. Глэдис вздохнула чуть ли не с облегчением, однако испытания для нее еще не закончились. Джейсон, который в последнее время был гораздо ближе к отцу, чем к матери, весь вечер как-то странно смотрел на нее, а потом спросил:

— Ты сердишься на папу?

— Нет, а что? — быстро ответила Глэдис. Она давно решила, что не станет ничего рассказывать детям, пока они с Дугом не выяснят отношения окончательно. Зачем заранее расстраивать детей.

— Но ты почти не разговаривала с ним. И папа уехал слишком рано.

Глэдис машинально посмотрела на часы. Действительно, Дуг собрался и уехал чуть ли не на два часа раньше, чем обычно.

— Наверное, я просто устала. Да и папа тоже — в последнее время он очень много работает. Он торопился закончить дела, чтобы получить отпуск.

Отпуск у Дуга начинался уже в следующую пятницу, но Глэдис больше не ждала его приезда с нетерпением, как когда-то. Впрочем, если не ей, то по крайней мере детям приезд отца доставит удовольствие.

Самой Глэдис все еще не верилось, что Дуглас готов разрушить их семью только из-за того, что ей захотелось сделать несколько репортажей. С ее точки зрения, одно другого совершенно не стоило, вернее — одно другому совершенно не мешало. Но Дуг, очевидно, считал иначе.

Ее ответ, похоже, вполне удовлетворил Джейсона. Стащив со стола румяное яблоко, он отправился гулять. К ужину он вернулся с двумя приятелями. Все сели за стол, и Глэдис сразу заметила, что паузы в разговорах детей стали длиннее, а смех звучит значительно реже, чем обычно. Словно дикие звери, они как будто чувствовали беду.

Когда поздно вечером Глэдис лежала с книгой в постели, неожиданно зазвонил телефон. «Наверное, это Дуг», — подумала она и со вздохом сняла трубку. Но это был не он. Звонил Пол Уорд. Его голос звучал так отчетливо и громко, словно он говорил с ней из соседней комнаты.

— Ты где? — удивленно спросила Глэдис.

— На яхте, — ответил Пол. — У нас сейчас четыре утра, и мы только что подошли к Гибралтару. В конце концов я решил, что сам поплыву в Европу на «Морской звезде», и вот, путешествие почти закончилось.

— Как интересно! — Слушая его, Глэдис улыбнулась. За три прошедших дня это была ее первая улыбка. — Селина, я полагаю, не с тобой?

Пол рассмеялся.

— Конечно, нет. Селина в Лондоне — встречается со своими английскими издателями. Как ты понимаешь, в Лондон она тоже прилетела на самолете. А как твои дела? Что новенького?

— У меня все в порядке, — ответила Глэдис. Ей ужасно хотелось рассказать Полу об ультиматуме Дуга, но она сдержалась, зная, что он очень огорчится. — Как плавается?

— Отлично. Ветер почти все время попутный, и мы добрались до старушки-Европы даже быстрее, чем рассчитывали.

— Ты непременно должен рассказать о своем путешествии Сэму, — сказала Глэдис, продолжая гадать, зачем все-таки он позвонил ей, тем более в четыре часа утра по своему гибралтарскому времени. Быть может, Полу просто не спалось и он решил поговорить хоть с кем-нибудь?

— Я часто вспоминаю о нем. О нем и о тебе, — сказал Пол. — Ты говорила с мужем насчет своей карьеры?

— Говорила, — вздохнула Глэдис. — Еще две недели назад. С тех пор он молчит и зол, как черт. В эти выходные Дуг тоже приезжал, но ничего не изменилось. Расстались мы довольно прохладно...

Сказав это, Глэдис сразу почувствовала значительное облегчение. Ей просто необходимо было поделиться с кем-то своими переживаниями, но Мэйбл была далеко, а никому другому Глэдис доверяться не хотелось. Исповедоваться же Полу ей было вдвойне легче, во-первых, они разговаривали по телефону, а не с глазу на глаз, а во-вторых, Пол, как она уже убеждалась, способен был понять ее лучше, чем кто бы то ни было.

— В конце концов Дуг почти открытым текстом заявил мне, что, если я вернусь в журналистику, он от меня уйдет, — добавила она. — Он считает, что я нарушила наш брачный уговор...

— А ты, Глэдис? Что ты думаешь по этому поводу?

— Ничего, — честно ответила она. — Дело в том, что Дуг просто не хочет меня понять. Для меня важно быть кем-то, а не просто домашней хозяйкой. А ему на это наплевать. Как бы там ни было, он вполне способен привести в исполнение свою угрозу, хотя бы из чистого упрямства, а я... Я просто не знаю. Это очень важное решение, и я до сих пор не уверена, стоит ли одно другого.

— Вот черт!.. — задумчиво сказал Пол. — Сложное положение, Глэдис. Просто не знаю, что тебе посоветовать. Боюсь только, что, если ты уступишь, тебе будет гораздо хуже, чем если ты станешь настаивать на своем.

— Если я уступлю, я просто умру, — ответила Глэдис. — Не физически, а как личность... Но если я сумею настоять на своем, я могу потерять семью... Не слишком ли это большая цена за капельку свободы и самоуважения?

— Это — первое, что тебе необходимо решить в самое ближайшее время. А решив — не отступать, как бы тяжело тебе ни пришлось. В этом тебе никто не сможет помочь.

— Жаль, что я не такой крепкий орешек, как твоя Селина, — сказала Глэдис, через силу улыбнувшись.

— Ты тоже очень сильный человек, — не согласился Пол. — Просто сила твоя — немного другая, к тому же ты ее еще не осознала.

Но Глэдис не могла с этим согласиться. Селина Смит разделалась бы с Дугом в пять минут. Впрочем, она никогда бы и не вышла за него замуж — такие мужчины, как Дуглас Тейлор, для нее просто не существовали. Глэдис же не только согласилась стать его женой, но и прожила с ним семнадцать лет, и мысль о расставании по-прежнему ее пугала.

Впрочем, тут же осадила себя Глэдис, это, наверное, просто привычка. Как она теперь понимала, Дуг уже давно ее не любил. Вместе их удерживало только то, что оба оказались деталями одной машины, единственной функцией которой было воспитание детей. Но теперь дети выросли, и их ничто больше не связывало.

— Так как там поживает мой друг Сэм? — спросил Пол, решив, по-видимому, переменить тему.

— В данный момент спит как сурок, — с улыбкой ответила Глэдис. — Но тебя он помнит. Во-первых, он всем рассказывает про то, как вы ходили под парусами. Во-вторых, он начал строить собственную яхту из фанеры и автомобильных покрышек, только, боюсь, слишком далеко от берега.

— Мне бы ужасно хотелось, чтобы он был тут, со мной, — негромко сказал Пол. — ...И ты тоже, — неожиданно добавил он таким странным тоном, что Глэдис смутилась. Эти слова показались ей в высшей степени загадочными и непонятными. Две недели назад, когда они плыли на яхте в Нью-Сибери, Пол не предпринял ни малейшей попытки поухаживать за ней, хотя они оставались на яхте практически вдвоем — Сэм и команда были не в счет. Он не бросил на нее ни одного нескромного взгляда, и Глэдис чувствовала себя с ним в полной безопасности. «Тогда зачем он это сказал? Зачем вообще позвонил?» — в панике подумала она.

— ...Это путешествие тебе наверняка понравилось бы, — продолжал тем временем Пол. — Ты даже не представляешь, как хорошо ночью в океане. Только ветер, звезды, вода... и ты.

Пол действительно очень любил ночные вахты. Именно ночное море так поразило его, что он не выдержал и позвонил Глэдис, чтобы поделиться с ней этой красотой.

— Ты... вы теперь пойдете дальше в Средиземное море, в Италию? — спросила Глэдис просто для того, чтобы что-нибудь сказать.

— Через несколько дней. Сейчас мы поворачиваем на север — у меня есть кое-какие дела в Париже. Кстати, это любимый город Селины, да и мой тоже.

— Я не была в Париже уже бог знает сколько времени! — мечтательно вздохнула Глэдис. — Мне тогда было семнадцать, и я жила в какой-то молодежной гостинице. А где вы остановитесь? В «Ритце», в «Карильоне» или в «Плаз Аттени»?

— В «Ритце». Селине там очень нравится, к тому же в «Ритце» почти не говорят по-французски. Для меня это не последнее дело. Во всех остальных местах мне приходится объясняться в основном знаками. Селина, разумеется, знает французский, поэтому ей, по большому счету, все равно. А ты говоришь по-французски, Глэдис?

— Так себе. Моих познаний хватит только на то, чтобы не заблудиться и заказать в бистро чашечку кофе и гамбургер. Все остальное я успела забыть. Когда-то, впрочем, говорила довольно бегло. Язык я выучила в Марокко — я проработала там полтора месяца, и мои парижские друзья все время смеялись над моим акцентом.

— Селина два года стажировалась в Сорбонне, так что говорит совершенно свободно.

Глэдис неожиданно почувствовала легкое раздражение. Тягаться с Селиной Смит действительно было нелегко. Впрочем, она и не собиралась этого делать.

— Кстати, когда ты собираешься обратно в Уэстпорт? — спросил Пол.

— В конце августа, не раньше. Детям пора в школу. А ты? Когда ты планируешь вернуться?

— Не раньше начала сентября. А Селина приедет пораньше — ее ждут в Голливуде. Я подозреваю, что она не имеет ничего против. Селли вообще не любит подолгу сидеть без дела — для этого у нее слишком независимый характер.

— А я вот целыми днями только и делаю, что валяюсь на пляже, — печально сказала Глэдис, от души позавидовав Селине, у которой есть чему отдавать свои силы и душу. — Единственная моя обязанность, которой я пока не решаюсь пренебречь, заключается в том, чтобы ежедневно готовить детям ужин. Впрочем, в последнее время они дома только ночуют.

— Замечательная жизнь, — заметил Пол. — Им наверняка нравится.

— Еще бы! — согласилась Глэдис. — Да и я, в общем, не возражаю. Но у тебя на «Морской звезде» жизнь, наверное, куда интереснее.

— Смотря для кого. Ведь есть люди, для которых океан — просто очень большая лужа. Они одинаково скучают и на яхте, и на самом современном лайнере. Для меня все несколько иначе. Я заболел парусом, когда мне было столько же лет, сколько сейчас Сэму, и с тех пор ни разу об этом не пожалел. Должно быть, это у меня в крови.

— Знаешь, — призналась Глэдис, — раньше я тоже не знала, как это увлекательно, но наша прогулка заставила меня изменить мнение. Боюсь, что Сэм не единственный, кого ты обратил в свою веру. Во всяком случае, ни я, ни он, наверное, уже никогда не забудем этой поездки.

— О, твой Сэм — прирожденный моряк. Ему понравилась прогулка в швертботе, а это — тяжелое испытание.

— Думаю, в душе Сэм все-таки предпочитает парусники побольше.

— Не могу с ним не согласиться. Я сам подумываю о том, чтобы приобрести еще одну яхту, только, боюсь, Селина тогда со мной точно разведется. Одну лодку она еще согласна терпеть, но две?.. Нет, мне просто не хватит мужества ей признаться! — сказал Пол и громко рассмеялся.

— А мне кажется, Селина как раз ожидает от тебя чего-то подобного, — заметила Глэдис и тоже улыбнулась. Ей очень нравилось разговаривать с ним, все равно о чем. Достаточно было просто закрыть глаза, и она представляла его себе так ясно, что, казалось, до него можно дотронуться. Вот, слегка расставив ноги, он стоит на мостике, крепко сжимая в руках штурвал, и во рту у него дымится короткая глиняная трубка...

«Стоп, стоп, стоп!.. — перебила она себя. — Трубка и серьга в ухе — это, кажется, из области фантазий Сэма».

Пол рассказал ей о регате в Сардинии, в которой он собирался принять участие. Услышав две-три громких имени, в том числе — имя наследника испанского престола, с которым Пол коротко познакомился именно благодаря увлечению парусным спортом, Глэдис со смехом сказала:

— С какой подозрительной компанией ты связался, Пол! Даже у нас в Уэстпорте можно найти общество поизысканнее.

— Я и не спорю. Безусловно, в Уэстпорте можно познакомиться с действительно замечательными людьми. Я уже не говорю о Ботсване, в которую ты так стремилась попасть, — заметил он. Пол был уверен, что Глэдис нуждается не только в дружеской поддержке, но и в постоянных напоминаниях о том, что она потеряла и к чему должна стремиться. Без подобных «шпилек» Глэдис не выстоять. Пол вообще подозревал, что ее мужу просто не хотелось, чтобы жизнь Глэдис была более интересной и насыщенной, чем его.

— Наверное, мне уже никогда больше не увидеть тех мест, где я бывала в молодости, — печально вздохнула Глэдис. — Мне даже не удалось уговорить Дуга съездить с детьми в Европу.

— Мне очень жаль, Глэдис, — серьезно сказал Пол. — Я действительно хотел бы, чтобы ты сейчас была здесь, со мной. Ты — и Сэм, разумеется... — поспешно добавил он, сглаживая впечатление от своих слишком смелых слов. — Кстати, я видел макет обложки последней книги Селины. Фотографии получились совершенно изумительно! Мы оба чертовски тебе благодарны.

— Не стоит, Пол, — ответила она искренне. — Снимая твою жену, я получила огромное удовольствие. С Селиной очень легко работать.

На этом разговор практически закончился. Еще некоторое время они говорили о разных пустяках. Пол вскоре стал прощаться.

— Надеюсь, ты выспишься, — сказал он, и Глэдис подумала, что он невольно выдал собственную усталость, однако вслух ничего не сказала. Ей было прекрасно известно, что даже так называемым «железным» мужчинам необходим сон, просто они почему-то не любят говорить об этом.

— Может быть, — добавил Пол, — когда-нибудь мы снова встретимся и прокатимся на «Морской звезде».

— Это было бы чудесно, Пол! — вырвалось у Глэдис, после чего в разговоре внезапно наступила пауза. Ни он, ни она не знали, что сказать. Глэдис очень боялась ляпнуть какую-нибудь глупость, способную испортить их отношения. Пол тоже молчал.

Наконец они неловко пожелали друг другу спокойной ночи. Глэдис повесила трубку и даже погасила ночник, но заснуть не могла. Лежа на спине, она смотрела в темноту и представляла себе «Морскую звезду» — серебристую птицу, затерянную в просторах ночной Атлантики, которая, сияя ходовыми огнями, на всех парусах идет к Гибралтару. И, разумеется, она видела стоящего на мостике Пола — капитана этого сказочного корабля, который твердой рукой вел его вперед.

Но когда Глэдис наконец уснула, ей приснился Дуглас, который, визгливо крича и размахивая бейсбольной битой, громил ее фотолабораторию.

ГЛАВА 10

Дуг получил трехнедельный отпуск и приехал в Харвич, но отношения между ним и Глэдис оставались натянутыми. К вопросу о ее карьере они больше не возвращались. Но такая крупная ссора не могла пройти бесследно. Эхо тех слов, которые они сказали друг другу, казалось, все еще висело в воздухе подобно ядовитому туману, обжигавшему гортань при каждой попытке открыть рот. Поэтому оба старались молчать. Дети не могли этого не заметить, но ни о чем не спрашивали. Очевидно, они надеялись, что все пройдет само собой, но Глэдис хорошо знала, что рассчитывать на это не приходится. Поговорить с Дугом серьезно она решилась лишь в самом конце августа.

— Что мы будем делать дальше? — осторожно спросила она, выбрав момент, когда никого из детей не было дома.

— Что ты имеешь в виду? — вопросом на вопрос

ответил Дуг, притворяясь, будто понятия не имеет, о чем речь.

— Это лето было не самым лучшим в нашей жизни, тебе не кажется? — сказала Глэдис, глядя на него через стол. Они только что пообедали — в полном молчании, теперь это часто бывало, когда они оставались вдвоем, — и на столе все еще стояла грязная посуда.

— Год на год не приходится. На нас обоих свалилось слишком много забот сразу, — ответил Дуг, глядя в сторону. Глэдис лишний раз убедилась, что дерево, выросшее из семян, брошенных в землю еще в мае, выросло настолько, что его ветви начинают душить их обоих.

— Да, ты много работал, но я не это имею в виду. Надо что-то решать, Дуг... Это не может продолжаться вечно, иначе мы оба сойдем с ума.

Она и в самом деле изнывала от одиночества, тоски, душевной опустошенности. Физически они с Дугом были вместе, но то была близость людей, разделенных бурным потоком. Не перейти вброд, не перебросить моста, не переправиться на лодке. Да никто из них и не стремился к этому. Глэдис казалось, что Дуг ее предал и бросил, а он со своей стороны считал, что у нее нет никакого права требовать от него больше, чем он может дать.

— Да, что-то надо делать, — согласился Дуг. — У тебя есть какие-то предложения? Что ты решила по поводу своего пресловутого возвращения в журналистику? Или ты продолжаешь считать, что это твое право?

Глэдис слегка заколебалась. Она не собиралась отказываться от своей мечты, но сейчас ей опять показалось, что цена слишком высока. Она еще не была готова к тому, чтобы разорвать договор, который они заключили семнадцать лет назад. Часто Глэдис казалось, что она вообще никогда на это не отважится.

Поэтому она решила смягчить свои слова.

— Я не имела в виду полноценную журналистскую карьеру, — сказала она. — Мне просто хотелось, чтобы Рауль подобрал для меня какие-нибудь небольшие задания, которые я могла бы выполнять в свободное время. Я, если можно так выразиться, не собиралась распахивать дверь настежь — я хотела только, чтобы у меня была маленькая щелочка, сквозь которую я могла бы смотреть на мир и дышать.

Это, похоже, его взорвало.

— Эта твоя «щелочка» в конце концов превратится в огромную дыру! — воскликнул он. — И по-моему, именно на это ты рассчитываешь.

— Ты ошибаешься, Дуг! — возразила Глэдис. — Ведь я же отказалась от корейского задания, хотя мне очень хотелось его сделать. Как видишь, я вовсе не стремлюсь разрушить нашу жизнь. Я только хочу спасти себя.

Но Глэдис уже понимала, что дело не только в этом. Главная проблема заключалась в том, что Дуг не любит ее. Мириться с этим Глэдис было труднее, чем со всем остальным. Глэдис хотела любить и быть любимой. Ради этого она готова была вновь пожертвовать чем угодно.

— Я же тебе ясно сказал, что я думаю по поводу твоей работы... — раздраженно проворчал Дуг. — Ты должна была образумиться, но, я вижу, ничего не изменилось. Что ж, если хочешь, можешь рискнуть.

— Это жестоко, Дуг! — со слезами на глазах воскликнула Глэдис. — Ты словно толкаешь меня к краю крыши.

— И что? — холодно отозвался он. — Разве тебе не все равно? Ты готова пожертвовать нашими детьми, нашей семьей, нашими жизнями, наконец, — так чего же тебе еще? Коли ты решила поступать только так, как тебе нравится, — валяй. Я тебе препятствовать не собираюсь. Твой риск — твой выигрыш. Или проигрыш.

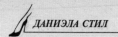
Услышав его последние слова, Глэдис невольно подумала о том, что Дуг как будто действительно поощряет ее к решительному шагу.

— Ты не понимаешь, — сказала она негромко, — если сейчас я тебе уступлю, когда-нибудь это непременно нам аукнется. Брак не может существовать, если одному из партнеров наплевать, что думает и чувствует другой. А именно так ты поступаешь со мной.

— Ты несешься, закусив удила, и даже дети не могут заставить тебя опомниться. Но я все равно скажу тебе в последний раз: ты хочешь получить все сразу, но это невозможно. Дети, семья и карьера — это вещи принципиально несовместимые. Рано или поздно приходится выбирать что-нибудь одно, раз и навсегда. Ничего изменить потом невозможно. Детей уже никуда не денешь, от них не откажешься, если только ты не полная эгоистка.

В ответ Глэдис машинально кивнула, хотя ей было понятно, что все это просто чистый шантаж. Теперь на чаше весов оказались их дети. Значит, или семья, или право быть личностью!

— Ты высказался достаточно ясно, — заметила она, вытирая глаза бумажным полотенцем. — Ну хорошо, предположим, я «образумлюсь», как ты выражаешься. Что тогда? Это может гарантировать мне твою любовь, уважение, признательность до конца моих дней?

— Не понимаю, что тебе еще нужно! — раздраженно воскликнул Дуг. — По-моему, ты совершенно спятила! С некоторых пор ты ведешь себя так, словно ожидаешь награды за то, что являешься женой и матерью. Но ведь это твой долг! Насколько мне известно, еще ни один человек не получил Пулитцеровской премии за то, что жил нормальной жизнью. Если ты рассчитываешь, что я буду целовать тебе ноги каждый раз, когда ты приготовишь детям обед или заберешь их из школы, ты сильно ошибаешься. Я не знаю, что на тебя нашло, но, если ты действительно хочешь сделать карьеру и болтаться по всему миру, словно ведьма на помеле, тебе придется за это заплатить.

— А я и так расплачиваюсь за то, что вообще заговорила с тобой об этом. Ты наказываешь меня вот уже почти три месяца, каждый день и каждый час!

В глазах Дуга вспыхнул гневный огонек.

— Ты заслужила это. Ты поступила с нами бесчестно. И просто подло, — отчеканил он. — Ты предала всех нас. За все семнадцать лет ты ни разу н.е упоминала о том, что собираешься вернуться в журналистику, и вдруг тебе приспичило получить Пулитцеровскую премию и стать знаменитой. Что ж, давай, получай, если тебе наплевать на меня и на детей!..

— Но ведь я не знала!.. — возразила Глэдис почти жалобно. — Я никогда не думала о возвращении всерьез. Мне просто хотелось иметь возможность время от времени делать небольшие репортажи для газет и журналов.

— Да какая разница! Сначала — небольшой репортажик о выставке кошек в Гринвиче, потом большой материал о голодных детях в Пенджабе. А потом тебя убьют где-нибудь в Сербии.

Он говорил искренне и горячо, но Глэдис его слова почти не трогали. Все это она уже слышала. Словно теленок, привязанный к колышку, Дуг бегал по кругу, не в силах предложить ничего нового.

— Ты не понимаешь... — сказала она тихо.

Дуг встал из-за стола так резко, что неубранная посуда испуганно звякнула.

— Достаточно, — сказал он. — Хватит разговоров. Ты должна что-то решить, Глэдис, решить раз и навсегда.

Она кивнула, и Дуг быстро вышел из кухни. Проводив его взглядом, Глэдис тоже встала и подошла к окну. На берегу, у самой воды, играли ее дети, и она задумалась, действительно ли все это будет для них так ужасно, как говорил Дуг. Что они скажут, что почувствуют? Решат ли они, что она предала их, или поймут?.. Ответов на эти вопросы Глэдис не знала, и в глубине ее души медленно поднимались горечь и жгучая обида. Многие женщины работали, путешествовали и успевали при этом воспитывать детей так, что никто из них не становился ни преступником, ни наркоманом. Чем же она хуже? Тем, что у нее такой муж?..

На следующий день они заперли дом и вернулись в Уэстпорт. Лето кончилось, но у Глэдис было такое ощущение, что кончилась ее жизнь. Во всяком случае, что будет дальше, она не знала.

Вечером того же дня, когда дети — усталые и сверх меры возбужденные возвращением домой — легли спать, Глэдис наконец-то заговорила с Дугом. До этого они обменивались лишь ничего не значащими фразами.

— Я не стану просить Рауля, чтобы он вычеркнул меня из списков своих клиентов, — промолвила она, с трудом сдерживая слезы. — Но если он позвонит и предложит мне какую-то работу, я откажусь.

— Что-то я не пойму, — удивился Дуглас. — Зачем тебе оставаться в списках Рауля, если ты все равно не собираешься на него работать?

— Почему бы нет? Мне будет приятно думать, что я все еще кому-то нужна.

Дуг посмотрел на нее долгим взглядом, потом пожал плечами. «Идиотка!» — вот что означал этот жест. Глэдис поняла, что ему нужно окончательно сломить ее. Он победил — или почти победил, — но ему было мало того, что Глэдис делает все, что он требует: Дуг хотел, чтобы его жена, полностью признав его правоту, исполняла свои обязанности с радостью. Должно быть, в этом он видел гарантию того, что тема ее возвращения к нормальной человеческой жизни больше никогда не возникнет.

А Глэдис действительно почти сдалась. Если бы

Дуг сказал, что она молодец и что он очень высоко ценит ее решимость пожертвовать собой ради него и детей, его победа была бы полной, но он не сделал ни того, ни другого. Вместо этого Дуг поднялся и пошел в ванную комнату принять душ.

Когда полчаса спустя он вернулся, Глэдис уже легла. Погасив свет, Дуг тоже юркнул под одеяло и вытянулся рядом с ней. Некоторое время он лежал неподвижно, потом повернулся на бок и лениво погладил ее по спине.

— Ты еще не спишь? — шепотом спросил он.

— Нет... — Глэдис ждала, что сейчас он скажет что-то такое, что могло бы хоть немного утешить ее, но вместо этого Дуг протянул руку и коснулся ее груди. Это показалось Глэдис таким грубым, что ей захотелось обернуться и дать ему хорошую пощечину, но она не посмела. Дуг пытался ласкать ее, но тело Глэдис словно обратилось в холодный камень и никак не отзывалось на его прикосновения. Она даже не повернулась к нему лицом. Через несколько минут Дуг вздохнул и тоже повернулся к ней спиной.

Они долго лежали рядом в темноте, но на самом деле их разделяла пропасть шириной в океан. И вместо воды в этом океане плескались волны боли, проносились ураганы разочарований и хлестали горькие дожди слез. Дуг победил, и теперь в жизни Глэдис не оставалось ничего, кроме бесконечной, отупляющей, ежедневной рутины. Теперь она будет только готовить для него, убираться в доме, возить детей в школу и следить за тем, чтобы они теплее одевались зимой. Она может даже спрашивать мужа, как прошел его день и много ли было у него работы, хотя на самом деле ей на это глубоко наплевать. Дуг сумел добиться своего, Глэдис сдержала обещание, которое дала ему много лет назад. Все хорошее, что было когда-то в ее жизни, осталось в прошлом — таком далеком, что иногда ей казалось, будто все это было не с ней, а с кем-то другим.

ГЛАВА 11

После того как Глэдис вернулась из Харвича, Мэйбл несколько раз звонила ей, но встретиться не удавалось. Увиделись они только в тот день, когда их дети пошли в школу. Подруги столкнулись нос к носу на автомобильной стоянке.

Мэйбл сразу же заметила, что с Глэдис что-то случилось. Несомненно что-то ужасное — во всяком случае, такого лица и таких глаз она у нее не помнила.

— Боже мой, Глэдис, с тобой все порядке?! — вскричала она, забыв даже поздороваться.

— Как будто да... — ответила Глэдис неуверенно. — Разве что я сегодня не причесывалась...

Утром ей действительно было некогда заплетать косу, и Глэдис просто скрепила волосы резинкой. «Должно быть, они растрепались», — подумала она, машинально проводя рукой по своей золотой гриве.

— А что, я плохо выгляжу?

— Да, — честно ответила Мэйбл. — У тебя такой вид, словно кто-нибудь умер.

«Я умерла», — хотелось сказать Глэдис, но она только покачала головой.

— Ты не болела? — продолжала допытываться Мэйбл.

— Вроде того, — уклончиво ответила Глэдис, старательно пряча глаза. Ей очень не хотелось откровенничать с Мэйбл, но обмануть подругу всегда было не просто.

— Господи, неужели ты снова в положении?! — выпалила Мэйбл. В ее представлениях это было самое худшее, что могло произойти с женщиной. Но Глэдис не была похожа на беременную. Что-то подсказывало Мэйбл, что с ее подругой случилось нечто похуже, чем утреннее недомогание.

— Может, выпьем по чашечке кофе? — предложила она, не дожидаясь ответа. — У тебя есть время?

— Немного есть, — ответил Глэдис неуверенно, ребирая в уме дела на сегодня.

— Тогда давай встретимся через пять минут в «Кафе ау Лайт», — сказала Мэйбл, садясь в свой автомобиль.

Вскоре обе уже сидели в кафе, ожидая, пока официантка принесет им заказ — два капучино с обезжиренным молоком и шоколадные бисквиты.

— Слушай, ты же ничего не говорила, когда я звонила тебе в Харвич, — приставала Мэйбл. — Я думала, за лето ты как следует отдохнешь, а оказывается...

Она действительно была очень расстроена. Глэдис выглядела лет на десять старше, чем обычно. Лицо ее было печальным и каким-то безжизненным. Возможно, какие-то серьезные проблемы со здоровьем? Женщинам в их возрасте всегда что-то угрожало — начиная от седины и заканчивая раком груди.

Глэдис вздохнула, и Мэйбл вдруг осенило.

— Ты поссорилась с Дугом? — спросила она.

— Да нет, не сказала бы... Дело скорее во мне, чем в нем. Все началось еще в июне...

— Постой, постой, — перебила Мэйбл. — Что началось? О чем ты говоришь? Неужели, пока ты отдыхала в Харвиче, ты закрутила с кем-нибудь роман?

Это, конечно, было очень маловероятно, но Мэйбл все равно спросила — просто на всякий случай. К тому же в тихом омуте черти водятся, Мэйбл сама была из таких. На первый взгляд — неприступная скромница. Мэйбл хорошо знала, что именно такие женщины, как Глэдис, способны порой на самые непредсказуемые поступки.

Прежде чем ответить, Глэдис поморщилась, словно у нее болел зуб.

— Помнишь, — начала она, — мы разговаривали с тобой о моей работе? Ну про тот репортаж в Корее, о которого мне пришлось отказаться? Я много думала, в конце концов мне стало казаться, что я действител

но могла бы вернуться в фотожурна...
хотя бы небольшие репортажи типа мое...
истории. Ничего невозможного.

— Гарлемский материал — замечательна...
та, — перебила ее Мэйбл. — По-моему, за не...
должны были дать премию «Лучший репортаж го...
или что-нибудь в этом роде.

Глэдис снова поморщилась.

— Не важно. Я убедилась, что могу работать хорошо, а главное — ничто не мешает мне снимать в Нью-
Йорке... или даже где-нибудь в другом городе, в другом штате, лишь бы не слишком далеко от дома. Мы
вполне бы могли нанять домработницу, чтобы при-
сматривать за детьми.

— Так это же замечательно! — воскликнула Мэйбл,
откидываясь на спинку стула. — Ну и что дальше?

— Дальше? — Глэдис невесело усмехнулась. — Дуг
встал на дыбы — вот что дальше. Я не буду сейчас вда-
ваться в подробности, скажу только, что он пригрозил
уйти от меня, если я не передумаю. Практически все
лето мы не разговаривали и не... не были вместе, если
ты понимаешь, что я имею в виду.

Мэйбл кивнула. Она все отлично поняла.

— Ну и задница этот твой Дуг! — воскликнула она.

— Да, — сказала Глэдис мрачно. — Я тоже так думаю. Дело в том, что он фактически запретил мне даже думать о возвращении на работу. Дуг заявил, что я
предала его и детей, что я нарушила наш договор, который мы заключили семнадцать лет назад, что я разрушила семью и так далее и так далее... И он, разумеется, не может с этим мириться. Дуг предложил мне на
выбор два варианта: либо я остаюсь домашней рабы-
ней, и он продолжает вытирать об меня ноги, либо я
могу убираться на все четыре стороны.

— Ничего себе! — громко возмутилась Мэйбл, как
всегда нимало не заботясь о том, что подумают окру-
жающие. — Жуткий эгоист! Все только о себе! Предла-

гать человеку закопать в землю свой талант, только чтобы не нарушить свой покой. Я даже не представляла себе, что Дуг такой собственник. Это... это низко! Интересно было бы узнать, что он предложил тебе, чтобы подсластить пилюлю?

— В том-то и дело, что ничего... И это подействовало на меня сильнее всего. — Почувствовав, что ее глаза наполняются слезами, Глэдис поставила на стол чашку с кофе, из которой не сделала ни глотка. — В начале июня Дуг водил меня в ресторан, и там у нас состоялось еще одно объяснение. В тот день я узнала, что он, оказывается, уже давно смотрит на меня как на прислугу «за все». Я должна заботиться о детях, убираться, готовить, стирать и вообще — быть рядом. И все бы ничего, но он начисто забыл о главном. — Из глаз Глэдис выкатились две больших слезы и, скользнув по щекам, повисли на подбородке, но она этого даже не заметила. — Он совершенно забыл о чувствах, Мэйбл! И теперь я даже не уверена, любит ли он меня...

— Конечно, любит, — с сочувствием сказала Мэйбл. — Только он сам этого не понимает. Мужчины вообще такие. Твой Дуг — как мой Джефф. Для него я тоже предмет обстановки вроде дивана или полки с книгами, но, если в один прекрасный день он меня потеряет, это его убьет.

Глэдис покачала головой.

— Боюсь, что с Дугом ничего подобного не случится. Я сказала ему, что не буду больше делать никаких репортажей. Но звонить Раулю и просить, чтобы он вычеркнул меня из своих списков, я не стала. Я просто не могу этого сделать, да это и не так важно — в конце концов ему самому надоест звонить мне впустую.

— Значит, ты уступила?! — вскипела Мэйбл. — А Дуг? Что он сказал? Он хотя бы понял, что ты для него сделала?

— Нет. Он принял все как должное. Знаешь, вечером он захотел заняться со мной любовью, а я... я чуть было не ударила его. С тех пор Дуг ни разу ко мне не прикоснулся... — Глэдис вздохнула. — Как мне быть дальше? Этим летом я как будто потеряла часть своей души, и мне никак не удается снова собрать все воедино. А после того, как я сама согласилась, чтобы Дуг владел мною как вещью, я даже не уверена, что это мне так уж необходимо.

Мэйбл внимательно посмотрела на Глэдис. Ее подруга выглядела очень несчастной, но что тут поделаешь? То, что с ней случилось, прекрасно объясняло, почему женщины изменяют своим мужьям и заводят романы на стороне, однако посоветовать Глэдис что-либо подобное Мэйбл не решилась. «Впрочем, кто знает, — подумала она, — быть может, Глэдис сама найдет этот выход. Как бы там ни было, Дуглас здорово рискует, и его «победа» еще может обернуться жестоким поражением».

— Ну а чем еще ты занималась летом? — спросила она с наигранной бодростью. — Кроме, разумеется, того, что плакала и ссорилась с Дугом? Может быть, ты съездила куда-то с детьми или познакомилась с новым интересным соседом?

Хмурое лицо Глэдис просветлело, и Мэйбл поняла, что попала в точку.

— Я познакомилась с Селиной Смит, — сказала Глэдис, вытирая глаза и громко сморкаясь в бумажную салфетку.

— С писательницей? — уточнила Мэйбл, и глаза ее заблестели от любопытства. Она просто обожала романы Селины. — Как это тебе удалось? Она тоже отдыхала в Харвиче?

— Она училась вместе с одной моей подругой, — объяснила Глэдис. — Дженни Паркер — может, ты ее помнишь? Дженни пригласила Селину с мужем к себе, но ее задержали в Голливуде продюсеры, и ее муж приехал в Харвич один. У него огромная океанская яхта. Представляешь, мы с Сэмом выходили на ней в открытое море. Это было замечательно, Мэйбл!

— А кто ее муж? — спросила Мэйбл, приканчивая свой капуччино.

— Пол Уорд, — ответила Глэдис, и Мэйбл едва не поперхнулась.

— Тот самый Пол Уорд?! Некоронованный король Уолл-стрит?

— Да. Впрочем, он очень милый человек. Селине повезло с мужем.

— Роскошный мужчина! — быстро сказала Мэйбл, боясь, что Глэдис снова вспомнит, как не повезло ей. — В прошлом году «Тайм» поместил на обложке его портрет — вроде бы он провернул какую-то крупную сделку, которая потом была признана «сделкой года». Говорят, его состояние приближается к миллиарду!

— Вот уж не знаю, — улыбнулась Глэдис. — Мне известно только, что у них шикарная яхта и что Селина ее терпеть не может.

— Погоди, погоди... — Мэйбл с подозрением прищурилась. — Ты хочешь сказать, что, когда ты каталась с Уордом нà яхте, Селины с вами не было?

— Она тогда вообще еще не приехала. Я же говорила — Селину задержали в Голливуде.

Мэйбл никогда особенно не выбирала слов, к тому же она хорошо знала Глэдис. В глазах подруги было что-то такое, что мгновенно привлекло ее внимание.

— Послушай, Глэдис, ты часом не влюбилась в него? Может быть, дело еще и в этом, а не только в Дугласе?

Щеки Глэдис слегка порозовели. Внезапный вопрос Мэйбл заставил ее задуматься о том, о чем она задумываться не осмеливалась.

— Не говори глупости, — ответила она почти сердито. — Я нисколько не...

— Расскажи это мужу, — перебила Мэйбл. — Пол Уорд выглядит как Гэри Купер и Кларк Гейбл, вместе взятые. В статье про него, которую я читала, говорится, что он «до неприличия красив» и «невероятно привлекателен», и я вполне с этим согласна — я видела его фотографию на обложке. Такому мужчине я бы отдалась через пять минут знакомства, а ты... ты просто каталась с ним на его яхте, и все?

— С ним и с Сэмом, — напомнила Глэдис, но Мэйбл только отмахнулась.

— Ну и что было потом? — спросила она, так и подавшись вперед.

— Потом? Мы подружились. Пол отлично разбирается в людях, и мы с ним много говорили. Но он без ума от Селины — это видно невооруженным глазом.

— Она, конечно, очень хороша собой, — согласилась Мэйбл. — Но это не значит, что Пол Уорд никогда не посматривает налево. Все мужчины одинаковы. Неужели он даже не пытался... поухаживать за тобой?

— Разумеется, нет! — возмутилась Глэдис. Вопрос Мэйбл был оскорбительным не только для нее, но и для Пола, который — она знала это твердо — никогда бы не позволил себе никаких вольностей. Да и сама она — какими бы ни были ее отношения с Дугом — была далека от того, чтобы допустить что-либо подобное.

— А он тебе звонил?

— Н-нет, не совсем... — Глэдис смешалась, и Мэйбл мгновенно это заметила. Ее подруга словно бы скрывала какой-то секрет, связывавший ее с Полом Уордом.

— Что значит — «не совсем»? — спросила она строго. — Он либо звонил, либо не звонил — третьего не дано. Или ты хочешь сказать, что, когда он позвонил, у тебя было «занято»?

Мэйбл задавала вопросы с мастерством профессионального юриста, которое явно не совсем растеряла в быту. Впрочем, Глэдис не сомневалась, в своем стремлении докопаться до правды Мэйбл руководствуется только ее интересами.

— Да, он звонил мне один раз. Из Гибралтара. Пол отправился в Европу на своей яхте, и...

— На своей яхте? О боже, должно быть, она у него размером с лайнер «Куин Элизабет-2»! — Глаза Мэйбл так широко раскрылись, что Глэдис рассмеялась.

— Она действительно очень большая. Сэму на ней ужасно понравилось.

— А тебе? Тебе понравилось?

— Да, — твердо ответила Глэдис. — И мне очень понравился Пол. Он — удивительный человек, и я надеюсь, что тоже произвела на него благоприятное впечатление. Что до остального, то... Он женат, да и я замужем, хотя мою семейную жизнь счастливой не назовешь. Но, честное слово, к Полу это не имеет никакого отношения.

— Я все понимаю, но не приходило ли тебе в голову, что Пол мог бы, гм-м... помочь тебе забыть о твоих неприятностях? Неужели он не просил тебя о встрече?

— Разумеется, нет, ведь Пол все еще в Европе. Он говорил мне, что пробудет там до начала сентября, а может быть, и еще дольше.

— Он там с Селиной? — Мэйбл была в восторге от того, что Глэдис так близко знакома со знаменитым Полом Уордом.

— Нет, Селина должна вернуться на днях.

— И он не просил тебя... навестить его в Париже или в Ницце?

— Перестань, Мэйбл! — возмутилась Глэдис. — В нашей дружбе нет ничего такого, уверяю тебя! Пол говорил мне, что будет рад снова видеть меня и Сэма у себя в гостях, но это же чисто дружеское приглашение. Кроме того... — Она на мгновение запнулась, но тут же продолжила еще более решительно: — Кроме того, я не собираюсь заводить себе любовника. Если бы я захотела окончательно разрушить свою семью, я бы просто позвонила Раулю, попросила бы подыскать мне задание потруднее и укатила куда-нибудь в Африку или в Восточную Европу. Этого больше чем достаточно и для Дуга, и для того, чтобы окончательно испортить себе жизнь.

— Я уверена, небольшое романтическое приключение могло бы тебе помочь! — сказала Мэйбл задумчиво, хотя на самом деле так не считала. Глэдис не принадлежала к тому типу женщин, которым доставляли удовольствие сомнительные авантюры — для этого она была слишком прямой, слишком честной и... слишком порядочной. И за это Мэйбл ее любила, как любишь полную свою противоположность, но сейчас ей хотелось во что бы то ни стало помочь Глэдис, а ничего иного ей просто не приходило в голову.

— Может быть, — добавила она с надеждой, — Пол еще позвонит тебе.

Но Глэдис только пожала плечами.

— Не думаю, — сказала она тихо. — Это... просто не имеет смысла. Да, мы очень быстро подружились, и нам было хорошо вместе, но никакой перспективы у подобного знакомства нет. Мы слишком... разные, и у каждого из нас своя жизнь, свои запутанные проблемы. Кроме того, мне по-настоящему нравится Селина. Я, знаешь ли, снимала ее для обложки романа. Было бы недурно поработать на нее еще.

— А Дуг тебе позволит? — спросила Мэйбл. — Ведь, что ни говори, это тоже фотография...

Глэдис вздохнула. Она все время забывала, что отныне ее свобода жестко ограничена.

— Не знаю. Я его пока не спрашивала, но с него станется. Впрочем, портретные съемки вряд ли займут больше двух-трех часов, так что я могу вообще ничего ему не говорить. К тому же я делаю это просто по дружбе.

— Как жаль, — печально сказала Мэйбл, — что тебе, лучшей фотожурналистке страны, приходится отказываться от карьеры из-за этого... ну просто слов не нахожу.

— Очевидно, это и было главным условием «сделки», которую мы заключили, когда поженились. Хотя тогда Дуг не был так категоричен. Я просто сказала, что перестану ездить по всему миру и подставлять голову под пули, и его это вполне устроило. Во всяком случае, я не думала, что сжигаю за собой все мосты.

— Вот и не делай этого! — с горячностью воскликнула Мэйбл. — Быть может, Дуглас еще одумается. Ведь дело не в детях, а в его дурацком самолюбии. Вот увидишь, через пару лет твой Дуг уймется и будет смотреть на все по-другому.

— Я в этом сомневаюсь, — покачала головой Глэдис. Ах, разве дело в том, что Дуг не разрешает ей работать? Жила же она все эти годы и нисколько не страдала от этого. Нет, он просто ее не любит, а значит, все остальное не имеет значения. И теперь она до конца жизни останется его экономкой и гувернанткой для его детей.

Но объяснять все это Мэйбл она не стала. Глэдис поглядела на часы и поднялась из-за стола. У нее была уйма дел. Она так торопилась утром, что даже не заправила кровати и не вымыла посуду после завтрака. Глэдис тут же подумала, еще полгода назад она успела бы сделать все это еще до того, как повезла детей в школу, а теперь ей все стало безразлично. Ведь это была ее «работа», которая, как известно, не волк...

Расплатившись за кофе и бисквиты, подруги вышли на стоянку. Перед тем как сесть в машину, Мэйбл неожиданно обняла Глэдис за плечи и прижала к себе.

— Не отталкивай Пола, Глэдис, — шепнула она. — Мужчины могут быть очень хорошими друзьями, к тому же у меня такое чувство, что здесь не все так просто, как ты говоришь. Нет, ты, возможно, и сама этого не понимаешь, — поспешно добавила она, уловив протестующее движение Глэдис. — Просто когда ты говорила о Поле, у тебя были такие глаза!..

В самом деле, все утро Глэдис была сама на себя не похожа, и взгляд ее стал по-прежнему выразительным и живым только тогда, когда она рассказывала Мэйбл о Поле Уорде.

— Я знаю, — негромко сказала Глэдис. — Наверное, он просто жалеет меня.

— Ничего подобного! Даже сейчас ты не похожа на человека, которого нужно жалеть, — возразила Мэйбл, впрочем, слегка покривив душой. — Ты — красивая, умная женщина, и любому мужчине было бы приятно встречаться с тобой. Я почти уверена, что Пола Уорда тянет к тебе. Просто он из тех редких мужчин, которые умеют хранить верность собственной жене. С моей точки зрения, это как раз та самая ложка дегтя, которая способна испортить бочку меда.

Глэдис невольно рассмеялась.

— Ты безнадежна, Мэйбл! — воскликнула она. — Просто не представляю, как с такими взглядами тебе удается довольно мирно жить с Джеффом. Кстати, я давно хотела тебя спросить, кого еще ты завлекла в свои сети?

— Никого, — покачала головой Мэйбл. — Дэн Льюисон завел себе подружку на двадцать лет моложе себя. Гарольд и Розали собираются пожениться, как только она получит развод. В общем, я, как говорится, осталась «без места», если не считать Джеффа. Справедливости ради надо сказать, что во время нашей поездки в Европу он был настоящим паинькой, так что я даже получила удовольствие.

— Может, дать тебе номер телефона Пола? — поддела ее Глэдис и тут же подумала, что никогда этого не сделает. У них с Мэйбл вообще не было секретов друг от друга, однако Глэдис все же не захотела признаться подруге, насколько привлекательным показался ей Пол Уорд на самом деле.

— Давай, если не жалко. Миллионеры на дороге не валяются, — пошутила Мэйбл. — Но лучше оставь-ка ты его себе, Глэд. Нюхом чую, он тебе еще пригодится. Что касается Дугласа, то, когда сегодня он вернется домой, возьми что-нибудь потяжелее и тресни его со всей силы по башке. Уверяю тебя, это пойдет на пользу вам обоим.

На этом подруги расстались. Глэдис села в машину и поехала домой. После встречи с Мэйбл на душе у нее стало значительно легче. Разумеется, она была далека от того, чтобы воспринимать слова Мэйбл буквально, однако жизнерадостность подруги оказала на нее благотворное действие. Во всяком случае, теперь Глэдис могла взглянуть на свою жизнь под несколько иным углом.

Остаток дня был заполнен обычными делами. Поздно вечером, когда Дуг вернулся домой после ужина с клиентами, она уже спала, так что за весь день они не сказали друг другу ни слова.

Проснувшись на следующий день, Глэдис натянула джинсы и майку и первым делом сбежала вниз, чтобы выпустить собаку и забрать из почтового ящика газеты. Вернувшись в дом, Глэдис вошла в кухню и, бросив «Уолл-стрит джорнэл» и «Нью-Йорк таймс» на тот конец стола, где обычно сидел Дуг, стала варить кофе. Уже раскладывая по тарелкам овсянку, она нечаянно бросила взгляд на газеты и увидела на первой странице фотографию Селины. Ту самую, которую сделала этим летом.

«Странно», — подумала Глэдис, придвигая к себе «Нью-Йорк таймс» одной рукой (в другой она держала кастрюльку с кашей) и открывая первую страницу.

В следующее мгновение она вздрогнула. Жидкая овсянка выплеснулась на пол. В передовице писали об авиакатастрофе, происшедшей прошлой ночью. «Боинг», летевший рейсом Лондон — Нью-Йорк, упал в море. ФБР подозревает, что в салоне сработало взрывное устройство значительной мощности, никто не взял на себя ответственности за террористический акт — вот что узнала Глэдис, пробежав глазами статью. «Никто из пассажиров не спасся!» — гласил один из заголовков.

— О боже! Селина погибла!.. — ахнула Глэдис, без сил опускаясь на подвернувшийся под ноги табурет. — Какая трагедия! А каково сейчас Полу!..

Ей ужасно хотелось как можно скорее связаться с ним, но она не знала, куда писать или звонить. Но, главное, что она ему скажет?! Всем, кто хоть раз видел их вместе, было очевидно, что Пол без ума от Селины. И вот теперь ее не стало...

Глэдис все еще читала статью, когда, протирая глаза, в кухню вошел Сэм.

— Привет, мам. Что с тобой? — спросил он, увидев лужу овсянки на полу и убитое выражение лица Глэдис.

— Я... Н-нет, ничего. Просто я прочла одну статью... — Внезапно она решилась. — Помнишь дядю Пола? Его жена погибла вчера в авиакатастрофе.

— О! — выдохнул Сэм. — Пол, наверное, очень огорчен. Правда, миссис Селина не очень любила его яхту, но все равно жалко...

Очевидно, для Сэма яхта пока была значительно важнее, чем смерть малознакомого человека, но по его лицу Глэдис поняла, что сын искренне сострадает Полу, которого он считал своим другом.

Она хотела что-то сказать, но в кухню уже спустились остальные дети и Дуг, на ходу завязывавший галстук.

— Что случилось? — спросил он, сразу почувствовав, что что-то неладно. У Глэдис был совсем убитый вид.

— Жену моего друга Пола разорвало на куски бомбой, — объявил Сэм драматическим тоном. — И она упала в море вместе с самолетом.

— Очень грустно, — сказал Дуг, наливая себе кофе. Он ничего не понял. — Это что же у тебя за женатый друг?

— Пол Уорд, — объяснила Глэдис. Язык плохо ее слушался, и, чтобы произнести эти несколько слов, Глэдис пришлось сделать над собой изрядное усилие. — Я тебе говорила... Этим летом он отдыхал в Харвиче, и мы с Сэмом катались на его яхте. Он был женат на Селине Смит.

— Как это ее угораздило сесть в заминированный самолет? — пробормотал Дуг, пробежав глазами заголовки. — Джесс, помоги матери убрать овсянку с пола...

С этими словами он отложил «Таймс» и взял в руки свой любимый «Уолл-стрит джорнэл». Насколько глубоко расстроена и растеряна его собственная жена, Дуг так и не заметил. Уже через пятнадцать минут он встал из-за стола и, боясь опоздать на свой поезд, поднялся наверх за кейсом и пиджаком. Вскоре он ушел, а потом и дети, все еще обсуждая катастрофу, отправились в школу (к счастью, ее очередь по автопулу прошла вчера), и Глэдис осталась одна.

Она долго сидела, рассматривая фото в газете и вспоминая Пола. Ни о чем другом Глэдис просто не могла думать, и все же звонить ему было бы странно. Кто она такая, в конце концов?

И тут Глэдис вспомнила о фотографии Селины и Пола, которую так и не отправила. Ведь она может сделать это сейчас, приложив к ней записку с соболезнованиями!

Подумав об этом, Глэдис решительно встала из-за стола и пошла в лабораторию. Фотография лежала среди отпечатков, сделанных ею в Харвиче. Поднеся ее к свету лампы, Глэдис долго рассматривала снимок, стараясь разгадать выражение глаз Пола и Селины. Впрочем, уже одно то, как Селина наклонила голову, слегка касаясь затылком рук Пола, опиравшегося на спинку кресла, в котором она сидела, могло многое рассказать об их чувствах. Селина улыбалась, и Глэдис было трудно представить себе, что ее больше нет. А Полу еще труднее...

Тут она подумала, что Пол, наверное, еще не вернулся из Европы. Когда ему сообщили о трагедии? Глэдис смутно помнила, что он собирался участвовать в какой-то регате. Ни малейшего сомнения в том, что, получив такое известие, Пол все бросит и вылетит в Нью-Йорк. Или скорее в Лондон — ведь самолет упал в море недалеко от берегов Альбиона.

В конце концов, так и не решившись звонить, Глэдис достала бумагу и написала Полу письмо, в котором, как смогла, постаралась выразила ему свое сочувствие. Письмо вышло коротким, но искренним. Положив его в конверт вместе с фотографией, Глэдис отвезла его на почту.

До самого вечера она все никак не могла прийти в себя. Она двигалась словно во сне. Дуг, вернувшись домой, все-таки заметил, что с ней что-то неладно.

— Что с тобой сегодня? — спросил он. — Ты, похоже, даже не причесывалась!

— Это все из-за Селины, — честно ответила она. — Я ужасно расстроилась.

— Вот не знал, что ты была с ней так дружна, — заметил Дуг. — Ведь вы встречались, наверное, раза два, не больше?..

— Я снимала ее для обложки ее нового романа. Последнего романа, — тихо сказала Глэдис. — Там, в «Таймс», — один из моих снимков.

Дуглас нахмурился.

— Ты мне этого не говорила, — сказал он с осуждением.

— Должно быть, я просто забыла, — отозвалась Глэдис рассеянно. — Ее муж... он очень любил Селину. Сейчас ему ужасно тяжело.

— Что ж, от таких вещей никто не застрахован, — промолвил Дуг и заговорил о чем-то с Джейсоном.

У Глэдис упало сердце. В его словах не было ни капли сочувствия. Конечно, он не знал Селину, но состояние Глэдис он мог бы понять. Увы, ее мысли, ее огорчения и переживания ничего не значили для Дуга.

Поздно вечером, когда дети пошли спать, Глэдис включила телевизор. В ночных новостях был большой репортаж о гибели самолета, а также блок, посвященный Селине Смит. Диктор, вкратце пересказав ее биографию, сказал в заключение, что поминальная служба, вероятно, состоится в пятницу, в нью-йоркском соборе Святого Игнатия.

Должна ли она пойти туда — вот в чем вопрос. Глэдис думала об этом, тупо глядя на экран телевизора, где новости спорта сменились прогнозом погоды.

— Ты собираешься ложиться? — спросил Дуг, заглянув в гостиную.

Глэдис поспешно встала. Час был очень поздний.

— Сейчас, — ответила Глэдис и, поднявшись в спальню, заперлась в ванной комнате. Там она включила воду и снова задумалась, прислонившись к стене. О Поле Уорде, о его жене и об их семейной жизни, которая в одно краткое мгновение разбилась на тысячи кусков и рассеялась над Атлантикой.

Потом она неожиданно поймала себя на мысли, что больше не хочет спать с Дугом. Просто не хочет ложиться с ним в одну постель. И что? Потребовать себе отдельную спальню? Не лучше ли и впрямь уйти из дома и снять комнату где-нибудь в мотеле? Ах, господи, что же это за жизнь?

В конце концов она все-таки встала под душ. Она вымыла голову и долго сушила волосы феном, надеясь, что, когда она закончит, Дуг уже будет спать. Но он не спал. Он лежал в постели и читал какой-то журнал. Услышав, что Глэдис вошла, Дуг положил его на ночной столик и повернулся к ней.

— И долго это будет продолжаться? — спросил он неприятным голосом.

— Что именно? — спросила Глэдис, с трудом оторвавшись от мыслей о Поле.

— Ты знаешь, о чем я говорю. Ты так долго торчала в ду́ше, что можно было подумать, будто растворилась там. Что это значит, Глэдис?

«Ничего, — хотела она ответить, но вдруг подумала: — Какого черта?! Он сам загнал меня в угол, так пусть теперь получит то, что ему причитается».

— Ты хочешь знать? — спросила она. — Изволь. Все лето ты демонстративно пренебрегал мною. Эти три месяца стали для меня настоящим кошмаром, а все потому, что ты хотел примерно меня наказать. Только после того, как я сказала, что забуду о работе, ты решил снизойти до меня. Ты, очевидно, думаешь, что теперь все в порядке. Так вот, я буду исполнять свои обязанности по дому, но спать с тобой я больше не хочу. И ты не сможешь меня заставить, хотя и владеешь мною, как вещью.

Ничего подобного она еще никогда ему не говорила, и в первую минуту Дуг так растерялся, что даже отпрянул, как от пощечины.

— Значит, вот как? — пробормотал он, машинально потирая щеку. — Я... «владею тобой, как вещью»?

— Разве я не права? — парировала Глэдис. — Ты добился от меня чего хотел, но тебе и в голову не пришло поблагодарить меня за то, что я сделала, от чего отказалась. Ты даже не сказал мне, что просишь уступить ради нашей любви. Ты просто приказал мне, а когда я не подчинилась, ты пустил в ход кнут.

— Опять об этом! — с досадой воскликнул Дуглас. — А тебе не приходило в голову, что ты сама вынудила меня прибегнуть к столь решительным мерам?

— Что ж, если ты действительно так считаешь, мне очень жаль, — ответила Глэдис, сверкая глазами. Она смертельно устала от всего этого, к тому же тот сам факт, что Дуг рассматривал сексуальную близость как средство воздействия, казался Глэдис омерзительным.

— Не забудь внести в наш договор еще один пункт, — добавила Глэдис, не в силах, да и не желая больше сдерживаться. — Что-нибудь насчет того, что в дополнение к своим обязанностям по дому поименованная Глэдис Тейлор должна заниматься с тобой сексом, когда тебе захочется. Вне зависимости от того, есть у нее для этого настроение или нет!

— О'кей, Глэдис, я понял, — холодно сказал Дуг и... погасил свет, оставив ее исходить гневом в полной темноте. Через пять минут он уже храпел, словно ее слова не затронули в его душе ни единой струнки. Глэдис несколько часов пролежала без сна, ненавидя мужа и одновременно стыдясь этого чувства. Единственное, о чем она не жалела, это о том, что высказала Дугу все. Быть может, она сделала ему больно, но он, по крайней мере, этого заслуживал. В отличие от нее...

В конце концов Глэдис закрыла глаза и попыталась думать о Поле, но, когда она заснула, ей приснилась Селина. Она кружила над ее головой в допотопном аэроплане и что-то кричала, но, как Глэдис ни старалась, она не расслышала ни слова.

ГЛАВА 12

Всю неделю газеты писали почти исключительно о катастрофе. Глэдис внимательно прочитывала каждую статью в надежде узнать что-нибудь новое. Но нового почти не было. В террористическом акте подозревались несколько арабских экстремистских группировок, но ни одна из них не взяла на себя ответственности за происшедшее. Но ведь для родственников погибших пассажиров это не имело никакого значения.

О Поле в газетах не упоминалось. Когда у человека такое горе, ему не до интервью.

Наконец в четверг в одной из газет появилось коротенькое объявление, которое привлекло ее внимание. В нем подтверждалось, что заочная поминальная служба по Селине Смит состоится в пятницу в нью-йоркской церкви Святого Игнатия.

Глэдис долго сидела, сжимая в руках газету. Она никак не могла ни на что решиться. Только после ужина, когда они с Дугом поднялись в спальню, она решилась заговорить с ним о том, что ее волновало.

— Я хотела бы съездить завтра на похороны Селины Смит, — сказала она, доставая из стенного шкафа вешалку с черным костюмом, который Дуг подарил ей на прошлое Рождество.

— Что это тебе взбрело в голову? — удивился Дуглас. — Ведь ты ее едва знала!

Это действительно было так, но для Глэдис Селина служила связующим звеном между ней и Полом. Но ничего объяснять она не стала.

— Мне просто подумалось, что раз я ее снимала, я тоже обязана отдать ей последний долг. — «К тому же Пол был очень добр к Сэму», — мысленно добавила она. С тех пор как она отправила фотографию, Глэдис не пыталась связаться с Полом, но это ей было и не нужно. Она и так чувствовала его боль как свою.

— Это ничего не значит, — раздраженно ответил Дуг. — Если каждый фотограф будет ходить на похороны ко всем, кого он снимал хотя бы раз в жизни... И потом, на похороны знаменитостей всегда сбегаются толпы зевак. Ты что, хочешь им уподобиться?

— Ты прав, я снимала Селину только один раз в жизни, но она мне понравилась.

— Ну и что с того? Мне, например, нравятся многие люди, о которых я читаю в газетах, но я никогда бы не пошел к ним на похороны. В общем, я думаю, тебе лучше отказаться от этой затеи.

Глэдис покачала головой.

— Посмотрим... — сказала она неопределенно. Продолжать разговор — да еще в таком тоне — ей не хотелось.

На следующий день погода была просто отврати- тельной. Дождь начался еще ночью, и утро было уны- лым и серым. Дул холодный резкий ветер. Кроны де- ревьев мотались за окном как сумасшедшие.

Уходя на работу, Дуг не сказал Глэдис ни слова. К одиннадцати часам она закончила все дела и обна- ружила, что вторая половина дня у нее практически свободна. Что ж, она поедет на похороны Селины, что бы ни говорил Дуг.

На сборы потребовалось всего несколько минут. Надев черный костюм и черные чулки, Глэдис собрала волосы в тугой пучок на затылке, чуть подкрасила гу- бы и подвела глаза. Брошенный в зеркало быстрый взгляд убедил Глэдис, что выглядит она вполне при- лично. В этом костюме она была очень похожа на Грейс Келли, о чем ей часто говорили, но сейчас Глэ- дис было некогда думать о таких пустяках. Все ее мыс- ли были о Поле — о том, как ему, должно быть, тяже- ло сейчас.

Она чуть не опоздала. До начала службы остава- лось всего пять минут, и церковь была полным-полна. Как потом узнала Глэдис, здесь собрался весь литера- турный бомонд, но ни одно лицо не показалось ей зна- комым.

Заупокойная месса началась сонатой Баха. Потом говорил литературный агент Селины, за ним издатель, голливудский продюсер. Наконец на возвышение перед алтарем поднялся Пол Уорд. Он говорил о Се- лине такими словами, что даже мужчины, не стесня- ясь, тянулись за носовыми платками. Пол почти не коснулся ее таланта и ее успехов на поприще литера- туры — он говорил не о Селине-писательнице, а о Се- лине-женщине, и, когда он сказал ей свое последнее «прости», в церкви не было ни одного человека, чьи глаза остались бы сухими. Полу каким-то чудом уда- лось договорить до конца, и только когда он сел, Глэ- дис увидела, как плечи его затряслись от рыданий.

Когда служба закончилась, Пол первым вышел из

церкви. Вместе с ним сел в лимузин какой-то серьезный молодой мужчина, до чрезвычайности на него похожий. Глэдис догадалась, что это его сын Шон. Ей очень хотелось сказать Полу хотя бы несколько слов утешения, но она не решилась, а через минуту лимузин уже отъехал, и Глэдис отправилась искать такси.

С вокзала она позвонила Дугу в офис и сказала, что была на похоронах Селины Смит. Время близилось к шести, и она думала, что Дуг, возможно, предложит ей немного подождать, чтобы ехать домой вместе, но он заявил, что задержится и что они могут ужинать без него.

— Я перекушу по дороге, — холодно сказал он. Глэдис подумала, что Дуг наверняка сердится на нее за то, что она поступила по-своему. И сколько же это может продолжаться?

— Ну что, много знаменитостей видела? — едко спросил он, и Глэдис вздохнула.

— Я ездила не за этим.

— А я подумал, что тебе захотелось поглазеть на знаменитых писателей и режиссеров, — сказал Дуглас, и Глэдис с трудом сдержалась, чтобы не ответить резкостью.

— Я поехала на похороны, чтобы отдать дань уважения женщине, которой восхищалась, — сказала она. — А теперь — до свидания, иначе я опоздаю на поезд. Увидимся дома.

И, не слушая, что он еще скажет, Глэдис положила трубку.

Дома ее встретил Сэм.

— Где ты была, мама? — спросил он, помогая ей снять дождевик.

— На похоронах Селины, — просто ответила Глэдис.

— А ты видела Пола?

— Только издалека.

— Он плакал?

— Да, — честно ответила Глэдис. — Он выглядел просто ужасно.

— О! — озадаченно сказал Сэм и надолго замолчал. У него никак не укладывалось в голове, что такой взрослый мужчина, как Пол, может плакать. — Можно, я напишу ему письмо? — добавил он после паузы. — Это будет очень сочувственное письмо, мама, ты не сомневайся!..

Глэдис улыбнулась.

— Я думаю, он будет очень рад.

— Хорошо, тогда я напишу ему сразу после ужина, — решил Сэм и отправился смотреть телевизор.

Они поужинали в восемь, а в половине девятого вернулся Дуг. Глэдис так и не успела снять свой черный костюм, и, увидев ее, Дуг очень удивился.

— Ты отлично выглядишь! — проговорил он, разглядывая ее с ног до головы. В последнее время Глэдис была настолько расстроена, что почти не следила за своим внешним видом, но костюм действительно очень ей шел, подчеркивая стройную фигуру и светлое золото волос.

— Как прошла служба? — спросил Дуг.

— Все было очень трогательно.

— Что ж, так и должно было быть. А поесть что-нибудь осталось? Я все-таки не успел перекусить — боялся опоздать на поезд и теперь умираю с голода.

Глэдис пожала плечами. От гамбургеров и французской картошки, которую она разогрела на ужин, не осталось ни крошки. За продуктами она собиралась только завтра. В холодильнике не было буквально ничего, если не считать яиц и замороженной пиццы.

— Хочешь яичницу? — спросила она.

Дуг очень даже хотел.

— Какие у тебя планы на ближайшие выходные? Может быть, сходим куда-нибудь? — внезапно спросил он, уплетая яичницу с томатами.

— Никаких планов у меня нет, — растерянно ответила Глэдис. С тех пор как они в последний раз куда-то ходили вместе, прошла, казалось, целая вечность.

— Может, поужинаем в ресторане? — предложил

Дуг, и Глэдис наконец-то поняла, в чем дело. Обстановка в доме все время ухудшалась, и Дуг забеспокоился. А может, его доконал ее отказ спать с ним. Пока это было его решением, он не волновался, но, когда Глэдис сказала ему «нет», Дуглас не смог этого перенести.

— Как хочешь, — сказала она равнодушно. Ужин в ресторане теперь был просто еще одной докучной обязанностью, от которой она навряд ли получила бы удовольствие.

— Я бы не предложил этого, если бы не хотел. Что ты скажешь, если мы опять возьмем столик в «Ма Пти Ами»?

Глэдис отчаянно затрясла головой. Нет уж! Уютный французский ресторанчик навевал слишком грустные воспоминания.

— Почему бы нам просто не съесть по пицце в каком-нибудь кафе? — спросила она.

— Решено! — обрадовался Дуг. — Слопаем по пицце и закатимся в кино!

Глэдис кивнула. Не то чтобы она была в особенном восторге, но попробовать, по крайней мере, стоило. Худой мир, как известно, лучше доброй ссоры. И все же это было слишком далеко от той любви, о которой она мечтала. Глэдис чувствовала себя как пассажирка «Титаника», которая знакомится с попутчиком. Только она знала, чем закончится их совместное плавание, и ни удобство каюты, ни наличие в этом плавучем гробу дансинга и кинозала не имели значения.

ГЛАВА 13

В субботу утром Дуг с Сэмом поехали на футбольный матч школьных команд, а Глэдис решила помочь Джессике навести порядок в чулане и в стенном шкафу. Она как раз спустилась на первый этаж с охапкой одежды, из которой Джессика выросла, когда в кухне внезапно зазвонил телефон.

Сначала она не обратила на него никакого внимания, решив, что это друзья ее мальчиков, а может быть, ухажеры Джесс или Эйми. Когда, освободившись от своей ноши, она шла обратно, телефон все еще звонил, и Глэдис решила взять трубку.

— Да?

— Алло!.. — Раздавшийся в трубке мужской голос показался ей незнакомым и довольно взрослым. Впрочем, молодые люди, которые звонили Джессике в последнее время, разговаривали почти исключительно басом. — Кто это?

— Это Пол Уорд. Позовите, пожалуйста, миссис Тейлор.

Сердце Глэдис подпрыгнуло в груди, и она поспешно опустилась на стул.

— Это я... Как ты, Пол?!

— Более или менее. Мне говорили, что ты приходила вчера. Как жаль, что я тебя не видел...

«Должно быть, это Паркеры сказали», — подумала Глэдис. Она знала, что ее старые друзья наверняка придут на похороны, но не заметила их в толпе.

— Я и не хотела, чтобы ты меня видел. Я пришла просто... — Она запнулась. — Мне очень жаль, Пол... Нет, я правда очень тебе сочувствую, просто я не знаю, что сказать!

Глэдис действительно не знала, как она может утешить Пола, к тому же его звонок был совершенно неожиданным.

— Все равно, Глэдис, спасибо. Кстати, я получил твое письмо с фотографией. Снимок просто чудесный... — Его голос дрогнул, и Глэдис с ужасом поняла, что Пол плачет. — А как твои дела? — спросил он, отчаянно стараясь взять себя в руки. Прошедшая неделя далась ему нелегко — горе буквально придавило его к земле, и только голос Глэдис помогал Полу на время забыть о нем.

— Да, в общем-то, ничего... — неуверенно ответила Глэдис.

— Что это значит? Ты снова будешь работать?

— Наоборот. Я все сказала Дугу, и у нас началась Третья мировая война... — Она вздохнула. — Ничего не выйдет — Дуг дал мне это понять совершенно недвусмысленно. Может, это и вправду не важно?

— Ты же знаешь, что важно! — с нажимом сказал Пол. — Не отказывайся так легко от своей мечты, Глэдис! Если ты это сделаешь, ты... потеряешь себя.

Они оба знали, что Селина никогда бы так не поступила. Она всегда оставалась верна себе, чего бы это ни стоило ей самой или окружающим.

— От мечты я отказалась уже очень давно, — негромко сказала Глэдис. — И, наверное, теперь у меня нет никакого права требовать назад то, что когда-то сама отвергла.

— Грустно это слышать, Глэдис, очень грустно. — Пол немного помолчал. — Как там поживает мой маленький приятель?

— Сэм? Отлично. Играет в футбол и мечтает о кругосветном путешествии на твоей яхте. Кстати, он собирался тебе написать...

— Я был бы очень рад получить от него письмо, — ответил Пол, но по каким-то еле уловимым признакам Глэдис поняла, что с ней говорит уже не прежний Пол Уорд. Его голос звучал устало, разочарованно, равнодушно, словно он в один миг лишился всех своих надежд. И, собственно говоря, так оно и было. Он просто не мог жить без Селины.

— А... что ты собираешься делать? — мягко поинтересовалась Глэдис.

— Не знаю. В банке без меня пока обойдутся, к тому же большинство текущих дел легко можно уладить при помощи телефона и факса. Возможно, я вернусь на «Морскую звезду», и мы пойдем в Турцию и Грецию. Мне как-то безразлично — куда. Главное, чтобы это было далеко и чтобы я не видел ничего, кроме воды до самого горизонта.

— Чем я могу тебе помочь? — спросила Глэдис, от души желая хоть как-нибудь облегчить его боль. — Я хотела бы сделать для тебя что-то...

Она не представляла, что это может быть, но Пол нашел ответ быстрее ее.

— Звони мне время от времени, ладно? — Его голос жалко задрожал. — Мне так плохо без нее, Глэдис! Селина была для меня всем. Я, конечно, даже злился на нее, но все равно... Другой такой, как она, просто нет!

Он плакал, совершенно не стесняясь, и Глэдис захотелось протянуть руку, чтобы дотронуться до него.

— Такой, как она, действительно больше нет, Пол, — согласилась она. — Но я уверена, Селина рассердилась бы на тебя за то, что ты так раскис. Ей бы хотелось, чтобы ты рычал, ругался, топал ногами, может, даже что-нибудь сломал, а потом уплыл на своей яхте и вернулся сильным. Впрочем, ты и сам это знаешь.

— Да, знаю. Селина не терпела никаких проявлений слабости. Если бы она могла видеть меня сейчас, то... Я просто не знаю, что бы она сделала! — Он немного помолчал и добавил уже совсем другим, более спокойным тоном: — Пожалуй, я сумею взять себя в руки, если ты обещаешь, что не отступишься. Ты обязана добиться своего, Глэдис!

— Я же сказала тебе, как обстоят дела: или моя мечта, или браку конец... — объяснила Глэдис, а сама подумала: «А есть ли у меня брак? Осталось ли от него что-то, чем можно было дорожить?»

— Не отчаивайся! — Теперь уже он утешал ее, и Глэдис улыбнулась. — Кстати, ты отказалась от сотрудничества со своим агентом?

— Конечно, нет.

— Правильно! И не вздумай! Никто не может заставить тебя своими руками зарыть в землю свой талант, да еще при помощи такого гнусного шантажа.

— Дуг может, — печально отозвалась Глэдис. — Он владеет мною как вещью... Или думает, что владеет.

— Это неправда! — Голос Пола неожиданно зазвучал твердо и решительно, как когда-то. — Не позволяй ему, слышишь? Только ты одна имеешь право распоряжаться собой.

— Боюсь, Дуг так не считает. Он говорит, что, когда мы поженились, мы с ним заключили договор, и что теперь я должна выполнять свои обязательства во что бы то ни стало.

— Ну, не буду тебе говорить, что́ я думаю о его теориях, — сказал Пол. — Боюсь, выйдет слишком грубо.

Пол совсем не знал мужа Глэдис, но это неважно. Дуг поступает с ней низко, просто низко! Похоже, Глэдис вообще не слишком счастлива в браке. Если бы дело обстояло иначе, Пол вряд ли решился бы ей позвонить, хотя в глубине души чувствовал, что они с Глэдис нужны друг другу.

— В последнее время я часто вспоминал о тебе, — сказал он негромко. — Странно, как люди порой бывают уверены в своем будущем. Мы все знаем, все можем, строим далеко идущие планы, а потом... Потом все в одно мгновение рушится, и мы снова стоим босиком в снегу, посреди голого поля. Примерно так я чувствую себя сейчас. Иногда я даже жалею, что меня тоже не было в том самолете...

Прежде чем ответить, Глэдис долго молчала. Трудно говорить, когда человек в таком горе.

— Селина не хотела бы, чтобы из-за этого несчастья твоя жизнь пошла под откос, — повторила она аргумент, который казался ей самым сильным. Со временем Пол успокоится и ему станет легче, но говорить ему об этом сейчас не имело смысла. — Ты должен собраться, чтобы... не огорчать ее. Возвращайся на свою яхту, это тебе поможет.

Краем глаза она заметила в коридоре Эйми и подумала, что Сэм и Дуг тоже должны скоро вернуться.

— Ты обещаешь, что будешь звонить? — снова спросил Пол, и Глэдис кивнула.

— Ну конечно. Номер тот же самый?

— Да, номер тот же, что я давал тебе в Харвиче. И я тоже буду тебе звонить. Иногда мне отчаянно хочется поговорить с кем-то, кто меня понимает...

Глэдис была искренне тронута.

— Ты очень мне помог тогда, летом, — сказала она. — Благодаря тебе я осознала, кто я такая и чего хочу. Жаль, что я тебя разочаровала...

— Ничего подобного! — с горячностью возразил он. — Я по-прежнему уверен, что у тебя все получится. Сейчас тебе трудно, ты колеблешься, может быть, даже немного боишься, но... Вот увидишь, рано или поздно ты соберешься с силами и сделаешь то, что должна сделать.

«А что я должна сделать? — подумала Глэдис. — Плюнуть на мужа и детей и заниматься исключительно собой, своей карьерой? Но тогда я непременно потеряю Дуга, а я не хочу...»

— Если это и будет когда-то, то очень не скоро, — ответила она грустно.

— Не «когда-то», Глэдис, — поправил он. — Однажды. Однажды! Чувствуешь разницу? Это может случиться и завтра. Не спеши расставаться с мечтой — лучше убери ее в безопасное место, да не забудь, куда положила. Она может понадобиться тебе в любой момент.

— Хорошо. — Глэдис было приятно слышать такие слова, они рождали надежду или хотя бы ее тень.

— Если бы ты знала, Глэдис, — он вздохнул, — как мне тяжело здесь, в нашей квартире, где все напоминает о ней! Хочется убежать куда-нибудь очень далеко, на край света...

— На «Морской звезде» это очень просто сделать, — мягко сказала Глэдис и вздрогнула — в кухню вошел Дуг и направился к холодильнику. — Главное, не сдавайся, будь сильным... А когда будет особенно тяжело — звони мне, — добавила она, когда Дуг, найдя в холодильнике банку кока-колы, вышел с ней в гостиную. — Звони, и я постараюсь тебе помочь.

— Спасибо, Глэдис. Я тоже всегда готов помочь тебе. Впрочем, ты и сама справишься. Главное, не позволяй никому обращаться с тобой как с вещью. Ты сама себе хозяйка, и ты в долгу перед собой. Ясно?

— Так точно, сэр!

— Не забывай о себе ради других, Глэдис. Разумный эгоизм — это... — он не договорил. В его голосе опять зазвучали слезы.

— И ты... тоже не забывай о себе, — тихо сказала она. — Твое одиночество — оно не такое уж беспросветное. В каком-то смысле Селина остается с тобой...

Пол невесело рассмеялся.

— Да, наверное, ты права. Теперь она будет со мной даже на «Морской звезде»... — согласился он. Смех его нельзя было назвать веселым, но все же это было лучше, чем рыдания, которые он едва сдерживал.

Потом они попрощались. Положив трубку, Глэдис с тяжелым вздохом встала из-за стола и увидела Дуга. Он стоял на пороге кухни и, хмурясь, смотрел на нее.

— Кто это звонил? — спросил он сердито.

— Пол Уорд. Он позвонил, чтобы поблагодарить меня за фотографию Селины, которую я ему послала.

— Похоже, безутешный вдовец быстро оправился. Сколько времени прошло с тех пор, как погибла его жена? Не больше недели, верно?

— Что ты несешь? Это... это просто ужасно! — с негодованием воскликнула Глэдис. — Пол плакал, когда говорил со мной!

— Разумеется, он плакал. Насколько мне известно, это самая старая из уловок. И самая безотказная. Уорду достаточно было только пустить слезу, чтобы разжалобить тебя, — и дело в шляпе! Вы ворковали как влюбленные голубки!

— Это отвратительно, Дуг! Пол очень хороший человек, глубоко порядочный и честный. Просто сейчас ему очень одиноко. Я — его друг; к кому же еще обратиться, как не ко мне?

— Когда это вы успели подружиться? — Дуглас подозрительно прищурился.

— Летом, в Харвиче. Я же тебе говорила...

— Кажется, тогда его жены тоже не было с вами, не так ли? Ну и повезло же вам!

— Как ты можешь, Дуг?! Селина не могла приехать, потому что ее задержали дела. Ты, может быть, этого не знаешь, но некоторые женщины, представь себе, работают!

— И, заметь, очень кстати бывают заняты. Уж не она ли забила тебе голову этой чепухой насчет карьеры и прочего?

Дугласу, как видно, очень хотелось сорвать на ком-нибудь зло, и он пытался вывести Глэдис из себя. Но ему удалось только рассердить ее. Какие бы чувства она ни испытывала к Полу (а в них Глэдис сама еще толком не разобралась), она не собиралась обсуждать их ни с мужем, ни даже с самим Полом. Их взаимное влечение с самого начала приобрело характер дружбы, и Глэдис не собиралась ничего в этом менять.

— Не говори глупости, Дуг, — холодно ответила она, сдерживаясь из последних сил.

— Ты просто слепая, если не видишь, чего он добивается. Будь добра, скажи ему, чтобы больше не звонил — я этого не хочу. Честное слово, ты говорила с ним так, будто он твой любовник!

— У меня нет любовника, Дуглас, — отрезала Глэдис. — И я начинаю в этом раскаиваться. Возможно, я была бы намного счастливее. Жаль, что Пол Уорд не такой человек. Он любил свою жену, он уважал ее за то, что она делала и чего добилась. Впрочем, тебе этого не понять... Но я уверена, что Пол еще долго будет ее оплакивать.

— А что он сделает, когда наконец перестанет оплакивать свою несравненную Селину? Кинется к тебе? Многие женщины тем охотнее раздвигают ноги, чем больше у мужчины денег!

— Это мерзко, Дуг, — сказала Глэдис почти спокойно и, обогнув стоящего в дверях мужа, вышла из кухни в коридор. Ей не хотелось даже видеть его, и она снова поднялась в комнату Джессики, чтобы закончить уборку. Привычная работа помогла ей успокоиться, но на протяжении всего дня она старательно избегала мужа.

Вечером они все же пошли в кафе, но это не доставило Глэдис ни малейшего удовольствия. Она все время вспоминала отвратительное поведение Дуга. Он ревновал ее, но странно, что это только возмутило Глэдис. Разве это не проявление любви, пусть и своеобразное? Но взятый им оскорбительный тон не лез ни в какие ворота. Пол Уорд не был ее любовником и никогда не будет. Они были просто добрыми друзьями — в этом Глэдис ни минуты не сомневалась.

После кафе Дуг повел ее в кино, но фильм оказался очень грустным, и весь сеанс Глэдис проплакала. Вечер, таким образом, был погублен безвозвратно, к ее чувствам только добавились разочарование и досада. И все-таки в глубине души она надеялась.

Дуг, очевидно, тоже испытывал нечто подобное, так как, несмотря на поздний час, вовсе не торопился спать. Вернувшись домой, они долго сидели в гостиной и молчали, потом включили телевизор и наткнулись на старый фильм, который им обоим очень нравился.

— Прости меня за то, что я тебе сегодня наговорил, — неожиданно сказал Дуг. — Я знаю, что он не твой любовник.

Его раскаяние удивило Глэдис.

— Я тоже жалею, что разозлилась на тебя, — ответила она, немного помолчав. — Должно быть, сказывается общая атмосфера...

Глэдис не договорила, но оба знали, что она имеет в виду. Постоянное напряжение, в котором они жили в последнее время, сделало их до крайности нервными и раздражительными.

— Увы, брак не всегда бывает таким, как в медовый месяц, — вздохнул Дуг и вдруг добавил: — Мне очень не хватало тебя, Глэд...

Это, а также упоминание об их медовом месяце тронуло Глэдис.

— Мне тоже, — ответила она и улыбнулась. Они так мало разговаривали друг с другом, что Глэдис порой начинало казаться, что она осталась в доме совершенно одна (дети, разумеется, в счет не шли).

Поев и выпив чаю, они поднялись в спальню и легли. На этот раз, когда Дуг потянулся к ней, Глэдис не оттолкнула его. Она позволила обнять себя, однако в их близости не было той страсти, о которой Глэдис мечтала. Дуг вел себя как-то неуверенно, почти робко. Он так ни разу и не сказал ей, что любит ее. Глэдис поняла, что отныне ей придется довольствоваться этим суррогатом счастливой семейной жизни. Ничего другого у нее все равно не было.

ГЛАВА 14

Прошло еще два месяца. Кое-как удалось склеить то, что было разбито, но черепки едва держались. Как Глэдис ни старалась, самого главного она забыть так и не смогла. Единственным, что ее поддерживало, были звонки Пола.

«Морская звезда» находилась теперь у берегов Югославии. Пол явно не хотел возвращаться домой.

— Я больше не хочу видеть те места, где мы когда-то бывали с Селиной, — однажды сказал ей Пол, — не хочу ходить по тем же улицам и тропинкам.

— Боюсь, это означает, что ты никогда больше не сможешь посещать Европу, — попыталась пошутить Глэдис, и Пол невесело рассмеялся. Он по-прежнему был безутешен, но оставался очень внимательным к Глэдис. Несколько раз он принимался расспрашивать о ее делах и очень расстроился, когда узнал, что Глэдис боится раскачивать семейную лодку.

— Глэдис, ведь речь идет не о ком-то, а о тебе! — упрекнул ее Пол, но Глэдис все время казалось, что он сравнивает ее со своей покойной женой. То, что было по плечу Селине, вряд ли было по силам ей.

Это, однако, нисколько не омрачило их отношений. Она была его «голосом в ночи», как он однажды выразился, единственным источником, из которого он черпал утешение. Глэдис же искренне считала свое знакомство с Полом даром небес и, оберегая эту единственную драгоценность, которая у нее еще осталась, перестала рассказывать мужу о его звонках. Ей не хотелось снова и снова слышать от Дугласа, что она набивается в любовницы к миллионеру или что, напротив, Пол ищет утешения в ее объятиях. При этом она вовсе не считала, что обманывает мужа. Дугу все равно невозможно было объяснить, что они просто друзья.

Как-то днем недели через две после ее последнего разговора с Полом в кухне раздался телефонный звонок. Пол чаще всего звонил именно в это время, поэтому Глэдис решила, что это, наверное, снова он.

Но это был не Пол. Звонил Рауль Лопес, и Глэдис так растерялась, что даже не сразу узнала его голос.

— Ну, что поделываешь, Глэдис? Твоя сопливая команда тебе еще не надоела?

— А-а... это ты, Рауль. — Глэдис вытерла со лба

проступившую испарину. Она чувствовала себя сейчас полной дурой. Почему она, черт возьми, не позвонила агенту и не предупредила, чтобы он больше ее не беспокоил? Вот опять все сначала: Рауль предложит ей новое интересное задание, она откажется, он на нее разозлится... Все по тому же образцу.

— Нет, не надоела, — ответила она твердо.

— А я, признаться, надеялся на другой ответ. Ладно, это не важно. У меня есть для тебя одно очень интересное предложение...

— Вот как? — Глэдис задумалась. В голосе Рауля явственно прозвучало волнение, что, вообще-то, бывало с ним не часто. — Знаешь, — проговорила она чуть менее уверенно, — я даже не знаю, стоит ли мне слушать тебя дальше. Мой муж...

— Ты все-таки выслушай, — перебил Рауль. — Это задание как раз для такой привереды, как ты. Нужно отснять бракосочетание особ королевской крови в Лондоне. Это совершенно безопасно, тем более что там будут коронованные особы со всей Европы. Тебе повезло, нужен не просто хороший фотограф, а фотограф, который бы прилично выглядел и умел вести себя в обществе. Согласись, нельзя же послать на королевскую свадьбу какого-нибудь волосатого-бородатого в драных джинсах, будь он хоть гением художественной съемки! Словом, как десять минут назад сказал мне главный редактор, им нужна женщина, которая бы «выглядела как настоящая леди и умела себя вести как леди». Кроме того, раз ты все равно будешь в Лондоне, имеется еще одна работенка. Лондонская полиция вышла на банду, которая промышляет детской проституцией. В бизнес вовлекаются девочки в возрасте от восьми до четырнадцати лет, которые фактически находятся на положении рабынь. Это настоящий «горячий» материал. То, что ты там наснимаешь, появится в газетах всего мира. Работать будешь, разумеется, с полицией, так что в случае чего они тебя защитят. И, самое главное, на все про все у тебя уйдет не больше недели!

— О черт! — воскликнула Глэдис. Предложение Рауля в самом деле выглядело чрезвычайно заманчиво. Может быть, Дуг клюнет на бракосочетание королевских особ. Саму же Глэдис гораздо больше интересовал репортаж о детской проституции. Во-первых, она готова была сделать все от нее зависящее, чтобы этот кошмар прекратился. Во-вторых, это действительно была «горячая» работа для настоящего профессионала.

— Зачем ты мне все это рассказал, Рауль? — вздохнула она. — Ты что, специально задался целью любым способом разрушить мой брак?

— Ты — одна из лучших моих клиенток. Вспомни хотя бы свой гарлемский репортаж!

— Но это же было совсем другое дело! Дорога до Гарлема и обратно занимала у меня всего полтора часа на поезде. Успевала даже вернуться домой вовремя и приготовить детям ужин!

— Я сам буду готовить твоим детям ужин, пока ты будешь отсутствовать! — перебил Рауль. — Или найму для них повара. Только... — тут голос его стал умоляющим, — ради всего святого, Глэдис, не говори мне «нет»! Ты просто обязана взяться за эту работу.

— Когда состоится бракосочетание? — устало спросила Глэдис, надеясь, что у нее будет время, чтобы подготовить Дуга.

— Через три недели, — ответил Рауль как-то уж очень небрежно, и Глэдис принялась быстро подсчитывать в уме.

— Но ведь это же День Благодарения![1]

---

[1] День Благодарения — национальный праздник, ежегодно отмечаемый в США в четвертый четверг ноября. Считается семейным праздником и отмечается традиционным обедом с фаршированной индейкой, клюквенным вареньем и открытым тыквенным пирогом.

— Более или менее, — неопределенно высказался Рауль. Ему очень хотелось, чтобы она согласилась.

— Что значит — «более или менее»? — возмутилась Глэдис.

— Хорошо, хорошо, это действительно падает на праздничную неделю. Ну и разве это не прекрасно? Когда еще тебе представится шанс посидеть за индейкой с президентом?

— Это не смешно, Рауль, — с досадой перебила его Глэдис. — Дуг тебя просто прибьет.

— Твой старый пингвин? — Рауль фыркнул. — Это я его убью, если он снова тебе помешает. Слушай, Глэд, сделай мне одолжение: подумай как следует над моим предложением, ладно? Завтра я жду твоего звонка...

— Завтра? Ты с ума сошел! Ты даешь мне всего одну ночь, чтобы объявить мужу о том, что в День Благодарения я собираюсь бросить его и детей одних?!

— Я даю тебе целую ночь и полдня, — хладнокровно уточнил Рауль. — Кроме того, я выполняю благородную миссию: спасаю тебя от скуки и от мужа, который не способен по достоинству оценить твой талант. Использовать тебя просто как шофера и повара — это преступление. Ты обязана это изменить. Сделай это для меня, Глэдис. И для себя. В конце концов, себе ты должна больше, чем мне.

— Я попробую что-нибудь предпринять, — мрачно ответила она. — Каков бы ни был результат, я позвоню тебе завтра или послезавтра. Если, конечно, буду еще жива...

— Вот и умница, — ответил Рауль в своей обычной манере и добавил уже вполне серьезным тоном: — Спасибо, Глэдис. До завтра.

— Не забудь прислать телеграмму с соболезнованиями, если завтра мое безжизненное тело найдут где-нибудь в парке, — пошутила Глэдис. — Хоть ты и обозвал Дуга «старым пингвином», когда дело касается его интересов, он превращается во льва.

— Твоему Дугу давно пора понять, на ком он женился. Он не может держать тебя под замком вечно.

— Не может, но пытается. И очень удачно. В общем, до завтра, Рауль.

— До завтра.

Она аккуратно положила трубку на рычаг и долго стояла возле кухонного стола, стараясь унять дрожь возбуждения. При одной мысли о том, что скажет Дуг, ей сразу становилось не по себе, но она ничего не могла с собой поделать. Рауль, как настоящий бес-искуситель, прекрасно знал, что ей следует предложить.

Еще несколько минут Глэдис раздумывала, потом, приняв какое-то решение, бросила быстрый взгляд на часы и, убедившись, что до ужина времени больше чем достаточно, помчалась на рынок.

Когда вечером Дуглас вернулся домой, его ждал сюрприз. Глэдис купила вина, русской икры, вырезки и других продуктов и приготовила настоящий шатобриан с его любимым горчично-перечным соусом, запекла в духовке картошку под майонезом, отварила французскую фасоль и фаршированные грибами перцы, тонко нарезала копченую лососину и разложила ее на блюде, украсив лимоном и пучками зелени. Все это выглядело так аппетитно и было так вкусно, что, садясь за стол с женой и с детьми, Дуг решил, что умер и попал на небо.

— Ты что, мам, машину разбила? — небрежно спросил Джейсон, намазывая икру на ломтик хрустящего хлеба с маслом.

— С какой стати! — с негодованием отмела его подозрения Глэдис, хотя вопрос сына заставил ее вздрогнуть.

— Сегодня у нас отличный ужин, — заметил на это Джейсон. — Вот я и решил, что ты сделала что-то такое, что могло рассердить папу.

— И теперь подлизываешься, — нанесла заключительный удар Джессика, накладывая себе вторую порцию картошки.

— Фу, что за глупости у вас на уме! — Глэдис притворилась возмущенной, хотя дети — в отличие от отца, который ничего не замечал, — были недалеки от истины.

На десерт она приготовила кофе и шоколадный мусс с мексиканским печеньем. Это был верный ход — отяжелевший от еды муж пришел в состояние сонной эйфории, и Глэдис решила, что теперь можно и рискнуть.

— Что за ужин! — промурлыкал Дуг, когда дети ушли к себе готовить уроки, а Глэдис села на маленькую скамеечку у его ног. — Что я сделал, чтобы заслужить такой сказочный ужин?

— Женился на мне, — ответила она, мысленно призывая на помощь всех богов и моля их быть к ней снисходительными хотя бы раз, хотя бы один-единственный разочек.

— Да, похоже, мне здорово повезло, — согласился Дуг и хлопнул себя по животу.

— И мне тоже, — сказала Глэдис вкрадчиво, но ей тут же стало стыдно. Вот уже несколько месяцев прошло с тех пор, как они в последний раз разговаривали друг с другом в таком дружелюбном тоне, да и сейчас это случилось только потому, что ей было кое-что от него нужно.

— Послушай, Дуг... — начала она нерешительно, но стоило ей поднять глаза, как Дуглас сразу понял, что и шикарный ужин, и ее смиренная поза у его ног, и мягкий, просительный тон — все это неспроста.

— Что, — спросил он, — Джейсон угадал? Ты разбила нашу машину? Или помяла крыло кому-то из соседей?

— Ничего подобного, — с гордостью ответила Глэдис. — Можешь проверить — машина в полном порядке, за последние пять лет я вообще не совершила ни одного нарушения.

— Тогда, быть может, ты попалась на краже продуктов из универсама?

— Тоже нет. — Глэдис мысленно собралась. Надо было решаться — ведь завтра она обещала перезвонить Раулю. — Мне сегодня звонил один человек, — произнесла она наконец.

— Какой еще человек? — Дуг сурово сдвинул брови, и Глэдис почувствовала себя четырнадцатилетней девочкой, которая упрашивает отца отпустить ее с кавалером в кино. Только страх и унижение, которые она при этом испытывала, были совсем не детскими.

— Рауль.

— О боже! Опять?! — Дуг резко выпрямился на стуле.

— Выслушай меня сначала! — заторопилась Глэдис. — Работа, которую он предложил, это... это почти туристическая поездка. В Лондоне будут сочетаться браком члены королевской семьи. Такое особое задание, для женщины, умеющей держать себя в обществе... ну и фотографировать. Там будет президент, и главы почти всех европейских государств...

— А тебя не будет, — отрезал Дуг.

— Но журналу нужна именно я! Дуг, пожалуйста!.. Мне бы очень хотелось...

— Мне казалось, что мы с тобой уже обо всем договорились. Неужели все начинается сначала? Почему я каждый раз должен напоминать, что у тебя дети и что ты несешь перед ними ответственность? Ты утверждала, что помнишь об этом, — так почему ты так и норовишь бросить их одних?

— Но, Дуг, ведь поездка займет не больше недели! Дети не умрут, если меня не будет с ними в День Благодарения!

Тут Глэдис едва не прикусила себе язык. Насчет

Дня Благодарения она собиралась рассказать Дугу гораздо позднее.

— Я не верю своим ушам, Глэдис! — воскликнул Дуг, театрально всплеснув руками. — Ты собираешься уехать от нас в День Благодарения? А кто же будет готовить индейку и пирог с тыквой?

— Отведешь детей в ресторан — только и всего, — сухо возразила Глэдис. — Кроме того, я могу приготовить праздничный ужин заранее. Дети и не заметят, что меня нет.

— Зато я замечу! Что на тебя опять нашло, Глэдис?

— Для меня эта поездка значит очень много. — «Особенно вторая ее часть, — мысленно добавила Глэдис. — Я никогда не прощу себе, если не приму участия в судьбе этих малолетних бедняжек». — Я должна сделать это, Дуг!

— Тогда, быть может, ты не должна была выходить замуж и заводить детей. Я, во всяком случае, не собираюсь терпеть возле себя женщину, которая даже в праздники готова сорваться с места и лететь черт знает куда!

— Но ведь это, по крайней мере, безопасно!

— Конечно, если только террористы не взорвут самолет, как случилось с твоей подругой Селиной! Кроме того, самолеты до сих пор гибнут из-за обыкновенных технических неполадок, ошибок экипажа, из-за плохой погоды, и это происходит не так уж редко. Но ты, похоже, этого вовсе не учитываешь!

С точки зрения Глэдис, учитывать подобное было просто глупо, но Дуга это не смущало. Он жал на все рычаги, вынуждая ее к послушанию.

— С тем же успехом я могу погибнуть и в собственной постели, — парировала она. — Вдруг русские решат бомбить Нью-Йорк. Правда, сперва им нужно разобраться с тем, что происходит у них в стране, но исключать этот вариант тоже нельзя. Не так ли?

— Прекрати! — выкрикнул Дуг. — Что за чушь ты несешь?! Приди в себя, Глэдис!

— Это не чушь! Только ты никак не хочешь этого понять!

— Я все отлично понимаю и поэтому говорю «нет»! — заявил он наконец и встал. Глэдис осталась сидеть на скамеечке возле пустого стула. — Можешь не надеяться — я никогда не разрешу тебе ехать в Лондон. Но и удерживать тебя я тоже не стану, если хочешь — можешь отправляться куда угодно, это твое дело. Но не рассчитывай, что после этого мы будем продолжать жить одной семьей.

— Спасибо, Дуг, наконец-то ты высказался совершенно определенно — Глэдис тоже встала и посмотрела на него в упор. Дуг был на полголовы выше ее, но казалось — они одного роста. — А теперь послушай, пожалуйста, меня. Я не собираюсь больше мириться с тем, что ты обращаешься со мной, словно я пустое место. Ты думал, мною можно вечно помыкать, меня можно шантажировать или просто не обращать никакого внимания на мои желания? Так вот, мое терпение кончилось!.. Если ты и дальше собираешься угрожать мне, я... я просто не знаю, что я сделаю.

Но внезапно Глэдис поняла, что она должна сделать!

— Нет, я знаю! — воскликнула она. — Я поеду в Лондон и сделаю этот репортаж. Через неделю я вернусь и снова начну заботиться о детях и о тебе, как делала все это время. Но если ты опять захочешь мною командовать, я этого не потерплю. Я тебе этого просто не позволю!

Дуг выслушал ее гневную тираду молча. Потом он повернулся и, не сказав ни слова, вышел из кухни. Глэдис услышала, как хлопнула дверь спальни, и осторожно перевела дух. Кажется, у нее получилось! Впервые за семнадцать лет брака она осмелилась протянуть руку и взять то, что принадлежало ей по праву.

Эта победа была тем более важной, что после того, как в пятнадцать лет Глэдис потеряла отца, она всегда считала, будто расстаться с Дугом — это худшее, что с ней может случиться. Но теперь она поняла, еще хуже — потерять себя. Она была опасно близка к этому.

Ей потребовалось некоторое время, чтобы убрать посуду и закончить кое-какие домашние дела. Когда Глэдис поднялась в спальню, Дуг уже лег и погасил свет.

— Ты не спишь? — спросила она негромко. Дуг не ответил. Глэдис видела, как он пошевелился, и поняла, что не ошиблась. Встав в ногах кровати, она сказала: — Мне очень жаль, что мы никак не можем договориться, но иного выхода у меня нет. Я люблю тебя, но... Я должна сделать это ради себя самой. Мне трудно это объяснить, но иначе я не могу.

На самом деле объяснить то, что она чувствовала, было вовсе не трудно. Просто Дуг ни за что не хотел ее понимать. Он слишком привык к тому, что он устанавливает правила, а она — следует им из боязни его потерять. Теперь, когда страх Глэдис почти исчез, у него не осталось над ней никакой власти.

— Я люблю тебя, Дуг, — повторила Глэдис, но успокаивала она не столько его, сколько себя. В последнее время ей не очень в это верилось.

Дуг снова не ответил, и Глэдис пошла в душ. На лице ее играла победная улыбка. «Я смогла, смогла!..» — твердила она себе.

ЧАСТЬ II

ГЛАВА 1

В лондонском аэропорту Хитроу Глэдис встречал роскошный лимузин, который должен был доставить ее прямо в Королевскую морскую академию. Кофр с аппаратурой и небольшой чемодан с одеждой были у Глэдис с собой. Чтобы не терять времени, она переоделась прямо в машине, благо заднее сиденье отделялось от водительского места непрозрачной перегородкой. Приведя в порядок прическу, Глэдис посмотрела на себя в зеркало и осталась весьма довольна. Конечно, она здесь не для того, чтобы блистать красотой, а для того, чтобы работать, но все же, все же! Она собиралась приложить максимум усилий, чтобы блестяще справиться с обоими заданиями — слишком многое поставлено на карту.

У ворот Королевской морской академии в Гринвиче стояли на посту курсанты в парадной форме, со старинными мушкетами в руках. Вид у них был очень живописный — впрочем, как и у самого здания, построенного в 1779 году и окруженного безупречными газонами.

Сделав несколько общих планов, Глэдис поспешила внутрь. Около четырехсот человек танцевали, смеялись или переговаривались. Глэдис защелкала затвором. Вот в объективе принц Чарльз, вот королева Норвегии, президент Франции. Теперь несколько кронпринцев из европейских домов и, наконец, сама королева Елизавета, беседовавшая с президентом США и его первой леди.

У Глэдис с непривычки захватило дух. Однако вскоре она освоилась и стала незаметно переходить от одной группы гостей к другой, непрерывно снимая. Когда в два часа ночи прием завершился, Глэдис уже знала, что справилась. Правда, несколько дюжин отснятых кассет, которые лежали в ее кофре, предстояло еще проявить и отсмотреть, но шестое чувство подсказывало Глэдис, что репортаж о первом дне королевской свадьбы удался.

Тот же лимузин доставил ее в отель «Клэридж», где Рауль забронировал для нее номер. Едва только она переступила порог комнаты, ноги у нее едва не подкосились, и она вынуждена была опуститься на краешек дивана. По нью-йоркскому времени было только половина девятого вечера, однако перелет через Атлантику и несколько часов работы (а пока шел прием, она ни разу не присела) сделали свое дело: Глэдис чувствовала себя выжатой как лимон.

Впрочем, это ощущение было ей очень хорошо знакомо. Когда-то давно, когда Глэдис работала в «горячих точках» и носила не бархатные юбки и блузки, а грубый камуфляж и солдатские ботинки, к вечеру она обычно так же валилась с ног, и справляться с усталостью ей помогало ощущение, что день прошел не зря. Вот и сегодня: Глэдис чувствовала, что фотографии удались. Но главное — она снова работала, снова занималась любимым делом!

С этими мыслями Глэдис наконец уснула. Разбудил ее пронзительный телефонный звонок.

«Кто бы это мог быть? — сонно подумала она, пытаясь на ощупь найти телефон. — И в такую рань?..»

Впрочем, как выяснилось, по местному времени было уже почти десять утра. Будильника, заведенного на восемь, Глэдис не услышала. Вот это да! Ведь в двенадцать ей снова надо было быть в Морской академии.

— Алло? — сказала она в трубку, подавляя зевок и потягиваясь. — Кто это?

— Мне казалось, ты приехала в Лондон работать, а не спать, — услышала она в трубке мужской голос.

— Я и работаю. Кто это?! — Глэдис не сразу узнала голос. На мгновение ей показалось, что это Рауль, но уже в следующую секунду она поняла, кто звонит, и удивилась еще больше.

— Пол, это ты? Спасибо, что разбудил, — я едва не проспала. А как ты узнал, где я остановилась? — машинально спросила она, но тут же вспомнила, что сама рассказывала Полу о предстоящей поездке и о том, что Рауль снял для нее номер в «Клэридже».

— Ну, склерозом я пока не страдаю, — рассмеялся Пол. — Как у тебя дела?

— Отлично, Пол, просто отлично! Я действительно видела всех этих королей, принцев крови, наследников, президентов и прочих и сделала уйму отличных фотографий. Да еще пленок пять потратила на сам зал. Он просто великолепен — ничего красивее я в жизни не видела!

— Это в Королевской академии? — уточнил Пол. — Действительно, там очень красиво. Цветной зал, так, кажется, его называют. Мы с Селиной один раз там были — нас приглашал на собственную свадьбу английский писатель Патрик О'Брайен. Кстати, я очень люблю его книги...

— А как твои дела, Пол? — поспешно спросила Глэдис, стараясь отвлечь его от мыслей о Селине. — Ты все еще в Турции?

— Пока да. Но, наверное, уже завтра мы пойдем в Италию.

— А в Лондон ты случайно не собираешься?

Это был не намек и не просьба. Задавая этот вопрос, Глэдис была уверена, что Пол поймет ее правильно, как понимал всегда. Он не станет ловить ее на слове или искать скрытый смысл там, где его не было. И Пол ее не разочаровал. Или почти не разочаровал.

— Нет, — сказал он честно. — Мне хотелось бы увидеть тебя, но... Мы с Селиной слишком часто бывали в Лондоне. Кроме того, у тебя, наверное, не так уж много свободного времени. Даже для старых друзей...

Глэдис вздохнула. Пол был прав — ее расписание было слишком напряженным, чтобы она могла выкроить хотя бы час.

— Если серьезно, — продолжал тем временем Пол, — то я просто боюсь возвращаться в цивилизованный мир. На яхте мне гораздо спокойнее и... легче.

— Я понимаю, — негромко сказала Глэдис. — Не спеши, дай себе еще немного времени. В конце концов «Морская звезда» вылечит тебя.

— Ну а как дети пережили твой отъезд? — спросил Пол, и Глэдис почувствовала, что он не прочь перевести разговор на другое.

— Прекрасно, — с готовностью ответила она. — Правда, Эйми просила меня взять у принца Чарльза автограф, но я думаю, что это была шутка. Эйми скоро двенадцать, и она все отлично понимает. В отличие от Дуга, который вообще перестал со мной разговаривать. Боюсь, он еще припомнит мне эту поездку.

— Что он может сделать? — спросил Пол, и в его голосе ясно прозвучало осуждение, которое он не сумел скрыть.

— Фигурально выражаясь, он может выгнать меня на улицу, — ответила Глэдис серьезно. — Или уйти сам.

— Ну и глупо! — Пол понимал, что эта проблема очень беспокоит Глэдис, поэтому он добавил: — Впрочем, я думаю, он просто тебя пугает.

— Может быть, — согласилась Глэдис, но как-то

не очень уверенно. — Извини, Пол, мне пора одеваться, иначе я опоздаю.

— Что у тебя сегодня? — с интересом спросил Пол.

— Торжественный обед. Его дает во дворце Сент-Джеймс принц Чарльз.

— Это должно быть очень занятно, — сказал он. — И, может быть, тебе как раз представится возможность взять у него автограф. Тебе принц Чарльз не откажет.

Он негромко рассмеялся, потом спросил серьезно:

— Как ты думаешь, сможешь позвонить мне вечером, когда все закончится?

— Попробую. Боюсь только, что вернусь очень поздно — вечером у меня еще одно мероприятие. Видишь, какую жизнь я теперь веду? Обедаю я с принцем Чарльзом, а ужинаю, кажется, с принцессой Софией.

— Трудно тебе, — посочувствовал Пол. — Хуже, чем на войне.

Он поддразнивал ее, но за этим чувствовались искренние интерес и беспокойство.

— Ладно, я позвоню, — пообещала она. — Ведь теперь мы в одном часовом поясе.

— Да, — подтвердил Пол, — почти.

На этом разговор закончился. Глэдис положила трубку и, подойдя к окну, посмотрела вниз на оживленную Брук-стрит. Это была очень красивая, очень аккуратная и очень английская улица, и Глэдис почувствовала себя почти счастливой. Лондон всегда ей нравился — это был ее самый любимый город после Парижа. Она решила купить перед отъездом как можно больше открыток и сувениров. Кроме того, у нее ведь был фотоаппарат, так что Глэдис сама могла снимать все, что ей понравится.

Но пора было собираться. Бросив быстрый взгляд на часы, Глэдис поспешила в ванную комнату.

До самого вечера она опять фотографировала. Казалось, любимая работа вполне заменяет ей и отдых, и еду. Глэдис невольно подумала, что давно уже не проводила время так приятно и содержательно.

О годах, на протяжении которых она была отлучена от фотографии, ей напомнила встреча с человеком, с которым Глэдис работала в Кении лет двадцать тому назад. Это был веселый, огненно-рыжий ирландец по имени Джон О'Малли. Он сразу узнал ее и пригласил зайти после приема в один из ближайших пабов.

— Послушай, куда ты провалилась? — спросил он, когда Глэдис села за столик, облокотившись на столешницу некрашеного дуба. — Я, грешным делом, думал, что тебя наконец-то подстрелили — ты всегда хваталась за самые головоломные задания. Где ты пропадала все это время?

— Все очень просто, Джон, — ответила Глэдис. — Я вышла замуж и родила четырех детей. Теперь у меня два мальчика и две девочки.

— Так какого же черта ты снова взялась за старое?! — воскликнул Джон.

Глэдис пожала плечами.

— Откровенно говоря, я соскучилась по работе.

— Я всегда знал, что ты ненормальная, — заявил Джон, заказывая двойной виски. На сегодня он закончил съемки и мог позволить себе расслабиться. Глэдис же предстоял еще один прием, поэтому она потягивала легкий эль, закусывая подсоленным миндалем.

— Нет, серьезно! — добавил он, увидев, что Глэдис улыбается. — Я всегда считал, что для нас, бродяг, не может быть ничего лучше, чем уйти на покой и завести ребятишек, пока нас действительно не подстрелили. Правда, сейчас не так опасно, как бывало, но всегда остается шанс, что кто-нибудь из наследных принцев напьется и разобьет тебе голову бутылкой. Кроме того, есть еще горячие парни из ИРА[1] — их хлебом не

---

[1]ИРА (Ирландская республиканская армия) — экстремистская организация, выступающая за вывод английских войск с территории Северной Ирландии и создание объединенной Ирландской Республики.

корми, дай кого-нибудь взорвать. Иногда мне бывает стыдно, что они — тоже ирландцы...

Они заговорили о взрыве самолета в сентябре. Глэдис упомянула, что в этой катастрофе погибла ее знакомая.

— Это позор, Глэдис, вот что я тебе скажу! — разгорячился О'Малли. — Я просто ненавижу такие истории, особенно если гибнут дети. Можно убивать солдат, можно разбомбить ракетный завод, но нельзя трогать детей! Эти сволочи-террористы никогда об этом не думают!

Глэдис сочувственно кивнула головой.

— Ничего, не обращай на меня внимания, — сказал Джон, заметив ее взгляд. — После второго стакана виски я всегда завожусь и начинаю говорить о человеческой жестокости. После третьего меня посещает романтическое настроение, и тогда — берегись!

Он широко улыбнулся, и Глэдис почувствовала, как у нее потеплело на душе. За те двадцать лет, что они не виделись, Джон О'Малли нисколько не изменился, разве что лицо его стало еще более красным, да в огненно-рыжей шевелюре появились серебряные нити. Разговаривать с ним, во всяком случае, было по-прежнему приятно.

Но через полчаса им пришлось расстаться.

Вечер Глэдис отработала как по нотам. Огромный обеденный зал, освещенный свечами в бронзовых канделябрах, лакеи в напудренных париках и ливреях, старинный фарфор и начищенное до блеска столовое серебро должны были отлично смотреться на снимках, создавая нужное настроение. Впрочем, в глубине души Глэдис была рада, что это последний прием перед бракосочетанием. Не то чтобы ей надоело снимать высшую аристократию Европы и мира — просто Глэдис не терпелось взяться за ту, другую историю.

Вернувшись в отель, она позвонила домой. Джессика, которая взяла трубку, сказала, что они как раз собираются ужинать. Глэдис поговорила с каждым из детей и с облегчением узнала, что они чувствуют себя прекрасно. Вчера они побывали в парке аттракционов, а днем раньше Дуг водил всех на каток. Глэдис захотела поблагодарить мужа за это, но Дуг передал через Джессику, что не может подойти. Настроение у Глэдис снова упало. Повесив трубку, она почувствовала себя так одиноко, что, почти не отдавая себе в этом отчета, набрала номер телефона Пола.

Глэдис надеялась, что он не спит, и Пол действительно еще не ложился. Она рассказала ему о сегодняшних приемах, описала всех, кто на них присутствовал, и поразилась тому, что с большинством Пол знаком лично.

— На какой час назначено завтрашнее бракосочетание? — спросил он наконец.

— На пять, — ответила Глэдис.

— А что ты собираешься делать до этого времени?

— Спать. — Глэдис усмехнулась. — Вообще-то я еще планировала зайти в полицию — уточнить насчет той, второй работы...

Пол знал и об этом задании Глэдис.

— Похоже, ты зря времени не теряешь, — заметил Пол. «Как и Селина», — подумал он про себя, но вслух ничего не сказал. — Позвони мне завтра, расскажешь, как прошла свадьба и кто из наследных принцев напился и уснул лицом в салате, — попросил он, и Глэдис рассмеялась.

— Конечно. Ведь все они — твои близкие знакомые!

— Звони в любое время: даже если я буду не на вахте, спать я все равно не буду, — добавил Пол, и Глэдис улыбнулась. К этому времени она уже поняла, что Пол ведет сейчас преимущественно ночной образ жизни. Главной причиной этого была боязнь вернуться в привычный мир и обнаружить, что там нет Селины. Лишь наедине с ночным мраком и пустынным океаном он

забывался. Тогда терзавшие его боль и тоска немного отступали.

Глэдис прекрасно это понимала, поэтому она сказала тихо:

— Ничего, Пол, ничего... Когда-нибудь ты вернешься.

— Наверное, — грустно согласился он. — Но пока мне очень трудно себе представить, как я буду жить без нее. Проще всего было бы начать жить заново, но для этого я, наверное, слишком стар.

Ему было не так уж много лет, но Глэдис понимала, что раз он так говорит, значит, так он и чувствует. По крайней мере — пока... И, как ни парадоксально это звучало, помочь избавиться от этой слабости ему могло только время.

— Похоже, мы с тобой поменялись ролями, — сказала она со смехом. — Сначала ты уговаривал меня, что вернуться в фотожурналистику мне нисколько не поздно, теперь то же самое делаю я. Начать жизнь заново можно всегда.

Пол был на четырнадцать лет старше Глэдис, однако ни он, ни она не замечали этой разницы. Они чувствовали себя братом и сестрой, но иногда Глэдис ощущала, как ее словно пронзает слабый электрический разряд. Она испытала это еще при первой встрече с Полом. Как ей казалось, он тоже почувствовал нечто подобное. Но это ничего не значило. Пол продолжал хранить верность Селине, к тому же Глэдис знала: он все еще чувствует себя виноватым за то, что не погиб вместе с ней. Во всяком случае, никакого разумного, рационального объяснения тому, почему ему суждено было пережить Селину, Пол найти не мог, как ни старался. Общих детей у них не было, его собственный сын давно вырос, да и внукам тоже жилось неплохо. Иными словами, он не чувствовал себя нужным кому-то. Об этом он без обиняков заявил Глэдис.

— Ты нужен мне, Пол, — негромко ответила она.

— Да нет, это тебе кажется! — Пол разразился каким-то неестественным смехом. — Ты отыскала свой путь и теперь пойдешь по нему все вперед и вперед. Ни помощники, ни проводники больше тебе не нужны.

— Хотела бы я быть так же уверена в этом, как ты, — сказала Глэдис. — Когда я уезжала, Дуг не хотел со мной даже разговаривать. Честно говоря, не знаю, что будет, когда я вернусь в Уэстпорт. Боюсь, что за эти несколько дней мне придется долго, долго расплачиваться.

— Возможно, ты права, но стоит ли сейчас об этом. Насколько я понимаю, у тебя еще много дел в Лондоне. Перестань изводить себя домыслами.

— Ну ладно, Пол, поговорим завтра, — попрощалась Глэдис и положила трубку. Сидя в темной спальне, она думала о том, как легко ей общаться с Полом. Право же, можно было подумать, что они знают друг друга всю жизнь, а не какие-то жалкие пять месяцев. Впрочем, удивляться особенно не приходилось. За это время каждый из них прошел долгий нелегкий путь, и они немало пережили вместе.

Глэдис уже лежала в постели, когда телефон зазвонил вновь.

— Ты не спала? — спросил Пол осторожно.

— Нет, — ответила Глэдис. — Я просто лежала в темноте и думала о... о тебе.

— Я тоже думал о тебе, Глэдис, и мне захотелось, чтобы ты знала, как я восхищаюсь тобой... тем, что ты сделала. — Он действительно позвонил только затем, чтобы сказать ей это, и Глэдис просияла. Как она нуждалась именно в таком отношении к себе.

— Спасибо, — сказала она. — Твое мнение много для меня значит.

«И ты — тоже», — хотелось ей добавить, но она промолчала.

— Ты — удивительная женщина, — голос Пола не-

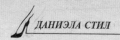
ожиданно дрогнул. — Удивительная... Без тебя я бы, наверное, не смог пережить все это.

— Я тоже... — шепотом сказала Глэдис.

— Когда-нибудь, где-нибудь, как-нибудь мы непременно встретимся, Глэдис... Я обязательно вернусь, просто я пока не знаю — когда...

— Пусть тебя это не беспокоит, Пол. Делай, что должен. Все образуется само собой.

— Спокойной ночи, Глэдис, — негромко сказал он и дал отбой. Глэдис тоже положила трубку и закрыла глаза. Она уснула почти мгновенно, но губы ее еще долго продолжали улыбаться.

ГЛАВА 2

Свадьба членов королевской семьи была событием по-настоящему грандиозным. Большей торжественности трудно было себе представить. Глэдис снимала столько, что в конце концов у нее с непривычки заболели руки, однако, даже не проявляя пленок, она могла сказать — снимки вышли превосходные.

Особенно много она фотографировала невесту, которая была просто обворожительна в сказочном белом платье от Диора с длиннейшим шлейфом. Интерьер собора Святого Павла, где совершалась вся церемония, как нельзя более соответствовал происходящему, и Глэдис несколько раз подумала о том, что детям — особенно девочкам — тоже будет интересно взглянуть на снимки. Быть может, рассуждала она, так они скорее поймут, что их матери есть чем гордится.

После венчания состоялся прием в Букингемском дворце, однако он продолжался совсем недолго, и впервые за последние три дня Глэдис относительно рано вернулась в отель. Вечером она позвонила домой, но снова разговаривала только с детьми. Когда же она

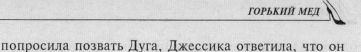

попросила позвать Дуга, Джессика ответила, что он куда-то вышел. Глэдис не очень-то в это верилось.

Повесив трубку, она сразу позвонила Полу.

— Ну, как тебе понравилось на королевской свадьбе? — сразу спросил он.

— Невероятно! Неправдоподобно! Сказочно! — воскликнула Глэдис, не в силах скрыть свой восторг. — Ничего подобного я еще никогда не видела. Мне очень повезло, Пол. О такой возможности каждый фотограф может только мечтать. Интересно, во сколько обошлась эта свадьба британской казне?

— Наверное, в несколько миллионов, — небрежно сказал он и неожиданно рассмеялся: — Знаешь, мы с Селиной зарегистрировали наш брак в нью-йоркской мэрии, потом купили на улице по пирожку с сосисками, а ночь провели в «Плазе». Конечно, это несколько странно, но мы были довольны. Особенно я, ведь Селина так долго не хотела выходить за меня замуж, что я почти отчаялся. И когда она вдруг сказала «ладно, давай попробуем», я не стал терять времени, пока она не передумала. Всю нашу первую брачную ночь Селина перечисляла мне, что она не будет для меня делать. Смешно, право, но большинство своих обещаний она сдержала...

— Знаешь, — сказала Глэдис негромко, — сегодня, глядя на невесту, я все думала, как сложится жизнь у этой пары. Выйдет ли у них что-нибудь хорошее, или они будут разочарованы... После такой свадьбы, как сегодняшняя, было бы обидно потерпеть крушение.

— Ну, — заметил он, — у нас-то с Селиной все получилось, хотя наш свадебный обед состоял из сосисок в тесте, а брачную ночь мы провели в отеле, и даже не в самом лучшем.

— Вы с Селиной справились лучше, чем многие, — печально сказала Глэдис. Чужие свадьбы всегда заставляли ее испытывать что-то вроде ностальгии, а в последнее время — в особенности.

Они помолчали. Наконец Глэдис спросила:

— А как прошел твой день? Как погода? Ветер был попутный? — Говоря это, она улыбнулась. Глэдис прекрасно помнила, что хорошей погоде Пол предпочитает штормы и ураганы.

— Ветер был неплохой. Около четырех баллов, — ответил Пол. — Кстати, давно хотел тебя спросить: как твое второе задание? Ты уже была в полиции?

— Да, два часа беседовала с детективом, который ведет это дело, — ответила она. — И узнала такие подробности, от которых у меня буквально волосы дыбом встали... Представляешь, некоторые родители — в основном из цветных семей — продают своих дочерей в рабство. В буквальном смысле! С восьми лет девочки уже становятся проститутками. И нет никакой надежды вырваться — они продолжают «работать» до тех пор, пока не погибнут.

— Это же настоящий кошмар! — воскликнул Пол.

— Да, — просто сказала Глэдис. — И мне даже страшно подумать, что придется все это снимать...

— Тебя пригласили участвовать в рейде? — спросил Пол, не скрывая своей тревоги. — Это не опасно?

— Опасность, конечно, есть, — честно ответила Глэдис, машинально отметив про себя, что Дугу она ни за что бы этого не сказала. Муж вообще ничего не знал об этом ее задании. — Но это, как говорится, профессиональный риск. Не беспокойся, лондонская полиция хорошо подготовилась к операции. Я думаю, на самом деле мне ничто не угрожает.

— Надеюсь, что так, — сдержанно сказал Пол. Он безумно волновался за Глэдис, однако не позволял себе вмешиваться ни в ее работу, ни — если уж на то пошло — в ее жизнь. Но мысль о том, что все может случиться, буквально сводила его с ума.

Глэдис поняла это.

— Нет, правда, Пол, я совершенно уверена, что волноваться не стоит. Полицейский, с которым я разговаривала, сказал мне, что они будут предельно осторожны из-за детей, — попыталась она поправить дело, но Пол пробурчал в ответ что-то неразборчивое.

Потом они заговорили о вещах более приятных или, по крайней мере, не внушающих особой тревоги. Пол рассказал, что собирается идти на яхте в Венецию. Ему всегда нравился этот город, но еще ни разу он не приходил туда на «Морской звезде». Незаметно разговор перекинулся на Лондон. Пол по-прежнему не чувствовал в себе достаточно сил, чтобы приехать в город, где так часто бывал с Селиной. Да и Глэдис предстояло вскоре возвращаться домой. С завтрашнего дня она начинала работать с полицией.

Взяв папку с дополнительными материалами по делу, Глэдис полистала ее и отложила в сторону. При мысли о том, что девочки, еще моложе ее Эйми, становятся рабынями, вынужденными обслуживать богатых негодяев, у нее внутри все переворачивалось.

Весь следующий день Глэдис просидела в полицейском управлении. Вернувшись в отель, она обнаружила два послания. «Мы ужасно тебя любим, мамочка, мы пошли в кино», — гласило одно. Второе было от Пола. Он просил Глэдис перезвонить, но когда она связалась с ним, Пол сказал, что не может сейчас разговаривать. Странно, но она нисколько не обиделась. Не может, значит, что-то случилось, и скоро все обязательно кончится. Она испытывала к Полу доверие, почти безграничное.

Он позвонил ей на следующий день утром и сразу начал с извинений:

— Мне очень жаль, Глэдис, но вчера у нас тут разыгрался небольшой шторм, — сказал он, но по его голосу было ясно, что на самом деле Пол очень доволен. «Я люблю сражаться со стихией, — говорил он ей однажды. — Пожалуй, это единственное, с чем мне не всегда удается справиться».

— Ничего страшного, я все понимаю, — ответила

Глэдис и рассказала, что операция назначена на сегодняшнюю ночь.

— Я буду беспокоиться за тебя, — сказал Пол. — Будь осторожна, обещаешь?

— Обещаю! — рассмеялась Глэдис. — Не волнуйся, Пол, пожалуйста. Ко мне приставили специального полицейского, который будет меня охранять. Я вчера его видела — это настоящий гигант! Говорят, что он — один из лучших спортсменов во всей английской полиции.

— Что ж, это несколько меняет дело, — обрадовался Пол. Надо сказать, еще три дня назад он связался с начальником лондонской полиции, с которым был неплохо знаком, и попросил его принять все возможные меры предосторожности. — И все-таки не суйся в самое пекло, ладно?

— Конечно, — согласилась Глэдис, думая о том, как странно складываются их отношения. Они никогда не говорили о любви, а между тем Пол иногда разговаривал с ней так, словно он был ее мужем. Возможно, он делал это просто по привычке — так, во всяком случае, считала Глэдис. Пол тосковал по Селине. Их разговоры были чисто дружескими, и в них не было ничего такого, что указывало бы на возможность иных отношений.

— Позвонишь мне, когда все закончится? — спросил Пол.

— Постараюсь, только я не знаю, когда это будет. Если все пройдет как планировалось, то часам к трем утра должны успеть. Если же нет...

— Будем надеяться, что ничего непредвиденного не случится, — быстро сказал Пол.

Они распрощались, и Глэдис, поглядев на часы, со всех ног помчалась в универмаг «Хэмли» купить подарки детям.

Попросив, чтобы покупки переслали ей в отель, Глэдис отправилась в полицию. В полицейском управлении она выслушала подробный инструктаж и получила пуленепробиваемый жилет. Поздно вечером все участники операции отправились в полицейский участок в Вест-Энде, откуда было рукой подать до Уилтон-Креснт-роуд — фешенебельной улицы, где в одном из особняков и содержались малолетние проститутки. Ровно в полночь операция началась. Штурмовая группа, взломав двери, ворвалась в особняк. Глэдис со своим телохранителем вбежали следом за ними.

То, что Глэдис увидела внутри, невозможно было описать словами. Она, крепко стиснув зубы, нажимала и нажимала на кнопку, перезаряжала кассеты и снова снимала. Восьми-, девяти- и десятилетние девочки были прикованы цепями к стенам или привязаны к кроватям. Их тела, едва прикрытые изорванным в клочья шелковым бельем, были покрыты синяками, ссадинами и следами ожогов от сигарет. Многие из них были накачаны наркотиками и дрожали, словно от холода, хотя в комнатах оказалось довольно тепло. В основном девочки были из Юго-Восточной Азии или из Индии, в одной из комнат Глэдис наткнулась на трех очаровательных мулаток, которые, несмотря на свой юный возраст, выглядели вполне сложившимися женщинами. По-английски они почти не говорили.

Полиции удалось задержать всех клиентов. Среди этих респектабельных подонков оказался один член парламента, который, как впоследствии сказал Глэдис один из инспекторов, наверняка ушел бы от ответственности, если бы она не сфотографировала его «со спущенными штанами» — и в буквальном, и в переносном смысле. Удалось снять и хозяев притона. Трое мужчин и одна женщина заправляли здесь всем и получали значительную прибыль от торговли детьми. Возможно, где-то у них были высокие покровители, но Глэдис не сомневалась, что им тоже не поздоровится. Сотни кадров, несколько десятков пленок лежали у нее в сумке. Этот материал обладал убийственной силой, и это был ее вклад в спасение этих девочек, в спасение будущих жертв, которых теперь, благодаря и ей тоже, может быть, не будет.

Когда полицейские стали выводить девочек, чтобы отправить их в больницы и детские приюты, она сама вынесла на улицу и посадила в «Скорую помощь» восьмилетнюю китаянку, сплошь исхлестанную кнутом. Полиция вырвала ее из объятий мерзавца, который только что кончил заниматься с ней извращенным сексом. Глэдис, которая оказалась свидетельницей этого кошмара, едва не треснула подонка своим фотоаппаратом. К счастью, приставленный к ней телохранитель успел вовремя схватить ее за руку и напомнить, что этого ни в коем случае нельзя делать.

Вернувшись под утро в отель, Глэдис первым делом позвонила Полу.

— Ну что?! — в тревоге воскликнул он, как только услышал ее голос. — С тобой все в порядке?

— Д-да, — неуверенно ответила Глэдис. — Я жива-здорова, — добавила она поспешно, так как Пол в трубке издал какое-то восклицание. — Ты только не волнуйся, Пол, но... я не могу даже рассказать тебе, что я увидела этой ночью! И боюсь, что этого мне никогда не забыть.

— Я понимаю. Это, наверное, было ужасно...

— Непередаваемо ужасно. Я видела одну девочку... У нее на теле были следы самых настоящих пыток. Представляешь, она еще моложе Сэма, но ее били кнутом, прижигали грудь сигаретами!

Пол громко скрипнул зубами. Ему казалось, что подобное зрелище — не для ее глаз, но он считал, что не имеет права указывать ей, что и как делать. Единственное, что мог Пол, — это просить Глэдис поберечь себя. И надеяться, что все обойдется.

— Тебе, наверное, стоит поспать, — предложил он. — Ты ужасно устала.

— Конечно. Но я вряд ли засну. Пожалуй, лучше

приму душ и пойду поброжу по улицам — может, сумею прийти в себя.

— Хорошо, — сказал Пол и тяжело вздохнул. — Тебе здорово досталось?..

— Да нет, не сказала бы, — ответила Глэдис, стараясь говорить как можно бодрее. — Кто-то ведь должен был это сделать?

В конце концов Пол велел ей принять горячую ванну, погулять по Лондону и постараться немного поспать перед обедом. По его мнению, это было лучшее, что Глэдис могла предпринять, чтобы поскорее успокоиться. Взяв с Глэдис слово, что вечером она снова позвонит ему, Пол дал отбой и вышел на палубу. Стоя у самого борта, он долго смотрел на море, блестевшее в лучах солнца.

Он думал о Глэдис. Она во всем была не похожа на Селину, однако было нечто, объединяющее этих двух женщин. И теперь он, кажется, понял, что это. Глэдис обладала такой же внутренней силой и душевной чистотой. Подчас Пола это даже пугало. Вместе с тем его тянуло к ней, но он старался об этом не думать, как не задумывался и о том, что будет с ними дальше. Он так привык говорить с ней, что уже не представлял, как он сможет прожить хотя бы один день без того, чтобы не снять трубку и не позвонить ей. Ее негромкий, успокаивающий, мягкий голос оставался для него единственным ориентиром в мире, погрузившемся во мрак в тот самый миг, когда Пол узнал о гибели самолета, на котором летела его жена.

Примерно о том же самом думала и Глэдис. Лежа в огромной мраморной ванне, она старалась представить себе, как она сможет обходиться без ежедневных разговоров с Полом, когда вернется в Уэстпорт. Даже если они будут перезваниваться в отсутствие Дуга, в конце концов он все равно увидит счета от телефонных компаний и начнет допытываться, с кем это она разговаривала. Что она тогда ему скажет?

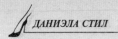

Почему ей так нужны эти ежедневные беседы? Всего за неделю она пристрастилась к ним, словно наркоман к наркотику. Непостижимо! Однако факт оставался фактом: жить без этого она уже не могла, да и не хотела. Они с Полом были нужны друг другу гораздо больше, чем каждый из них готов был признаться даже самому себе. Бесспорно было одно: несмотря на разделявшее их расстояние — расстояние, измерявшееся не только милями, но и годами, вместившими множество самых разных событий и самый разный жизненный опыт — оба они потихоньку двигались навстречу друг другу.

«И что потом?..» — спросила себя Глэдис, закрывая глаза.

Пол, все еще стоявший на палубе своей яхты, пожал плечами и, засунув руки в карманы, спустился к себе в каюту, задаваясь тем же вопросом.

ГЛАВА 3

Дела отняли у Глэдис гораздо больше времени, чем она рассчитывала, так что домой она сумела вылететь только в пятницу. Когда в четверть шестого вечера она вошла в свой собственный дом, дети сидели на кухне и пили чай, перебрасываясь шуточками. Пес терпеливо сидел возле стола, выжидая, не перепадет ли ему кусочек печенья, но, заслышав шаги Глэдис, сразу ринулся ей навстречу. Эйми, обернувшись, испустила восторженный вопль, и вся орава бросилась следом.

Приласкав собаку и целуя детей, Глэдис почувствовала себя так, словно никуда не уезжала. Поездка в Лондон казалась сном, репортажи, которые она сделала, потеряли всякую реальность, а дружба с Полом (накануне ее отъезда они пришли к выводу, что их отношения — просто дружба, и не больше) представлялась чем-то, не имеющим никакого отношения к ее повседневной жизни.

Только теперь Глэдис поняла, как она соскучилась. Целую неделю она была совершенно свободна, самостоятельна, независима, и эта жизнь ей очень нравилась. Но теперь ей самой уже было непонятно, как она могла променять эти милые мордашки на что-то постороннее.

— Как вы тут без меня? — спросила она, обнимая всех по очереди.

— Отлично, мам, просто отлично! — наперебой заговорили они и принялись вываливать ей последние новости. Сэм забил победный гол во время одного из футбольных матчей, у Эйми выпал последний молочный зуб, Джейсону, наоборот, сняли с зубов скобки, а у Джессики появился новый поклонник «с настоящей бородой», как, хихикая, сказала Эйми, хотя Глэдис подозревала, что она, как всегда, преувеличивает. Впрочем, она была рада, что за время ее отсутствия не произошло ничего из ряда вон выходящего.

Минут через двадцать дети как ни в чем не бывало разошлись по своим комнатам, чтобы готовить уроки, звонить друзьям или смотреть телевизор, а Глэдис отправилась на кухню, чувствуя, что жизнь вошла в привычную колею.

Отпустив приходящую домработницу, Глэдис поставила вариться картошку, а сама поднялась в спальню, чтобы распаковать чемодан. Сидя на кровати и оглядываясь по сторонам, она думала о том, что за время ее отсутствия в доме ничто не изменилось. Ее маленький мир остался таким же, каким был, да и дети, похоже, перенесли ее отсутствие спокойно, и это заставило Глэдис испустить вздох облегчения. Поездка в Лондон уже казалась ей плодом собственной фантазии.

Но когда вернулся с работы Дуг, Лондон снова стал реальностью. Едва только Глэдис увидела лицо мужа, она сразу поняла, что грозы не миновать. Едва поздоровавшись с ней, он уклонился от поцелуя и прошел в ванную комнату. Там он долго мыл руки и переодевался. Наконец Дуг спустился в кухню и, сев за стол, принялся в мрачном молчании поглощать картофельное пюре с фасолью и тушеным мясом. На Глэдис он даже не смотрел.

— Ну, как съездила? — спросил он наконец, когда Глэдис подала кофе со сливками и черничным рулетом, купленным ею по дороге из аэропорта.

— Превосходно, — непринужденно ответила она и, налив кофе себе, стала рассказывать о свадьбе и о том, как она снимала королей, герцогов, премьер-министров и президента США с супругой.

— Ты передала ему от меня привет? — спросил Сэм, лукаво улыбаясь.

— Конечно, дорогой! — Глэдис улыбнулась в ответ. — Я передала ему от тебя привет, и президент сказал: «Передайте и вы привет моему другу Сэму».

При этих ее словах дети громко расхохотались. Только Дуг продолжал сидеть мрачнее тучи и молчать.

Его прорвало, когда они наконец поднялись в спальню.

— Ты, похоже, ужасно собой гордишься, — неприязненно сказал Дуг, убедившись, что Глэдис не обнаруживает ни малейших признаков раскаяния. Дугу было невдомек, что это спокойствие и уверенность в себе — подарок Пола Уорда. Глэдис теперь чувствовала себя другим человеком. Она действительно гордилась тем, что она совершила, однако у Дуга было такое мрачное лицо, что в конце концов Глэдис все же стало немного не по себе.

— Я прекрасно поработала, — сказала она негромко, но в ее голосе не было ни намека на извинение. В эти минуты Глэдис больше всего жалела о том, что не может разделить свой триумф с мужем. — Дети в отличном настроении, — добавила она.

Дети — это было теперь единственное, что их связывало. По крайней мере так казалось Глэдис. Дуг не обнял и не поцеловал ее при встрече. Он был занят собственной недовольной персоной.

— Возможно, — согласился он. — Но только не благодаря тебе. Кстати, тебе не приходило в голову, что в конце концов ты можешь проделать с ними такую же штуку, какую проделал с тобой твой собственный отец? Я, например, думал об этом всю неделю, пока ты шаталась бог знает где. А ты? Ты хоть раз вздрогнула при мысли, что твои дети могут остаться сиротами?

— Неделя в Лондоне и полгода в Дананге — это совсем не одно и то же, — отрезала Глэдис. — Перестань делать из мухи слона, Дуг.

— Как известно, дети могут быть сиротами и при живой матери, — возразил он. — Кроме того, я не исключаю, что рано или поздно дело может обернуться самой настоящей трагедией. Куда ты отправишься теперь? В Пакистан? В Индонезию? На Балканы?

— Никуда. Пока никуда, — спокойно ответила Глэдис. — Можешь не волноваться — дети не пострадают. Я знаю, что делаю.

— В самом деле? — спросил Дуг, не скрывая язвительной иронии. — Может, в таком случае ты поделишься со мной своими планами?

— Я уже говорила тебе все это тысячу раз! Я собираюсь время от времени выполнять небольшие задания, не требующие длительного отсутствия и... не сопряженные с особенной опасностью. — Глэдис слегка запнулась, вспомнив вторую часть своей лондонской эпопеи. Пожалуй, хорошо, что Дуг о ней ничего не знает. Но, что ни говори, она обманывала Дуга.

— Так-так... — Дуглас покачал головой. — Значит, ты не хочешь заниматься как следует ни домом, ни работой. Стало быть, все дело в твоем непомерном тщеславии, которое ты стремишься утолить любыми способами!.. Ах, ах, как же моя фамилия не появится в журналах!

Он сказал это так, словно она была стриптизершей в ближайшем ночном клубе и мечтала попасть на страницы желтой прессы. Глэдис покраснела от возмущения.

— Послушай, Дуг, ты не понимаешь... При чем тут тщеславие? Мне нравится фотожурналистика, но это не мешает мне любить тебя и детей. Эти две вещи вовсе не исключают друг друга, скорее — наоборот...

— В твоем случае — исключают! — перебил Дуглас. Он сказал это почти с угрозой, и Глэдис неожиданно рассердилась. Перелет из Лондона утомил ее, время приближалось к двум часам ночи, и ей ужасно хотелось спать. И все же она решила выяснить отношения до конца.

— Что это значит? — спросила она ледяным тоном. — Что ты хочешь сказать?

— Ты прекрасно знаешь — что. Я предупреждал тебя перед отъездом, но если ты забыла — могу повторить: в День Благодарения все нормальные семьи собираются вместе за столом, но ты предпочла бросить нас и уехать, потому что тебе так захотелось!

— Я вовсе не «бросила» вас, как ты выражаешься. Во-первых, я заранее приготовила вам праздничный ужин, а во-вторых... Во-вторых, ничего страшного не произошло, ведь так? Кроме того, я не понимаю, почему у меня не может быть своих дел? Помнишь, летом ты не мог приезжать в Харвич по выходным, потому что ты работал? Вот и я работала, кстати, впервые за семнадцать лет. И не моя вина, что мне пришлось пропустить один День Благодарения. Дети, по-моему, прекрасно это пережили, и я не понимаю, почему ты делаешь из этого трагедию!

— Потому что я не могу спокойно смотреть, как ты разрушаешь нашу семью, — упрямо твердил Дуг. — Ты права — мне действительно приходится много работать, поэтому, когда я дома, ты должна быть со мной, со своей семьей, а не бог весть где!

— Если ты думаешь, что твои интересы мне безразличны, это не так. Я не понимаю только, с чего ты решил, будто только твои интересы и твои желания имеют значение? Почему весь мир должен вращаться исключительно вокруг тебя? Почему все мы должны делать только то, что ты хочешь и что ты скажешь? — Тут Глэдис подумала, что именно в этом и заключается суть происшедших с ними перемен. Она осознала себя личностью, обладающей собственной волей, собственными желаниями и интересами, а Дуглас никак не хотел этого признавать. — Неужели ты не замечаешь очевидного? — спросила она. — Меня не было целую неделю, но никто из детей не умер, не заболел и не превратился в малолетнего преступника! И даже если вам пришлось немного поскучать, то почему бы и нет? Ведь эта поездка пошла мне на пользу — неужели ты не видишь этого, Дуг?!

Она все еще пыталась докричаться до него, но все было напрасно.

— Я вижу только, что ты собираешься продолжать в том же духе. И меня это не устраивает, — сказал он хмуро. — Или ты будешь вести себя как все нормальные жены и матери, или...

В его голосе снова прозвучала угроза. Дуглас хотел держать ее, как прежде, на коротком поводке, но Глэдис не собиралась позволять ему и дальше командовать собой. Не слепое подчинение, а любовь — вот что было ей нужно, но Дуг никак не хотел ей этого дать. Или просто не мог.

— Очень жаль, что ты придаешь этому такое большое значение, — сказала она, пожимая плечами. — На твоем месте я бы оставила все как есть и посмотрела, что из этого выйдет.

В эту ночь они ни о чем больше не разговаривали.

Когда Глэдис приняла душ и вернулась в спальню, Дуг уже спал, и она быстро легла рядом.

Но ей не спалось. Ворочаясь с боку на бок, Глэдис думала о Поле. Ей хотелось позвонить ему, но это было, разумеется, невозможно, и она стала представлять себе, как он плывет по Средиземному морю и, стоя на мостике, вглядывается в даль. Уже засыпая, Глэдис на мгновение представила рядом с ним себя. Мечта, несбыточная мечта. В ее жизни Пол скорее всего навсегда останется далеким голосом в телефонной трубке.

Потом все пошло по накатанной колее. Глэдис была так занята, что почти не разговаривала с Дугом. Он, впрочем, и сам не особенно к этому стремился. В воскресенье Глэдис повезла Сэма на футбол. На стадионе она немного поболтала с Мэйбл, потом отвезла Сэма домой и, сложив в кофр отснятые в Лондоне пленки, отправилась к Раулю. Они вместе пообедали. Рауль был в восторге. Он назвал репортаж о детской проституции «настоящей бомбой» и пообещал, что займется им в первую очередь.

На обратном пути Глэдис остановилась на бензозаправочной станции. Номер спутникового телефона Пола она знала наизусть, а в кармане ее куртки позвякивала целая пригоршня четвертаков.

На «Морской звезде» трубку взял главный стюард. Глэдис узнала его по английскому акценту. Поздоровавшись, она попросила позвать Пола.

Пол подошел почти мгновенно. Судя по голосу, он был очень рад ее звонку.

— Привет, Глэдис, как дела? — спросил он жизнерадостно. — Ты где?

Глэдис огляделась по сторонам и засмеялась.

— В будке телефона-автомата — на бензозаправочной станции в десяти милях от Нью-Йорка, — сказала она. — Я отвозила моему агенту пленки и вот решила позвонить. У нас идет снег, — добавила она, увидев, что в воздухе закружились крупные белые хлопья.

— Как там мой друг Сэм?

— Неплохо. По-моему, дети вообще не заметили, что я куда-то уезжала, — ответила Глэдис и замолчала. Когда ее отец отправлялся на съемки, она всегда отчаянно скучала. Впрочем, Глэдис оставалась с матерью одна, в то время как каждый из ее детей мог рассчитывать на компанию братьев и сестер. Кроме того, ее дети выросли в нормальной, спокойной обстановке, которую Глэдис создавала для них на протяжении всех четырнадцати лет.

— А... а все остальное как? — после недолгого колебания поинтересовался Пол, и Глэдис вздохнула.

— Без изменений. Дуг со мной почти не разговаривает. Когда я вернулась, он сказал, что я — эгоистка, которая совсем не думает о детях и разрушает семью своим неслыханным поведением. В общем, старая песня...

— Понятно. — Пол еще немного помолчал. — Надеюсь, фотографии удались?

— Я их еще не видела, — объяснила Глэдис. — Крупные журналы и агентства сами проявляют пленки, сами ретушируют и печатают фотографии. Я увижу их только тогда, когда все будет готово.

— А когда, как ты думаешь, их опубликуют?

— Фотографии со свадьбы должны появиться через несколько дней. Что касается репортажа о детской проституции, то Рауль собирается продать их международному синдикату прессы. Это займет несколько больше времени, но зато мой репортаж появится не только в американских, но и в европейских газетах. — Она переступила с ноги на ногу и поплотнее закрыла дверцу кабины, в которую немилосердно дуло. — А ты как?

— У меня все отлично. Никак не мог дождаться твоего звонка и уже начал волноваться... — Пол действительно воображал себе счастливое примирение между ней и мужем и был теперь очень удивлен, обнаружив, насколько сильно, оказывается, его это затронуло.

— У меня было очень много дел, — уклончиво ответила Глэдис. Оба прекрасно понимали, что им больше не удастся перезваниваться по несколько раз на дню. — Вчера я крутилась как белка в колесе — разбирала детские вещи и приводила в порядок дом. Сегодня с утра возила Сэма на футбол, а вечером мы с детьми собираемся в кино.

— Понятно... — протянул Пол. Он сразу догадался, что бо́льшую часть этих «важных» дел Глэдис придумала себе сама, чтобы укрыться от враждебного молчания Дугласа.

— Ты сейчас где? — поинтересовалась Глэдис, которой хотелось переменить тему. — Наверное, уже в Венеции?

— Нет. Я решил по дороге завернуть на Корсику, чтобы пополнить запас продуктов. Мы, конечно, не голодаем, просто пора менять турецкую кухню на итальянскую. В Венецию отправляемся завтра.

— Хотелось бы мне быть с тобой, — проговорила Глэдис и, спохватившись, что сказала лишнее, поспешила уточнить: — Уж больно здесь холодно...

Она действительно продрогла. Руки ее едва не примерзали к трубке, однако Глэдис почти не замечала этого — настолько приятно ей было разговаривать с Полом.

— Послушай, ты не простудишься? — заволновался Пол, хотя он прекрасно понял, что имела в виду Глэдис. И ему тоже хотелось, чтобы она была рядом. Тогда они могли бы без помех говорить друг с другом, сидеть на палубе или стоять на мостике, пить настоящий турецкий кофе, играть в кости и слушать музыку. О чем-то подобном оба мечтали довольно часто, но всегда втайне друг от друга, ибо были у этих фантазий границы, за которые ни Глэдис, ни Пол пока не осмеливались заходить даже в мыслях. — Я тоже хотел бы, чтобы ты была здесь, — вдруг произнес Пол неожиданно охрипшим голосом.

На этот раз пришел черед Глэдис притвориться, будто то, что она услышала, — совершенно в порядке вещей и в этом нет ничего особенного.

— Почему у тебя такой голос? — спросила она наконец. — Ты опять плохо спишь?

Этот вопрос она задавала ему довольно часто. С тех пор как погибла Селина, Пол спал очень мало и плохо. Бывало, он часами лежал без сна, и справиться с «комплексом выжившего» ему не помогали ни лекарства, ни работа, ни алкоголь.

— Да нет, я сплю нормально... Более или менее.

— Снова кошмары, Пол?

— Вроде того.

— Попробуй выпивать на ночь стакан теплого молока с медом.

— Вряд ли мне это поможет. Я бы предпочел барбамил, но он, к несчастью, весь вышел...

— Вот как? — Глэдис насторожилась. Ей-то казалось, что в последнее время Пол чувствует себя лучше, а он, оказывается, просто сидел на таблетках. — Знаешь, по-моему, тебе не стоит злоупотреблять снотворным, — сказала она решительно. — Попробуй теплое молоко, как я тебе сказала, и горячую ванну с травами...

— Слушаюсь, мэм, — отозвался он шутливо и тут же спохватился: — Глэдис, а тебе точно не холодно? Это я могу разговаривать с тобой сколько угодно, потому что у нас сейчас плюс двадцать по Цельсию, а ты в этой будке можешь легко превратиться в сосульку. Что я тогда буду делать?

— Сосульку положено сосать, — отозвалась Глэдис. Его голос звучал так тепло и так... сексуально, что она совершенно забылась.

— Я обожал делать это, когда был мальчишкой, —

рассмеялся Пол. — И все-таки, Глэдис, мерзнуть не стоит. Ты обещала беречь себя.

— Сто́ит, — решительно сказала она. Гораздо больше, чем холодный ветер, забиравшийся под куртку и под свитер, ее беспокоило то, что ей приходится скрывать эти звонки от Дугласа. Она не делает ничего недостойного, так почему же она должна прятаться? И все же ради того, чтобы поговорить с Полом, она готова была пойти и на это.

— Кстати, о сосульках и прочих погодных явлениях, — сказала она. — Через месяц будет Рождество, а я даже не начинала к нему готовиться. Как ты собираешься его встречать?

Тут Глэдис прикусила язык и мысленно обругала себя дурой. Ей следовало помнить, что в этом году Рождество будет для Пола настоящей мукой.

— Пока не решил, — ответил Пол совершенно спокойно. — А ты? Наверное, вместе с детьми? Кстати, Сэм все еще верит в Санта-Клауса?

— Не особенно, но на всякий случай он старается этого не показывать, чтобы ненароком не остаться без подарков.

Они оба рассмеялись, а в следующую минуту в трубке раздался голос телефонистки, которая предупредила Глэдис, что если она не произведет доплату, то через минуту их прервут.

— Извини, Пол, у меня больше не осталось четвертаков, — заторопилась Глэдис. — Когда мне можно позвонить тебе в следующий раз?

— Когда хочешь. А я постараюсь позвонить тебе в понедельник, — сказал он. — И еще, Глэдис...

Глэдис показалось, что он хотел сказать ей что-то очень важное, и сердце у нее на мгновение замерло. Обычно она инстинктивно отшатывалась от всего, что выходило за рамки дружеской беседы, но сегодня Глэдис отчего-то чувствовала себя особенно храброй.

— Что? — затаив дыхание, спросила она.

— Не вешай нос — вот что, — сказал он ласково, и Глэдис улыбнулась, хотя глубоко внутри она чувствовала себя разочарованной. И на этот раз они не решились перешагнуть заветную черту, предпочтя синицу в руках журавлю в небе.

Глэдис вздохнула. Она — замужняя женщина, мать четырех детей — тайком звонила через океан совершенно постороннему мужчине просто для того, чтобы узнать, как ему спится по ночам, и все потому, что собственному мужу было на нее совершенно наплевать. Иногда она чувствовала себя вдовой, но иногда — как, например, сейчас — ей казалось, что у нее два мужа. Впрочем, ни с одним из них у нее не было отношений, которые можно было бы назвать нормальными.

— Ладно, Пол, до свидания, — сказала она, и вместе со словами изо рта ее вырвалось облачко пара.

— До свидания, Глэдис. И спасибо, что позвонила.

На несколько мгновений и Глэдис, и Пол неподвижно замерли в разных точках земного шара. Их разделяли огромные пространства, но они думали друг о друге. Пол мысленно умолял Глэдис не останавливаться на полдороге и двигаться дальше, а она ужасалась тому, как далеко зашла! Когда же они наконец опомнились, оба чувствовали себя одинаково растерянными и счастливыми.

Глэдис вернулась домой в Уэстпорт. Дети уже ждали ее, споря между собой о том, какой фильм они пойдут смотреть. Дуг работал с какими-то бумагами и даже не спросил Глэдис, где она была столько времени.

Садясь рядом с ним за стол, чтобы наскоро перекусить перед походом в кино, Глэдис почувствовала себя виноватой. Она снова и снова спрашивала себя, как бы ей понравилось, если бы Дуг звонил каким-то женщинам из платных телефонов-автоматов.

В кино Дуг отправился вместе с ними, хотя с Глэдис он по-прежнему почти не разговаривал. В многозальном кинотеатре, где демонстрировалось девять разных фильмов одновременно, он с мальчиками выбрал умеренно жесткий боевик, а Глэдис с девочками решили посмотреть последний фильм с участием Джули Робертс. Домой они возвращались в хорошем настроении, и Глэдис подумала, что уик-энд прошел вполне сносно, хотя напряженность в отношениях между ней и Дугом нисколько не ослабела. И ей оставалось только молиться, чтобы не было хуже, иначе каждые выходные превратились бы для нее в ад.

Тут Глэдис украдкой вздохнула. Считать удачными дни, когда муж не орет на тебя, не обзывает самовлюбленной эгоисткой и не грозится уйти, ей было не по душе, но такова уж была ее теперешняя жизнь. И единственной отдушиной, единственным глотком свежего воздуха в этом унылом и безысходном существовании были для нее звонки Пола, которых она ждала, сгорая от нетерпения.

Пол, как и обещал, позвонил в понедельник, когда дети были в школе, а Дуг — на работе. Глэдис подробно рассказала ему сначала об их вчерашнем походе в кино, а потом — об утреннем звонке Рауля. Агент специально позвонил ей, чтобы сказать, что фотографии со свадьбы королевских особ получились превосходно и самые роскошные журналы уже осаждают его с выгоднейшими предложениями. Потом она опять спросила, как ему спалось, и Пол ответил, что последовал ее совету насчет горячего молока и впервые за много дней спал довольно сносно.

Они говорили еще о многом. Пол упомянул, что в ближайшие дни должен выйти из печати последний роман Селины. Это была та самая книга, для которой Глэдис делала фотографии. Для Пола это была не самая веселая новость — он снова начал думать о Селине так, словно она была жива, и порой его рука сама тянулась к спутниковому телефону, чтобы набрать знакомый номер, который, увы, молчал уже больше четырех месяцев.

Выслушав Пола, Глэдис, как могла, утешила его и подумала: «Как странно: Пол и дети — вот вокруг чего вращается теперь моя жизнь».

Впрочем, с Дугом она старалась обращаться как можно мягче. Он так и не простил ей ее поездки в Лондон. Между ними выросла стена — незримая, но вполне осязаемая, — в которую каждый день ложился новый камень. И хотя Глэдис и Дуг по-прежнему спали в одной постели, они уже давно были не мужем и женой, а чем-то вроде соседей по комнате, причем каждый с трудом мирился с присутствием другого.

Несмотря на это, Глэдис все еще надеялась спасти их брак. Если бы Дуг потребовал от нее каких-то уступок, она с радостью пошла бы ему навстречу — разумеется, при условии, что его требования не превысили бы пределов разумного.

Впрочем, ее взгляды на то, что разумно, а что нет, существенно изменились. Например, она не собиралась впредь отказываться от всех заданий подряд, однако в глубине души она надеялась, что Рауль не потревожит ее до января. Это, по крайней мере, обеспечило бы ей и детям более или менее приличные рождественские праздники.

Но ее надеждам не суждено было сбыться. Однажды вечером, когда до Рождества оставалось чуть больше полутора недель, Дуг ворвался в дом словно ураган.

— Поднимись-ка в спальню! — бросил он ей и почти бегом бросился вверх по лестнице. Глэдис, недоумевая, пошла за ним. Она понятия не имела, что могло привести мужа в такую ярость.

В спальне Дуг открыл свой кейс и, выхватив оттуда какой-то журнал, бросил его на пол перед Глэдис.

— Ты солгала мне! — в ярости выкрикнул он, но Глэдис по-прежнему ничего не понимала. В первую минуту ей показалось, что Дуг каким-то образом узнал об их разговорах с Полом.

— Ты сказала, что едешь в Лондон, чтобы фотографировать королевскую свадьбу! — продолжал тем временем Дуг, жестом обвинителя указывая на журнал, распластавшийся по полу, словно раненая птица.

— Но я действительно снимала в Лондоне свадьбу, — ответила Глэдис, невольно вздрогнув от страха: Дугласа буквально трясло от бешенства. — Ведь я же показывала тебе снимки!

Ее репортаж появился в журналах неделю назад, но Дуг отказался смотреть фотографии, которые Глэдис с гордостью демонстрировала ему и детям.

— А это тогда что такое? — взревел он, наклоняясь и хватая журнал. Он сделал это так резко, что Глэдис отпрянула. Ей показалось, что сейчас Дуг ударит ее журналом по лицу.

В следующую секунду она наконец поняла, в чем дело. Должно быть, «выстрелил» ее второй репортаж.

— Дай... — Глэдис протянула руку и, взяв журнал, стала его просматривать. — Да, пока я была в Лондоне, я действительно сделала еще один репортаж, — сказала она спокойно, но руки у нее дрожали. Фотографии появились в прессе раньше, чем она ожидала. Глэдис рассчитывала, что они будут опубликованы только в январе, и собиралась как-нибудь подготовить Дугласа, но подходящего момента так и не представилось. И вот теперь Дуг был вне себя.

— Это же черт знает что! — рявкнул он. — Ты что, не могла выбрать тему поприличнее? Худшей грязи я в жизни не видел! Самая настоящая порнография! Ты не только снимала этих маленьких шлюх, но и не постыдилась поставить под фотографиями свою фамилию... нашу фамилию! Это просто отвратительно, Глэдис! Я от тебя такого не ожидал.

— Это не отвратительно, Дуг. Это было просто... ужасно. Неужели ты не видишь, что это никакая не порнография, а рассказ о несчастных детях, которых заставили заниматься проституцией и с которыми обращались просто бесчеловечно? Я понимаю, что ты возмущен, но ведь я именно этого и добивалась. Мне хотелось, чтобы люди, увидев эти снимки, ощутили гнев. В этом смысл моей работы.

В самом деле, реакция Дугласа свидетельствовала о том, что Глэдис превосходно справилась со своей задачей, только он возмущался не тем, что негодяи торгуют детьми, а почему-то ею.

— По-моему, — презрительно бросил Дуг, — ты просто спятила. Чтобы снимать такое, нужно быть... извращенцем. И если на меня тебе наплевать, то как же дети? Что они подумают, когда узнают, что ты делаешь такие репортажи? Они со стыда сгорят, что у них такая мать!

В ответ Глэдис только недоуменно пожала плечами. Подобной ограниченности, узости взглядов, обыкновенного ханжества, наконец, она от Дуга не ожидала.

— Надеюсь, что нет, — сказала она негромко. — В отличие от тебя они поймут, что я хотела помочь этим несчастным детям и сделать все, чтобы подобное не могло повториться в будущем. Это и есть настоящая работа — это, а не свадьбы и выставки кошек и собак.

— Ты просто больная, Глэдис. Меня от тебя тошнит, — заявил Дуг.

— А меня начинает тошнить от нашего брака, — холодно заявила Глэдис. — Я не понимаю, почему ты так странно реагируешь.

— Все очень просто. Ты обманула меня! — запальчиво воскликнул он. — Ты прекрасно знала, то я никогда не позволил бы тебе заниматься подобной мерзостью, — вот почему ты сказала мне только о свадьбе. Хороша свадьба... кошки со свиньей!

— Дуг, ради всего святого, прозрей же наконец! Мир полон грязи, ужасов, трагедий. Если мы будем только отворачиваться, то уже завтра любые мерзавцы могут причинить вред мне, тебе, нашим детям. Неужели ты этого не понимаешь?

— Я понимаю только одно: ты солгала мне, чтобы фотографировать отвратительных стариков и развращенных малолетних шлюх, которые даже не потрудились прикрыться, когда ты их снимала. Что ж, если это тебе так нравится, пожалуйста... Можешь фотографировать оргии, можешь сама в них участвовать, только не рассчитывай, что я это буду терпеть. С меня достаточно, Глэдис! Такая жена мне не нужна!

Глэдис трудно было поверить в то, что́ он только что сказал. Дуг не похвалил ее, не сказал, что гордится ее талантом, он даже не понял, чего она хотела добиться. Но если Дуг пришел в такую ярость, значит, ее фотографии действительно обладали способностью воздействовать на людей.

— Ну что ж, — произнесла она. — Я надеялась, что со временем ты успокоишься и, может быть, даже «простишь» мне, что я осмелилась мечтать о чем-то еще, кроме ежедневной готовки и уборки. Но сейчас мне кажется, что конца этому не будет. Тебя, видно, очень задевает то, что я — такой же человек, как ты.

Дуг раздраженно пожал плечами.

— В последнее время ты стала сама на себя не похожа, Глэдис. Ты — не та женщина, на которой я женился!

— Я та же самая, Дуг. Вернее, я снова стала собой... На протяжении семнадцати лет я старалась измениться, старалась быть такой, какой ты хотел меня видеть, но теперь я больше не могу. Сложись все немного иначе, и я, наверное, смогла бы и иметь семью, и работать. Тогда между нами не было бы никаких обид, никаких недоразумений, но ты сам помешал этому! Ты хотел только одного — убить во мне фотографа и журналистку, превратить меня в гибрид бэби-

ситтера и пылесоса. А меня это не устраивает, Дуг. Извини.

— Но ты — моя жена, и это накладывает на тебя определенные обязанности! — воскликнул Дуг. — Ты должна...

— Я ничего тебе не должна. Во всяком случае, не больше, чем ты мне, — перебила его Глэдис. После всего, что он ей наговорил, она действительно не чувствовала себя связанной какими-либо обязательствами. — По-моему, нормальный брак — это когда супруги вместе воспитывают детей и стараются сделать друг друга счастливыми. У нас, к сожалению, ничего не вышло. Я знаю: ты много работаешь, чтобы обеспечить нас материально, но почему ты вообразил, будто можешь решать за меня, что мне нужно, а что — нет? У меня могут быть свои желания! Или я не права?

— Ну, с меня хватит! — вспыхнул Дуг. Он не особенно прислушивался к тому, что она говорила. С его точки зрения, Глэдис просто сошла с ума. — Не желаю больше слушать эту чушь! Я ухожу!

С этими словами Дуг ринулся в кладовку, достал оттуда небольшой чемодан и, швырнув его на кровать, принялся собирать вещи. Он просто запускал руки в ящики и не глядя бросал в чемодан рубашки, галстуки, носки и нижнее белье.

— Ты... хочешь со мной развестись? — спросила Глэдис, с тревогой наблюдавшая за мужем. Канун Рождества был для этого не самым подходящим временем. Впрочем, какое время могло быть подходящим?

— Не знаю, — не глядя на нее, ответил Дуг и захлопнул чемодан. — Я буду жить в Нью-Йорке, в каком-нибудь отеле — там, по крайней мере, мне не придется каждый день выяснять с тобой отношения и выслушивать, как я погубил твою карьеру. Хотел бы я знать, зачем ты вообще выходила за меня замуж?

Услышав эти слова, Глэдис вздрогнула как от удара хлыстом. Она посвятила ему семнадцать лет жизни, а теперь он спрашивал, зачем она стала его женой. Она вдруг почувствовала дурноту и головокружение. Этот человек желал только одного — сделать ее своей бессловесной тенью.

Она слышала, как Дуг шел вниз по лестнице, потом гулко хлопнула входная дверь. Выглянув в окно, Глэдис увидела красные огни его машины, в последний раз мелькнувшие в конце улицы. Глэдис несколько раз моргнула и поняла, что плачет. Крупные слезы катились по щекам, повисали на подбородке и слегка пощипывали кожу, и Глэдис смахнула их рукой. Отойдя от окна, она подобрала с пола журнал и тяжело опустилась в кресло. Машинально перелистывая страницы, она снова убедилась в том, что великолепно справилась с заданием. Пожалуй, это была одна из лучших ее работ. Материал был очень жестким. И, переворачивая страницу за страницей и вглядываясь в измученные лица, Глэдис думала только о том, что сумела сделать этот репортаж так, как надо. Эти дети спасены, а может быть, не только эти.

Всю ночь она ворочалась с боку на бок, думая о Дугласе. Он даже не позвонил ей и не сообщил, в каком отеле остановился, и для Глэдис это было еще одним доказательством того, что разделявшая их стена стала еще выше и непреодолимее.

В три часа ночи Глэдис встала, чтобы попить воды. Взгляд ее упал на часы — в Венеции должно быть девять утра. Рука ее сама потянулась к телефону и, не отдавая себе отчета в том, зачем она это делает, Глэдис набрала номер Пола. К счастью, он сам взял трубку. Услышав его живой, бодрый баритон, Глэдис с облегчением вздохнула.

— Это ты, Пол?

— Да, конечно. — Он рассмеялся, но сразу же оборвал свой смех. — Как дела, Глэдис? Что-нибудь случилось? — спросил он с тревогой, сообразив, что в это время Глэдис должна спокойно спать рядом с мужем.

— Да нет, ничего особенного, — сказала Глэдис и заплакала. Она вовсе не хотела жаловаться ему на Дуга, но с кем же ей еще поговорить? Сейчас она как никогда нуждалась в надежном плече, к которому можно было бы припасть и выплакаться всласть. Даже Мэйбл вряд ли для этого годилась, к тому же в этот час она скорее всего спала.

— Дуг нас бросил, — добавила она, подавив рыдание. — Теперь он будет жить в отеле...

— Что произошло?

— Опубликовали мой лондонский репортаж, — пояснила Глэдис. — Я думаю, это одна из лучших моих вещей, но... Дуг сказал, что это отвратительно. Он считает, что я — извращенка и что это не репортаж, а порнография. И еще он разозлился из-за того, что я не сказала ему об этом задании. Я действительно не говорила ему, но... — Она вздохнула. — Если бы Дуг знал, он лег бы на пороге, но никуда бы меня не отпустил. И все-таки материал получился по-настоящему сенсационным, и это — самое главное!

— Я сейчас же сойду на берег и куплю журнал с твоим репортажем, — пообещал Пол. — Мне очень хочется его увидеть... — Он немного помолчал, потом спросил совсем другим голосом: — И что ты собираешься делать?

— Не знаю... — Глэдис беспомощно пожала плечами. — Наверное, ждать. Одному богу известно, что Дуг будет делать дальше. Я даже ничего не могу сказать детям — не хочется их расстраивать. Может быть, Дуг еще вернется... Ну а если нет, то они все равно узнают. — Глэдис снова начала плакать. — Ну почему, — всхлипывала она, — почему он так с нами поступил? И почему именно сейчас? Ведь до Рождества осталось всего десять дней, Дуг испортил детям весь праздник!

— Почему?! Да потому, что он обыкновенный сукин сын! — сказал Пол. — Он изводил и мучил тебя все эти пять месяцев, то есть с того самого дня, как мы с тобой познакомились. Я не знаю, как вы жили раньше, но готов побиться об заклад, что ваш брак продержался столько времени только потому, что ты постоянно шла на уступки. Судя по тому, что ты мне рассказывала, в последнее время он вел себя как обыкновенный кусок дерьма. Он шантажировал тебя твоими же собственными детьми, он обвинял тебя в эгоизме и бог знает в чем еще... А это его нелепое требование отказаться от нормальной, человеческой жизни, на которую у тебя есть все права, и посвятить всю себя «заботам о детях и муже»? Одного этого вполне достаточно, чтобы ты ушла от него сама. Жаль, что ты этого не сделала, Глэдис,— быть может, это немного бы его отрезвило!..

— Ты... ты считаешь? — робко спросила Глэдис. Пол был в такой ярости, что она даже слегка растерялась.

— Да, я так считаю, — отрезал Пол. — Хотя... хотя на самом деле он не пара тебе! Ты — замечательная мать, и я уверен, что ты была этому самодовольному эгоисту примерной женой. А он... Он тебя просто недостоин!

Его голос грохотал в трубке словно горный обвал, и Глэдис в испуге поежилась, хотя гневные тирады Пола имели к ней косвенное отношение.

— Да-да, Глэдис, недостоин! — повторил Пол. — Признаться откровенно, я устал слушать рассказы о том, как Дуг с тобой обращается! У него нет никакого права третировать тебя! То, что Дуглас ушел, — это, наверное, единственный его нормальный поступок. Быть может, со временем ты тоже это поймешь!

Но Глэдис пока не могла рассуждать так же реалистично и здраво, как он. Поступок Дуга поверг ее в шок. Его лицо, когда он в бешенстве выбежал из спальни, все еще стояло у нее перед глазами.

— Выслушай меня внимательно, — продолжал тем

временем Пол. — С тобой все будет в порядке, можешь не беспокоиться. Дуглас ушел, но у тебя осталась твоя работа и дети. Дугласу придется поддерживать их, так что нуждаться ты не будешь. Тебе должны заплатить за твои репортажи. Это довольно значительная сумма, к тому же я уверен, что это не последняя твоя работа. Все обойдется, Глэдис. У тебя есть дети, а у них — ты...

Все правильно. Но на протяжении почти двух десятков лет она была накрепко связана с Дугом буквально во всех отношениях. Теперь, когда он ушел, Глэдис чувствовала себя так, словно она лишилась руки или ноги. Нет, пережить разрыв будет не так просто, сколько бы она ни натерпелась.

Глэдис была напугана, растеряна и не знала, что делать, но голос Пола уже начал оказывать на нее свое благотворное воздействие, а еще не остывший гнев помогал ей яснее видеть перспективу. И перспектива эта вовсе не была безрадостной и мрачной.

На мгновение Глэдис даже задумалась — вдруг Пол захочет приехать, чтобы быть с ней? Но эта мысль только сверкнула в ее мозгу как метеор и сразу же пропала. Глэдис считала, что не желает этого. Во время частых телефонных разговоров они говорили буквально обо всем, кроме будущего. Оба не решались сделать первый шаг.

— Ты знаешь, где сейчас Дуг? — спросил Пол после того, как Глэдис, выплакавшись, задышала ровнее.

— Понятия не имею. Он мне даже не позвонил

— Позвонит, — уверил ее Пол. — Обязательно позвонит. Кстати, ты не хочешь связаться со своим адвокатом?

— Нет. Пока нет... — В глубине души Глэдис все еще верила, что Дуг одумается и вернется и они сумеют как-нибудь сохранить семью или хотя бы ее видимость.

— Понимаю, — сказал Пол мягко. — Вот что, Глэдис, тебе нужно поспать. Как говорится, утро вечера мудренее.

— У нас уже почти утро, — сказала Глэдис, поглядев за окно. На будильнике было около четырех, но зимнее небо, затянутое снеговыми облаками, казалось совершенно черным.

— Постарайся все-таки уснуть — ты сразу почувствуешь себя лучше. А когда ты встанешь, я тебе позвоню.

— Спасибо, Пол, — от души сказала Глэдис и почувствовала, что глаза ее снова наполнились слезами. Все-таки уход Дуга сильно на нее подействовал.

— Ничего, все будет в порядке, — ответил Пол. Несмотря ни на что, он был уверен, что Глэдис прекрасно со всем справится. Он верил в нее даже больше, чем в себя.

Положив трубку, Глэдис еще долго лежала без сна, думая о Поле, о Дуге и обо всем, что случилось с ней в последнее время. И единственный неутешительный вывод, который она сделала, состоял в том, что отныне она будет совершенно одна.

А Пол на мостике своей яхты молча смотрел на неподвижную воду Венецианского залива и думал о Глэдис. Поведение Дуга возмущало его до глубины души. Он жалел только об одном, что не может высказать этого ему в лицо. «Уходи и не смей больше никогда приближаться к ней!» — вот что хотелось ему сказать Дугласу, но вряд ли у него есть на это право.

Примерно через полчаса он приказал спустить на воду моторку и отправился на берег. Пол разыскал в киоске сразу несколько журналов, которые опубликовали репортаж Глэдис. Он купил их все и, остановившись, стал рассматривать снимки. Они были потрясающие по своему воздействию. При одном взгляде на них в душе поднималась волна гнева. И, разумеется, никакой порнографии. Этот Дуг — просто идиот. Ему следовало гордиться женой, и если он не понимает, значит, он еще глупее, чем казалось Полу.

Именно с этого Пол и начал свой следующий разговор с Глэдис.

— Отличная работа, Глэдис! — сказал он. — Не видеть этого может только полный кретин. Честное слово, я горжусь тем, что знаком с тобой.

— Тебе правда понравилось? — Глэдис не очень ему поверила, но похвала Пола была ей приятна.

— «Понравилось» не то слово — слишком уж у твоего репортажа тяжелая тема. Но действует он как надо, и снимки отличные. У тебя действительно талант, Глэдис. Возможно, что теперь, когда у тебя у самой есть дети, твой взгляд на мир и на его проблемы стал более глубоким и искренним.

— Спасибо... — Глэдис неуверенно рассмеялась. Она стояла в кухне в одной ночной рубашке и, прижимая плечом трубку, варила кофе. Дуг так и не позвонил, и она терялась в догадках, где он остановился. К счастью, была суббота, и дети еще спали. — Скажи честно, тебе и правда понравилось?

— Я еще никогда не видел ничего столь... обжигающе сильного. Твой репортаж должен действовать как пощечина. Эти детские лица... Я сам едва не заплакал, пока смотрел.

— Я тоже, — призналась Глэдис. Она всегда старалась оценивать свои работы по возможности объективно. Ошибки признавала, но и ложной скромности не поддавалась. Как профессионал она видела, что снимки практически безупречны. Тема репортажа отражена в них сильно и выразительно. Правда, Дуг не увидел ничего, кроме голых девочек-подростков. Но, в конце концов, Дуг — это не весь мир.

— Удалось поспать? — заботливо поинтересовался Пол.

— Немного, — ответила она. — Заснула около семи, а в восемь уже проснулась.

На этом разговор окончился. Глэдис налила себе кофе и даже положила сахар, но выпить не успела. Телефон снова зазвонил, и, сняв трубку, Глэдис услышала голос Рауля.

— Если за эти фото ты не получишь Пулитцера, — с ходу заявил он, — мне придется учредить для тебя собственную премию. Это не репортаж, а динамит! Молодчина, Глэдис! Мастерская работа.

— Спасибо, Рауль.

— А что сказал твой муж? — продолжал агент. — Понял он наконец, с кем имеет дело? Он уже сказал тебе, что берет все свои слова назад?

— Дуг ушел от меня.

Последовала долгая пауза, потом Рауль осторожно спросил:

— Ты ведь шутишь, правда?

— Увы, нет. Он ушел от меня после того, как увидел журнал с моим репортажем. Кажется, я тебе уже говорила, что Дуг слов на ветер не бросает. Так вот, вчера вечером он привел свою угрозу в исполнение.

— Вот сукин сын! — воскликнул Рауль. — Он должен тебя на руках носить, а не...

— Очевидно, он считает по-другому.

— Ну, прости, Глэд, я не знал, что так будет. — Рауль никогда не мог понять, почему Дуг столь враждебно относится к работе Глэдис. — Мне действительно очень жаль...

— Как ни странно, мне тоже, — печально ответила Глэдис.

— Может, он еще вернется... Немного остынет и вернется.

— Надеюсь, что так, — сказала Глэдис, хотя на самом деле она уже не знала, хочется ли ей этого. Допустим, Дуг вернется. Быть может, он даже попросит у нее прощения, но потом все начнется сначала. Кроме того, как же тогда Пол. Он не был ее любовником, но Дуг вряд ли способен был в это поверить. А отказываться от дружбы с Полом ради сомнительного удовольствия жить с мужем под одной крышей Глэдис не собиралась. Но сумеют ли они с Полом справиться со своими личными горестями, чтобы обрести друг друга? Право же, это похоже на пустые мечты. Он, во всяком случае, даже ни разу не намекнул, что допускает нечто подобное, хотя бы и в очень отдаленной перспективе. Изредка Глэдис позволяла себе пофантазировать на эту тему. Но она слишком реалистично смотрела на вещи, чтобы с легкостью обменять свой семнадцатилетний брак на мечту о мужчине, который, кажется, до конца жизни собирался прятаться от мира на своей дурацкой яхте. Глэдис очень дорожила разговорами с Полом, но это не мешало ей ясно понимать: подобные отношения можно назвать настоящей, полноценной дружбой лишь с очень большой натяжкой. О том, что Пол, возможно, увлечется ею, Глэдис даже не задумывалась. Она никогда не верила даже в секс по телефону; любовь же по телефону казалась ей верхом абсурда.

Разговор с Раулем чуть было снова не выбил Глэдис из колеи. Когда она вешала трубку, на ресницах ее дрожали слезы, но тут проснулись дети и, сбежав вниз, потребовали завтрак. Привычные заботы отвлекли Глэдис. Она без запинки солгала, что Дуг поехал в Нью-Йорк на срочную встречу с клиентами, и дети — в особенности Джессика — сделали вид, что поверили ей.

Выходные они кое-как прожили, хотя с каждым часом Глэдис все больше и больше волновалась. Дуг так и не позвонил, и в понедельник утром она не выдержала и сама набрала его рабочий номер.

— Как дела, Дуг? — спросила она, услышав в трубке его голос. Ну что ж, по крайней мере, он был жив и здоров и вышел на работу как обычно.

— Если ты хочешь узнать, не передумал ли я, то — нет, — ответил Дуг.

Глэдис вздохнула.

— И как нам теперь быть?

— А я почем знаю? — без тени сочувствия отозвался он.

— Тебе не кажется, что ты поступил непорядочно по отношению к детям? Непорядочно и жестоко. Они так ждали этого Рождества... Может, мы все-таки могли бы на время забыть о нашем... о наших разногласиях и встретить праздники вместе? Наши дела — это наши дела, но дети не должны страдать.

— Хорошо, я подумаю, — проворчал Дуг. — А теперь извини — у меня дела.

Впрочем, перед тем как повесить трубку, Дуг сообщил Глэдис название гостиницы, в которой остановился. Гостиница была не из лучших — Дуг вполне мог позволить себе что-нибудь посолиднее, и Глэдис стало ясно, что он пытается заставить ее почувствовать себя виноватой. Это еще больше разозлило ее, и она не вспоминала о Дуге до среды, когда он позвонил и сказал, что на праздники вернется домой.

«Только на Рождество и только ради детей», — заявил Дуг, и Глэдис поняла, что возвращение блудного отца вряд ли будет мирным.

В последние оставшиеся до Рождества дни она разговаривала с Полом каждый день. Чаще он звонил ей, но несколько раз, когда ей особенно нужна была моральная поддержка, Глэдис звонила ему сама. Но в пятницу вечером, ровно через неделю после своего ухода, вернулся «из командировки» Дуг, и это все усложнило. Пол больше не мог звонить Глэдис, и ей приходилось под разными предлогами выходить из дома и разыскивать платный таксофон, чтобы поговорить с ним хотя бы несколько минут.

В понедельник был канун Рождества, и Глэдис позвонила Полу из будки возле бакалейной лавки, куда она в срочном порядке отправилась за изюмом и кардамоном.

— Нам обоим нелегко, не так ли? — грустно сказал Пол, услышав в трубке ее голос. В последние дни на душе у него было невыносимо тяжело. Даже Венеция с ее каналами перестала его радовать. Целыми днями Пол сидел на палубе и перебирал в памяти дорогие его сердцу дни и часы, которые он провел с Селиной. — Я все никак не могу поверить, что ее нет, — добавил Пол. — Странно, правда?

— Странно, — эхом отозвалась Глэдис.

Она никак не могла взять в толк, почему люди так часто поступают наперекор здравому смыслу, своими руками превращая собственную жизнь в кошмар. К Полу это не относилось — он был нисколько не виноват в том, что Селина погибла, но вот все ли она сама сделала, чтобы спасти семью?

— Какие у тебя планы на... выходные? — спросила она. Назвать предстоящую рождественскую неделю праздниками у нее просто не повернулся язык. Ей ужасно хотелось сделать что-нибудь для Пола. Накануне вечером Глэдис написала Полу небольшое веселое стихотворение. Утром она отправила его по факсу, и Пол сказал, что оно ему очень понравилось, но Глэдис понимала, что никакие стихи здесь не помогут.

— Ты не хочешь сходить в церковь?

Венеция была для этого самым подходящим местом. Величавое убранство и тишина итальянских соборов должны были хоть немного успокоить его взвинченные нервы. Впрочем, Глэдис приходилось слышать и такое мнение, будто католические соборы подавляют человека, заставляя его чувствовать себя ничтожнейшей из земных тварей.

— Я бы сходил, но есть одна проблема... — невесело ответил Пол. — Я не верю в бога, а бог не верит в меня, так что обращаться к нему, наверное, нет никакого смысла.

— Я же не предлагаю тебе молиться, — возразила Глэдис. — Считай это... экскурсией, которая тебя развлечет.

— Скорее разозлит, — упорствовал Пол. Он явно

считал, что если бы бог существовал, он бы ни за что не допустил гибели Селины. Поняв это, Глэдис надолго замолчала. Она не знала, что еще сказать, а спорить с ним о религии ей не хотелось. К счастью, Пол первым нарушил молчание:

— А ты сама собираешься в церковь?

— Вообще-то да, — призналась Глэдис. — Мы давно обещали детям сводить их на вечернее богослужение, но Сэм был слишком мал.

Она надеялась, что упоминание о Сэме заставит Пола подумать о другом, но он, похоже, даже не услышал ее.

— Знаешь, — сказал Пол неожиданно, — мне ее очень не хватает. И я просто не в силах это выносить. Иногда мне хочется закричать. Или вырвать себе сердце, чтобы оно не болело так сильно.

— Если ты не можешь не вспоминать Селину, — сказала Глэдис, пуская в ход самое действенное свое оружие, — то подумай о том, что бы она сказала, если бы видела тебя сейчас! «Возьми себя в руки, Пол! Нельзя горевать вечно!» — вот что она сказала бы. Селина так любила жизнь! И ты должен жить, Пол, жить ради ее памяти!

Рано или поздно Пол придет в себя — все-таки он был сильным человеком, — но сейчас ему было очень плохо, а она чувствовала себя совершенно беспомощной. Если бы он был рядом, она могла бы просто подойти к нему, положить руку на плечо или погладить по волосам, но Пол был в Венеции. С тем же успехом он мог находиться и на обратной стороне Луны.

— У Селины всегда было гораздо больше мужества, чем у меня, — сказал Пол.

— Ничего подобного, — с горячностью перебила Глэдис. — У тебя тоже достаточно мужества и стойкости. И я не сомневаюсь, что ты сумеешь выдержать все это. Надо только почаще напоминать себе, что все когда-нибудь кончается и в конце тоннеля непременно будет свет!

— А ты? Какой свет ждет тебя в конце твоего тоннеля? — глухо спросил Пол, и Глэдис почувствовала, как по телу пробежала дрожь, хотя в бакалейном магазинчике, откуда она звонила, было довольно тепло.

— Пока не знаю, — честно призналась Глэдис. — Ведь я еще только в самом начале пути. Но я верю, путь этот мой, иначе не стоило все это затевать.

— Да, — произнес Пол печально. — Ты начала раньше и движешься быстрее, чем я. Впрочем, у нас с тобой несколько разные ситуации...

И снова он погрузился в мысли о Селине, не сказав тех слов, которых Глэдис от него ждала. Он не попросил ее быть с ним, не предложил приехать, чтобы поддержать ее... Пол не мог думать ни о ком другом, кроме своей погибшей жены, но Глэдис от этого было не легче.

Пол словно подслушал ее мысли.

— Знаешь, Глэдис, — внезапно заявил он, — я мог бы сказать, что хочу быть с тобой. Но... мне это просто не по силам. Я никогда не стану светом в конце твоего тоннеля. Я не верю даже в самого себя, где уж мне быть опорой и защитой для кого-то!..

«В особенности для женщины, которая на четырнадцать лет моложе и у которой еще многое впереди», — хотелось добавить ему, но он промолчал. Как бы сильно его ни влекло к ней и как бы сильно они ни нуждались друг в друге, Пол считал, что в итоге он ничего не сможет дать Глэдис. Он может только брать, а значит, их отношения, какую бы форму они ни приняли, изначально обречены.

Это пришло ему в голову только сегодня утром, когда, стоя на мостике «Морской звезды», он смотрел, как просыпается площадь перед собором Святого Марка.

— У меня ничего не осталось, Глэдис, — добавил Пол негромко. — Я все отдал Селине.

— Я понимаю, — сказала Глэдис. — Честное слово — понимаю, Пол. Не беспокойся — я ничего от тебя не требую и не жду. Мы можем, как прежде, оставаться добрыми друзьями и помогать друг другу в трудную минуту, пока... пока мы оба не придем в себя.

Ну что ж, Пол высказался вполне определенно. Для Глэдис это было жестоким и внезапным возвращением из мира грез и фантазий к реальности, однако боль, которую она при этом испытала, сразу отрезвила ее. Да, от Пола она таких слов не ожидала, но он, по крайней мере, поступил честно. И Глэдис была благодарна ему за это.

Потом она посмотрела на часы. Пора было возвращаться домой. Разговор у них получился в этот раз совсем не веселый. Сдерживая слезы, Глэдис торопливо попрощалась с Полом и пожелала ему счастливого Рождества.

— И тебе... того же, — печально ответил он — Надеюсь, будущий год будет для нас более счастливым. Мне кажется, мы этого заслуживаем...

И тут — вопреки всему, что они оба только что друг другу пообещали, — Глэдис захотелось сказать Полу, что она любит его, любит давно, любит всем сердцем, но она сдержалась. С ее стороны это было бы безумием. Именно любви им обоим отчаянно недоставало, именно в любви они оба бесконечно нуждались, но принять этот дар они могли от кого угодно, только не друг от друга. Так сложились их отношения, и заветные слова, готовые сорваться с языка Глэдис, так и остались несказанными.

Домой Глэдис вернулась с тяжелым сердцем. Наконец-то она услышала ответ на вопрос, который задавала себе уже несколько месяцев, однако никакого облегчения она не испытывала. Правда, теперь Глэдис больше не обманывала себя, мечтая о том, что может случиться однажды, и не строила никаких иллюзий насчет того, что значат для Пола их отношения.

А они оказались именно тем, в чем все это время старательно убеждала себя Глэдис — дружбой, и не более того. Он сам сказал ей об этом. Теперь Глэдис не могла даже надеяться, что Пол окажется той спасительной соломинкой, за которую она могла бы ухватиться после того, как корабль ее брака, не выдержав житейских бурь, дал течь и стремительно шел ко дну. И, положа руку на сердце, Глэдис не могла осуждать Пола за то, что он не захотел исполнять эту роль.

Вечером они с Дугом и детьми посетили вечернюю рождественскую службу. Домой вернулись далеко за полночь. Глэдис поскорее отправила детей спать, чтобы положить под елку подарки. Только Сэм, отчаянно зевая, заявил матери, что ему еще нужно приготовить печенье для Санта-Клауса и морковку для его северного оленя, но Глэдис пообещала, что сделает это сама. Успокоенный, Сэм отправился в свою комнату.

Наутро дети проснулись едва ли не раньше обычного и первыми спустились в гостиную, где стояла елка. Когда свертки с подарками были открыты, дом огласился криками восторга, которые доставили Глэдис огромное удовольствие. Она выбирала подарки очень тщательно и теперь была вознаграждена. Даже Дуг был доволен. Глэдис купила ему отличный кожаный кейс с позолоченными замками и новый блейзер. Дуг подарил ей тонкий золотой браслет с брелоком в виде полумесяца. Иными словами, со стороны все выглядело мирно и очень по-семейному, но Глэдис попрежнему ощущала исходящую от Дуга холодную враждебность. Каждую минуту это могло вылиться в обидное замечание, в нотацию или новую ссору.

Рождественское перемирие оказалось недолгим. Глэдис очень боялась, что теперь, когда Рождество было позади, Дуг снова захочет уехать в гостиницу. Когда она осторожно заговорила об этом, Дуг сказал, что до Нового года хотел бы пожить дома. На работе ему дали несколько отгулов, что вместе с официальными выходными составляло чуть больше недели. Глэдис решила, что за это время Дуг успеет оценить то, от чего он отказывался. Но на деле все оказалось по-другому. Они ссорились чуть ли не каждый день, и Глэдис уже начинала жалеть о том, что пригласила Дуга вернуться на праздники домой.

Кризис, которого ожидала Глэдис, разразился сразу после Нового года. Она как раз готовила обед, когда в кухню неожиданно вошел Дуг. Лицо его было бледно, глаза метали молнии, а в руке он держал какой-то белый конверт. Остановившись перед столом, на котором Глэдис складывала полотенца, Дуг помахал конвертом у нее перед носом.

— Что это такое? — с пафосом спросил он. — Может быть, ты мне объяснишь?

Он бросил конверт на стол, и Глэдис с опаской взяла его.

— Похоже на счет от телефонной компании, — сказала Глэдис осторожно. — А что?..

Внезапно она вспомнила. Пока Дуг жил в гостинице, она несколько раз звонила Полу из дома. Должно быть, наговорила на несколько сотен... Но самое главное — в счете был указан номер абонента... один и тот же номер, повторявшийся несколько раз.

— Ты совершенно права, Глэдис, — с убийственным сарказмом в голосе промолвил Дуг, расхаживая по кухне из стороны в сторону. — Это действительно счет. Но я спрашиваю тебя не об этом. Я спрашиваю, давно ли ты с ним спишь?

— Что-о? — У Глэдис вытянулось лицо.

Дуглас нетерпеливо повел плечами.

— Не притворяйся. Я давно подозревал, что все эти твои разговоры о карьере — просто маска. У тебя роман с этим Уордом, правда?

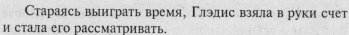

Стараясь выиграть время, Глэдис взяла в руки счет и стала его рассматривать.

— Я не сплю с ним, Дуглас, — сказала она наконец. — Мы просто друзья...

Глэдис старалась казаться спокойной, но сердце у нее билось часто-часто, как у пойманной птицы. Со стороны все выглядело именно так, как говорил Дуг. Сумеет ли она втолковать мужу правду? Их отношения с Полом были просто дружбой — не далее как вчера Пол сам подтвердил это еще раз. Так почему она должна отвечать за то, чего не совершала?

— Понимаешь, — продолжила она, тщательно подбирая слова, — я была очень... расстроена твоим уходом. Мне было грустно и одиноко. Я позвонила Полу. Поверь, мне больше не с кем было поговорить. Пол сам звонил мне один или два раза, он все время вспоминает свою жену. Ему очень трудно без нее, а он знал, что Селина мне нравилась... Между нами нет и не было ничего, о чем ты подумал...

Глэдис было очень стыдно. Получалось, будто она оправдывается. Но ведь она говорила одну только правду!

— Ты лжешь, — уверенно сказал Дуг. — Ты спишь с ним, наверное, с самого лета!

— Это не так, и ты это отлично знаешь! Если бы я спала с Полом... или с кем-нибудь другим, я бы не расстраивалась так сильно из-за того, что ты от меня ушел. Я бы не старалась достучаться до тебя, объяснить!..

— Чушь! Ты ничего мне не объясняла, ты просто требовала от меня «свободы», которая нужна была тебе для того, чтобы без помех трахаться со своим дружком-миллионером. Ты виделась с ним в Лондоне?

— Разумеется, нет, — с достоинством ответила Глэдис, стараясь казаться спокойной, хотя на душе у нее, что называется, кошки скребли. Она чувствовала себя виноватой. К тому же ей было очень горько от того, что последняя ниточка, которая еще соединяла ее с Дугом, оказалась тоньше паутины. Теперь она, без сомнения, лопнула. Их брака больше не существовало.

— Говоришь, он звонил тебе?

— Да, звонил, — ответила она честно.

— Ну и о чем вы говорили? Раздевали друг друга по телефону? Знаешь, есть такая услуга для взрослых: можно набрать телефонный номер, и приятный женский голос расскажет тебе, как и в каком виде она тебя хочет... Этим вы занимались?

Услышав эти слова, Глэдис вздрогнула от негодования и ужаса.

— Как ты можешь, Дуг?! Пол говорил со мной о своей жене! Он очень тоскует по ней.

— Да вы оба просто извращенцы! — Дуг издевательски фыркнул. — Нет, я серьезно: из вас получилась бы просто идеальная пара! Впрочем, — тут же добавил он, — это уже не мои проблемы. Я сыт по горло, Глэдис! Ты мне больше не нужна, и ему ты тоже очень скоро надоешь, потому что ты — скверная жена и отвратительная, скучная любовница!

Услышав эти слова, Глэдис только удивленно приподняла брови. Она не понимала, зачем он это сказал, — разве для того, чтобы уколоть ее побольнее. Но ее это уже не трогало: Дуг почти что перестал для нее существовать.

— Ты хотела свободы и независимости?! — выкрикнул Дуг. — Так вот: теперь ты их получишь! Можешь делать карьеру, можешь спать с кем хочешь — меня это не касается. Я ухожу!

«А как же дети?» — хотела спросить его Глэдис, но в этот момент неожиданно зазвонил телефон. Она взяла трубку, молясь, чтобы это не был Пол. Его звонок мог серьезно осложнить ситуацию, поэтому, когда в трубке раздался голос Рауля, Глэдис даже слегка растерялась.

— Я не могу сейчас говорить, — сказала она, но

агент заявил, что у него срочный и важный разговор. И Глэдис сдалась. — Ну, выкладывай, в чем дело, только быстро, — вздохнула она, чувствуя на себе пристальный взгляд Дуга.

— У меня есть для тебя одно очень перспективное задание, — заторопился Рауль. — Как раз в твоем стиле, и не нужно никуда далеко ехать...

Задание действительно было как раз для нее. Речь шла о секте солнцепоклонников, засевших на ферме в Монтане и собиравшихся совершить коллективное самосожжение. Агенты ФБР окружили ферму и вели с фанатиками переговоры, надеясь спасти хотя бы женщин и детей. С каждым часом положение становилось все более угрожающим.

— Это будет потрясающий репортаж, Глэдис, — закончил Рауль. — Но выехать на место нужно как можно скорее — развязка может наступить в любой день, в любой час.

Глэдис вздохнула:

— Я не смогу, Рауль. Не сейчас.

— Ты должна, Глэд! — перебил ее агент. — Журналы требуют именно тебя. Поверь, я не стал бы тебя беспокоить по пустякам, но это действительно первосортный материал. И справиться с ним на должном уровне можешь только ты! Ну что, берешься или нет?

— Послушай, можно я тебе перезвоню? — взмолилась Глэдис. — Мне нужно поговорить с мужем.

— Вот черт! — выругался Рауль. — Так этот кретин вернулся? Ладно, перезвони мне через два часа — нужно дать ответ заказчику.

— Скажи, что мне очень жаль, но именно сейчас я не могу, — твердо сказала Глэдис. Ей казалось неразумным подливать масла в огонь, в котором погибал их с Дугом брак.

— Перезвони мне через пару часов, — повторил Рауль и положил трубку.

— Кто это был? — подозрительно спросил Дуг.

— Рауль Лопес.

— Что ему нужно?

— Он предложил мне съездить в Монтану — там есть интересная работа. Но я отказалась — разве ты не слышал?

— Какое это имеет значение теперь? — Дуг пожал плечами. — Все кончено, Глэдис. Можешь ехать хоть в Антарктиду — я тебе слова не скажу. С меня хватит!

Он выпалил все это с такой злобой, что Глэдис поняла: на этот раз Дуг действительно не шутит. Что ж, если он разлюбил ее, она все равно не сумеет его удержать. Глэдис ничего ему не ответила, а Дуг, видя, что она молчит, распалялся все больше.

— Да-да, с меня хватит! — воскликнул он и снова заметался из угла в угол, словно тигр в клетке. — Ты не та женщина, на которой я женился. Я не желаю больше иметь с тобой ничего общего. Можешь так и сказать своему Раулю, Полу Уорду и всем остальным. Прощай, Глэдис. Мой адвокат свяжется с тобой в понедельник.

— Ты не должен так поступать с нами, Дуг... — начала было Глэдис, и в глазах ее заблестели слезы. — Ты не можешь!..

— Очень даже могу! — перебил он. — И не только могу, но и сделаю. А ты... ты можешь делать теперь любой репортаж — ведь ты этого добивалась, не так ли?

— Сейчас это не важно.

— Почему вдруг? — притворно удивился Дуг. — Ведь именно ради этого ты разрушила нашу семью. Даже детей ты принесла в жертву своему тщеславию. Стоит только этой обезьяне Раулю напомнить тебе, что ты — великая журналистка, как ты срываешься с места и, забыв обо всем, мчишься на край света, чтобы снимать голых девок и убийц в солдатской форме.

— Это ты заставил меня выбирать между семьей и карьерой, — закричала, сорвавшись, Глэдис. — Я уверена, что смогла бы успешно совмещать одно с другим.

— Ну, для этого тебе надо было выходить замуж не за меня, а за кого-нибудь другого, — сказал Дуг.

«Пожалуй», — устало подумала Глэдис. Ей нечего было больше сказать Дугу, поэтому она повернулась и вышла из кухни, оставив его одного.

В прихожей она надела куртку и вязаную шапочку и вышла на улицу. Холодный воздух обжег ей легкие, но в голове сразу прояснилось. Глэдис почувствовала себя намного бодрее. Сознание того, что отныне она будет свободна, заставляло сердце биться взволнованно и часто. Угрозы Дуга, страх одиночества, постоянное чувство вины и многое другое, что так мешало ей жить в последние месяцы, — все это было теперь в прошлом. И хотя у Глэдис не осталось ничего, кроме детей, фотоаппарата и свободы, она смотрела в будущее радостно и уверенно. Брак, которым она так дорожила, за который так отчаянно цеплялась и который в конце концов едва не похоронил ее под обломками, перестал существовать. Ничто больше не мешало ей самой принимать решения и самой распоряжаться своей жизнью.

ГЛАВА 4

В конце концов Глэдис все-таки пришлось отказаться от репортажа о событиях в Монтане, однако это не избавило ее от тяжелых переживаний. Они с Дугом сообщили детям о своем решении разойтись, и этот день оказался одним из самых трудных в ее жизни. Глэдис ненавидела себя за ту боль, которую она причинила Джессике и Эйми, Сэму и Джейсону. Она слишком хорошо помнила, как тяжело было ей самой смириться со смертью отца. Сколько она ни твердила себе, что им все-таки легче, Дуглас, слава богу, не умер, ничего не помогало. Что ни говори, они теряли одного из родителей, и это непременно должно было самым решительным образом изменить их жизни. Единственное, что поддерживало Глэдис, — это сознание того, что она любит их, а значит, вместе они это переживут.

— Ты хочешь сказать, что вы с папой разводитесь? — спросил Сэм с выражением ужаса на веснушчатом лице, и Глэдис на мгновение захотелось упасть мертвой, чтобы не видеть его испуганных и молящих глаз.

Эйми избавила ее от необходимости отвечать.

— Ты что, глухой? — сердито буркнула она и, подавив рыдание, бросила на родителей мрачный взгляд. В эти минуты Эйми ненавидела и отца, и мать за то, что они в одно мгновение разрушили тот уютный и счастливый мир, в котором она жила.

Джейсон с самого начала не проронил ни слова. Внезапно он развернулся и бросился к себе в комнату. Громко хлопнула дверь, и наступила тишина, но Глэдис знала, что он плачет.

Только Джессика, как самая старшая, высказала Глэдис то, о чем, возможно, думали все четверо.

— Я тебя ненавижу! — прошипела она и, прищурившись, в упор посмотрела на мать. — Это ты виновата! Ты и твои глупые фотографии, которые не нужны никому, кроме тебя! Я слышала, как вы с папой ссорились из-за этого. Неужели ты нас ни капельки не любишь?..

В конце концов она тоже разрыдалась, как маленькая девочка, и Глэдис захотелось погладить ее по голове, но она не решилась.

— Они нужны мне, Джесс, — сказала она. — Фотожурналистика не просто работа, это — часть меня, без которой я не могу. Я надеялась, что папа меня поймет, но он не смог...

— Не хочу ничего слышать, не хочу! — завизжала Джессика. — Не хочу, понятно? Вы — дураки, и я вас обоих ненавижу!

И, топнув ногой, она тоже убежала плакать к себе в комнату.

Глядя ей вслед, Глэдис покачала головой. Из всех ее детей именно Джессика больше других нуждалась в разумном объяснении происшедшего, но как, скажите на милость, втолковать четырнадцатилетней девочке, что ее отец и мать разлюбили друг друга? Глэдис и сама не очень хорошо понимала, как это произошло. Единственное, что она знала, — это то, что Дуг разбил ей сердце и едва не погубил ее душу.

Вечером, когда Глэдис сидела в гостиной, к ней на колени взобрался Сэм. Его круглое, всегда веселое лицо опухло от слез, а плечи время от времени судорожно вздрагивали.

— А мы еще когда-нибудь увидим папу? — спросил он, обнимая мать за шею и прижимаясь к ней всем телом.

— Конечно, — ответила Глэдис, чувствуя, что сама вот-вот заплачет. Если бы она могла, она бы повернула время вспять. Пусть бы все стало как прежде, чтобы можно было сказать детям, что развод — это просто неудачная шутка. Но сделанного не воротишь, и, по большому счету, это было к лучшему.

Она приготовила суп из цыпленка и картофельное пюре, но ужинать никто не хотел. Когда Глэдис убирала со стола, в кухню снова заглянул Сэм. На лице его застыл вопрос, который он никак не решался задать.

— Папа говорит, что у тебя есть... приятель, — вымолвил он наконец. — Ну... приятель-мужчина. Это правда, ма?

Глэдис в ужасе повернулась к сыну.

— Конечно, нет, Сэм!

— Папа сказал, что это — дядя Пол.

Он хотел получить ответ на свой вопрос. Глэдис покачала головой. Со стороны Дуга было просто подло впутывать ребенка в их взрослые дела, однако она не особенно удивилась его поступку. Похоже, Дуглас совсем потерял голову.

— Нет, Сэм, это неправда.

— Тогда почему папа так сказал?

— Просто твой папа... очень расстроился и не понимает, что говорит. Когда взрослые злятся, они часто говорят такие вещи, о которых потом жалеют. Я не видела Пола с лета, как и ты...

Она не стала говорить сыну о том, что они перезванивались. Впрочем, что бы там ни утверждал Дуг, Пол не был ее любовником. И никогда не будет, что бы ни думала по этому поводу сама Глэдис.

— Мне очень жаль, что папа сказал тебе такое, — добавила она и погладила сына по голове. — Но ты можешь не беспокоиться — мы с Полом просто друзья.

Но когда поздно вечером Глэдис поднялась в спальню, она не сдержалась и высказала Дугу все, что думала.

— Это просто непорядочно, Дуг! Ты используешь детей, чтобы сделать мне больно, а о них ты не думаешь. Так вот, заруби себе на носу: если ты позволишь себе еще что-то в этом роде, ты об этом очень пожалеешь!

Дуг усмехнулся:

— Так значит, это правда?

— Это неправда, и тебе прекрасно это известно. Самое простое — свалить вину на кого-нибудь другого. Ты просто не хочешь признавать, что мы сами разрушили наш брак и нашу семью и никто нам в этом не помогал. Обвинять человека, с которым я несколько раз разговаривала по телефону, по меньшей мере глупо. Если ты действительно хочешь знать, кто виноват в том, что мы расходимся, пойди взгляни в зеркало!

На следующее утро Дуг собрал свои вещи и уехал. Перед тем как снести вниз последний чемодан, он сказал Глэдис, что снимет квартиру в городе и что хочет видеть детей по выходным. Она вдруг поняла, как много вопросов им еще предстоит решить. Вот, к примеру, как часто Дуг будет видеться с детьми, где будут происходить эти встречи, какую сумму он будет выплачивать ей в качестве алиментов — обо всем этом они еще не разговаривали. Глэдис не без оснований опасалась, что договориться с ним будет непросто.

После ухода Дуга Глэдис никуда не выходила целых пять дней. Теперь вся ответственность за благополучие детей неожиданно оказалась целиком на ее плечах, и Глэдис чувствовала себя крайне неуютно. Единственным, кто мог ее хоть как-то поддержать, был Пол, но он, как назло, не звонил.

Когда прошла неделя, Глэдис позвонила ему сама, и они долго разговаривали. Джессика все еще злилась на мать, но остальные, похоже, начинали понемногу привыкать к своему новому положению. К тому же в субботу Дуг, как и обещал, приехал, чтобы повести детей в кино, и это было очень кстати. Дети начали понимать, что мир не рухнул и отец по-прежнему их любит.

Но Глэдис этот визит не принес никакого облегчения. Дуг даже ни разу не посмотрел в ее сторону. Когда же Глэдис, собравшись с духом, спросила, не зайдет ли он после кино, чтобы поговорить, он сказал холодно:

— Мне не о чем с тобой разговаривать, Глэдис. Все, что нужно, ты узнаешь от моего адвоката. Кстати, ты нашла юриста, который будет представлять твои интересы?

Глэдис покачала головой. Странно, но она оказалась совершенно не готова к тому, что произошло. Ей даже в голову не пришло позаботиться об адвокате. Сейчас ей нужно было только время — много времени, — чтобы преодолеть в себе неуверенность и страх перед будущим, побороть привычку, связывавшую их с Дугом на протяжении стольких лет, и отбросить прочь пустые сожаления о том, чего все равно нельзя было вернуть.

Точно так же и Полу необходимо было время, чтобы принять смерть Селины как нечто свершившееся и реальное. И он понимал это, но от этого ему было не легче. Он по-прежнему метался по Средиземному морю в поисках места, где ему было бы не так тяжело. Звонок Глэдис застал его на юге Франции, на Антибах. Когда они снова начали регулярно перезваниваться, разговоры благотворно подействовали на обоих. Во всяком случае, к концу января Глэдис чувствовала себя уже намного лучше. Она даже связалась с адвокатом по бракоразводным делам, которого порекомендовала ей Мэйбл.

— Послушай, что же все-таки произошло? — как-то спросила у нее Мэйбл.

— Не знаю толком, — ответила Глэдис честно. — Дуг не хотел, чтобы я работала, и доводы приводил такие, что я просто на стенку готова была полезть. Я пыталась что-то доказать, он ничего не слушал. А дальше все пошло вразнос. Знаешь, я порой удивляюсь, как мы прожили вместе столько лет и даже чувствовали себя счастливыми...

— Глядя'на вас, я всегда думала: вот кому повезло, — призналась Мэйбл. — Ты и Дуг казались мне просто идеальной парой.

— Мне тоже так казалось когда-то, — грустно сказала Глэдис. — И в конце концов эта уверенность и сыграла со мной скверную шутку. Должно быть, идеальных браков просто не существует. Боже мой, стоило мне однажды настоять на своем, и все рухнуло.

— А ты... ты не жалеешь об этом? — осторожно поинтересовалась Мэйбл.

— Иногда. Но я думаю, чему быть, того не миновать. Не на этом, так на чем-нибудь другом мы бы споткнулись. Нельзя все в семье полностью подчинить интересам одного человека.

— И что ты собираешься делать дальше? — спросила Мэйбл, подумав вдруг о своем собственном браке. Он никогда не был особенно благополучным, однако мысль о разводе ни разу не приходила ей в голову. И теперь, глядя на Глэдис, чья семейная жизнь всегда вызывала у нее острую зависть, Мэйбл вдруг испугалась, что и с ней может случиться что-нибудь подобное.

Глэдис пожала плечами:

— Не знаю, просто жить...

— Как ты будешь жить — вот я о чем спрашиваю. Например, как вы поступите с домом? Будете вы его продавать или нет?

— Дуг говорит, что нет, во всяком случае — пока. Он сказал, что я могу жить в нем до тех пор, пока дети не вырастут и не поступят в колледж или университет. Или до тех пор, пока я не выйду замуж. — Глэдис криво улыбнулась. — Что весьма маловероятно, если только мною не заинтересуется Дэн Льюисон...

Это, разумеется, была шутка. Во всем Уэстпорте не нашлось бы ни одного мужчины, с которым Глэдис захотелось бы встречаться.

— Какая ты храбрая, Глэд! — воскликнула Мэйбл, не скрывая своего восхищения. — Я бы никогда не решилась развестись с Джеффом, хотя постоянно ворчу и жалуюсь, какой он нудный.

— Думаю, что в моем положении ты поступила бы точно так же и храбрость тут ни при чем. Дуг просто загнал меня в угол. Что касается тебя и Джеффа, то... ты, мне кажется, любишь его гораздо больше, чем готова признать.

— Да, насмотревшись на тебя, я готова просто расцеловать своего зануду, — сказала Мэйбл с непритворным ужасом. Глэдис ободряюще ей улыбнулась.

— Возможно, это самое правильное решение, Мэйбл.

Сама она уже ни о чем не жалела. Да, ей будет очень трудно, особенно вначале, но уж как-нибудь. Свобода, которую она получила, позволяла ей заниматься любимой работой. Глэдис ни минуты не сомневалась, что сумеет организовать жизнь так, чтобы у нее оставалось время на выполнение небольших заданий Рауля.

В феврале Рауль действительно позвонил ей и отправил в Вашингтон — взять интервью у первой леди и сделать несколько фотографий. Это, разумеется, было не так интересно, как побывать на театре военных действий, но зато это было недалеко и помогало поддерживать рабочую форму. Потом Глэдис побывала в Кентукки, где она сделала интересный репортаж о старых угольных шахтах. Вкупе с обычными домашними заботами это почти не оставляло ей времени на то, чтобы общаться с соседями, однако от Мэйбл Глэдис узнала, что Дуг не только снял в Нью-Йорке квартиру, но и сошелся с какой-то женщиной, у которой было двое детей от первого брака. По слухам, он начал встречаться с ней меньше, чем через месяц после того, как ушел из семьи. Глэдис поняла, что Дуг не терял времени даром. Мэйбл утверждала, что эта женщина никогда не работала, любила поболтать, обладала пышным бюстом, длинными ногами и была очень хороша собой. Сама Мэйбл никогда ее не видела, но трое ее друзей хорошо знали Таню Либерман и описали ее во всех подробностях, зная, что эти сведения непременно дойдут до Глэдис.

Узнав о том, что Дуг так быстро утешился, Глэдис почти не расстроилась. Все это как-то оставалось на задворках сознания. У нее были теперь совсем другие дела. Пол по-прежнему звонил ей каждый день. К ней постепенно возвращалась уверенность в себе и своих силах. Пол тоже чувствовал себя значительно лучше. Он по-прежнему плохо спал по ночам, но Глэдис видела, как день ото дня он становится спокойнее и даже веселее. Кроме того, Пол начал разговаривать с ней о своем бизнесе, и Глэдис казалось, что это — добрый знак. Похоже, он соскучился по своим головоломным финансовым операциям, по напряженной борьбе, которую он вел с конкурентами, и по всему остальному, что составляло когда-то его жизнь. Правда, ни один их разговор по-прежнему не обходился без упоминания о Селине, но тоска его по ней стала не такой беспросветной. В его интонациях нет-нет да и прорывались горькие нотки, но все же ореол непогрешимости и святости, который окутывал Селину в первые месяцы после гибели, значительно потускнел, уступив место более трезвому взгляду на вещи. Глэдис не могла этому не радоваться. Пол явно возвращался к жизни.

В начале марта Пол все еще путешествовал по Средиземноморью на своей яхте, но Глэдис начинало казаться, что он томится своим добровольным изгнанием. К этому времени она изучила его уже настолько хорошо, что могла по одному-единственному слову определить, в каком он сегодня настроении. В каком-то смысле Глэдис знала его даже лучше, чем собственного мужа, но думать об этом ей было странно. Пол один или два раза даже назвал их отношения «заочным браком». Но все это было лишь милой шуткой. Он был готов оказать ей любую помощь, но только как друг. Личную жизнь, по его мнению, Глэдис должна была строить с кем-то другим.

— О'кей, — сказала ему однажды Глэдис. — Когда снова будешь во Франции, пиши мой номер телефона на самых видных местах в мужских туалетах. У нас в Уэстпорте нет никого, достойного моего внимания.

— Брось, — сказал Пол. — Ты просто плохо искала.

— Ты прав, — вздохнула Глэдис. — Я вообще не искала. Но это совершенно бесполезно, поверь.

— Гм-м... — замялся Пол, несколько сбитый с толку. — Я как раз собирался посоветовать тебе бывать на собраниях общества анонимных алкоголиков. По-моему, именно там можно найти подходящего кандидата...

— Веди себя прилично, Пол, — фыркнула Глэдис. — А то смотри, отправлю к тебе на яхту парочку разведенных женщин. Их в Уэстпорте тоже хватает. Посмотрим, как ты тогда запоешь!

Их отношения уже давно стали настолько доверительными, что они могли позволить себе подтрунивать друг над другом. Глэдис не испытывала ни малейшего стеснения в разговоре, с хохотом она поведала ему о встреченном на одном из футбольных матчей Сэма мужчине, который выглядел столь отталкивающе, что она не удержалась и сфотографировала его. Толстый, лысый, краснолицый, он не переставая жевал резинку, ковырял пальцем в носу и вытирал руки о майку на животе.

— Представляешь, — закончила Глэдис, — этот гном пригласил меня на свидание во вторник! Да еще и пукнул при этом!

— И что ты ему ответила? — весело спросил Пол.

— Разумеется, я согласилась! — ответила Глэдис, талантливо изобразив удивление. — Или ты думаешь, что я до конца жизни собираюсь оставаться старой девой?

— Как жаль!.. — сказал Пол, притворяясь разочарованным. — Я имею в виду, что ты согласилась встретиться с этим типом. Он отвратителен!

— Ты что, ревнуешь?

— Возможно. Кроме того, я, кажется, лечу в Нью-Йорк. Я рассчитывал, что мы сможем пообедать... или даже поужинать вместе, но раз вторник у тебя занят, я не знаю...

— Что-о?!. — Слова Пола застали Глэдис врасплох. Она просто не верила своим ушам! Ей уже казалось, что Пол останется на борту «Морской звезды» до скончания веков. — Ты это серьезно?

— Я серьезен как никогда. Мои партнеры сообщили мне о заседании совета директоров, на котором я обязан присутствовать. Ничего важного там решаться не будет, но этого требует протокол, так что я решил поехать. В конце концов, я уже почти забыл, на что похож Нью-Йорк весной, да и «Морская звезда» начинает мне потихоньку надоедать.

— Вот не думала, что когда-нибудь услышу от тебя такие слова! — воскликнула Глэдис, не в силах сдержать счастливой улыбки.

— Я тоже не думал... Жаль, Селина не может слышать меня сейчас, вот бы она порадовалась, — отозвался Пол, и в его словах не прозвучало обычной грусти.

Глэдис рискнула задать ему еще один вопрос:

— А... когда ты прилетишь?

— В понедельник. То есть на понедельник назначено заседание, а прилетаю я в воскресенье вечером. Пожалуй, это будет самое разумное, хотя...

Пол заколебался. О том, что придется лететь в Нью-Йорк, он узнал еще неделю назад, однако сказать об этом Глэдис не решался. До последнего времени он и сам не был уверен, что подобный подвиг окажется ему по плечу. Он не хотел будить в ней напрасные надежды. К тому же встреча с Глэдис лицом к лицу заставляла его нервничать. В ней было что-то такое, что по-прежнему волновало и трогало его. Пол боялся, что, поддавшись минутному настроению, может совершить ошибку, которая дорого обойдется им обоим.

— Ты случайно не сможешь меня встретить? — спросил он небрежно и в то же время волнуясь, словно школьник, приглашающий свою избранницу на первое свидание.

— В аэропорту?

— Да, разумеется. Если, конечно, у тебя будет время.

И прежде чем он успел сказать: «Не надо, я не хочу тебя затруднять», Глэдис ответила:

— Думаю, это можно будет устроить.

— Я должен увидеть тебя, Глэдис!

Последние слова он произнес каким-то странным тоном, но Глэдис решила, что его волнение вызвано совсем другими причинами. В Нью-Йорке он жил с Селиной. Пол не был там уже больше полугода. Он уехал из Штатов через день после похорон жены и ни разу не возвращался.

— Мне тоже хотелось бы повидаться с тобой, — просто сказала она.

Ей хотелось узнать, сколько времени Пол пробудет

в Нью-Йорке, но она не спросила. Ей хотелось надеяться, что Пол обнаружит в себе достаточно мужества и сумеет противостоять боли, которую неминуемо должны были вызвать в нем знакомые места, накрепко связанные в его памяти с Селиной. Судя по всему, Пол и сам еще не знал, как подействует на него возвращение. Глэдис не хотела вынуждать его к обещаниям, которые он не сможет выполнить.

— Что ж, — сказала она самым веселым тоном, на какой только была способна, — похоже, мне придется отменить свое свидание во вторник. Ради старых друзей приходится идти на жертвы...

— На всякий случай сохрани его телефонный номер — он еще может тебе пригодиться, — заметил Пол и принужденно рассмеялся. Он пытался шутить, но голос выдавал его напряжение.

Они поговорили еще немного, потом Пол попрощался, сказав, что точное время прилета он сообщит позднее. Пожелав ему всего хорошего, Глэдис первая положила трубку и еще долго сидела у окна, вспоминая их странный разговор. «Я уже забыл, как выглядит Нью-Йорк весной», — сказал Пол, и Глэдис, глядя на улицу, попыталась разглядеть хоть какие-то признаки того, что весна действительно близко, но не смогла. Была уже почти середина марта, но деревья стояли голые, а мерзлая земля выглядела серой и безжизненной. «Да, кажется, Пол действительно забыл, что такое весна в Нью-Йорке», — подумала Глэдис, качая головой. Впрочем, при мысли о том, что Пол возвращается, она снова начинала верить в то, что еще немного — и все вокруг снова расцветет, на газонах появится молодая трава и цветы, а в кронах деревьев зазвучат звонкие птичьи трели. Они оба заслужили это

Поднимаясь к себе в спальню, Глэдис грустно улыбнулась. Все это еще ничего не значит. И все-таки... все-таки она была рада снова увидеть его.

ГЛАВА 5

В воскресенье вечером Глэдис ехала в аэропорт. Шел дождь, шоссе было забито машинами, и она очень боялась опоздать. Ей казалось, что она еле двигается, но, когда Глэдис наконец добралась до аэропорта и поставила свой универсал на подземной стоянке, оказалось, что у нее есть еще добрых полчаса.

Поднявшись в зал ожидания, Глэдис зашла в один из магазинов и украдкой взглянула на себя в зеркало, желая лишний раз убедиться, что серый шерстяной брючный костюм и туфли на высоком каблуке действительно ей идут. Сначала она хотела одеться понаряднее, однако в конце концов решила, что это не слишком уместно. В конце концов, они с Полом были друзьями и знали друг друга настолько хорошо, что, надев какой-нибудь соблазнительно-сексуальный наряд, Глэдис чувствовала бы себя глупо. Единственное, что она себе позволила, — это подкрасить губы и ресницы и собрать волосы в овальный пучок на затылке, чего не делала уже давно.

Ну что ж, выглядела она неплохо. Глэдис вышла из магазина, встала неподалеку от дверей, из которых должен был появиться Пол. А почему, собственно, он попросил его встретить? Вероятнее всего, Пол рассчитывал, что Глэдис сможет поддержать его. Это все-таки была его первая встреча с Нью-Йорком без Селины.

За этими размышлениями время пролетело незаметно, и вскоре на большом информационном табло появилось сообщение, что самолет из Парижа благополучно приземлился.

Наконец из ворот стали один за другим появляться пассажиры — безвкусно и дорого одетые старухи, две-три манекенщицы с большими «художественными» папками для образцов и множество других людей — с кейсами, портпледами и детьми. Вокруг Глэдис зазвучала картавая французская речь, и она испугалась, что пропустила Пола.

Глэдис в тревоге оглядывалась по сторонам, когда прямо позади нее раздался знакомый голос:

— Вот не ожидал увидеть тебя с такой прической! Тебе, конечно, очень идет, но я высматривал женщину с косой...

Они действительно чуть не разминулись. Как здорово, что этого не произошло! Повернувшись на каблуках, Глэдис посмотрела на Пола в упор и... внезапно вспомнила слова Мэйбл. Когда Глэдис вернулась с мыса Код и рассказала подруге о своем знакомстве с Полом Уордом, та тут же процитировала ей статью из какого-то журнала, в которой его называли «до неприличия красивым» и «невероятно привлекательным». Пол именно так и выглядел, когда, протянув вперед обе руки, привлек Глэдис к себе.

Она действительно забыла его, забыла, насколько он высок ростом, какие голубые у него глаза и какие сильные руки. Его волосы были подстрижены очень коротко, а обветренное лицо покрывал бронзовый загар.

— Ты выглядишь потрясающе! — сказал он, выпуская Глэдис из своих железных объятий, от которых у нее на мгновение захватило дух. Голос, его голос. Она слушала его на протяжении шести месяцев, поверяла ему свои проблемы и делилась тайнами. Этот человек знал о ней все, он помогал ей принимать важные решения и поддерживал в минуты отчаяния, однако, несмотря на это, оказавшись с ним лицом к лицу, Глэдис испытывала какое-то непонятное смущение и робость.

— Ты тоже, — ответила она и улыбнулась. — От тебя так и пышет здоровьем.

— Ничего удивительного, — рассмеялся Пол. — В последние полгода я только и делал, что сидел у себя на яхте и нагуливал загривок. Любой на моем месте разленился бы и потолстел!

Глэдис окинула его быстрым взглядом. Нет, она не сказала бы, чтобы Пол поправился или стал медлительным и апатичным. Напротив, он был, как прежде, энергичен, атлетически сложен и моложав; ей даже показалось, что по сравнению с прошлым летом он немного похудел.

— А ты стала еще стройнее и моложе, — заметил Пол, когда, забрав с багажной «карусели» его дорожную сумку, они не спеша направились к выходу. — Наверное, когда ты выходишь с детьми, тебя принимают за их старшую сестру.

Улыбнувшись этому неожиданному комплименту, Глэдис покачала головой.

— В Уэстпорте меня слишком хорошо знают, — возразила она. — А в Нью-Йорке мы с детьми бываем нечасто. Впрочем, ты прав — в последнее время я действительно выгляжу, а главное — чувствую себя много лучше. Но это больше твоя заслуга, чем моя... Кстати, как твои дела? Как ты долетел?

Точно такие же вопросы она задала бы и Дугу, доведись ей встречать его в аэропорту, но Глэдис это нисколько не смущало. В конце концов, назвал же Пол их отношения «заочным браком», так почему она не может спросить его о том, о чем она спросила бы настоящего мужа?

Но что обманывать себя? Пол не был ни ее мужем, ни любовником — он был чем-то совсем другим, однако она все равно была рада тому, то он перестал быть далеким, бесплотным голосом. Он был живым, близким, она могла бы дотронуться до него, если бы захотела, он улыбался ей, и она не только видела его улыбку, но и ощущала ее ласковое тепло.

— Просто не верится, что ты здесь, рядом, — сказала она. — Я уже начала бояться, что ты вечно будешь плавать где-то по далеким морям и я никогда тебя не увижу.

— Я и сам не верю, что вернулся, — ответил Пол. —

А добирался я кошмарно. В салоне было не меньше сотни визжащих младенцев, которых матери, видимо, забыли покормить. Кроме того, женщина, которая сидела рядом со мной, всю дорогу говорила о своем саде, о том, какие цветы она хочет сажать и как за ними надо ухаживать. Еще полбеды, будь она француженкой, поскольку я почти не понимаю французского, но эта почтенная леди оказалась англичанкой. Теперь я могу давать консультации, сколько навоза необходимо вносить под розовые кусты и когда лучше всего удалять старые побеги.

Глэдис фыркнула. За разговором они спустились в подземный гараж, где она оставила свой универсал. Они нашли его среди других машин, Пол забросил сумку и кейс на заднее сиденье и повернулся к ней.

— Может быть, ты хотела бы, чтобы я сел за руль? — галантно предложил он, но Глэдис, зная, что он наверняка устал после перелета, заколебалась.

— Разве ты мне не доверяешь? — спросила она наконец.

Она знала, что большинство мужчин не выносят, когда женщина садится за руль. Дуг, например, терпеть не мог ездить вместе с ней, когда Глэдис вела машину.

— Как я могу тебе не доверять? — удивился Пол. — Ты — ветеран множества автопулов, в то время как я за эти полгода успел напрочь забыть, как пользоваться тормозами. На яхте этого устройства просто нет. Кроме того, в самолете я выпил три стаканчика виски...

— Хорошо, — кивнула Глэдис и распахнула дверцу. — Тогда я поведу, а то ты действительно отвык...

Садясь за руль, она бросила на него быстрый взгляд, и их глаза на мгновение встретились.

— Я хотела поблагодарить тебя, Пол, — сказала Глэдис негромко.

— Поблагодарить? За что? — удивился Пол.

— За то, что ты поддерживал меня и помог преодо-

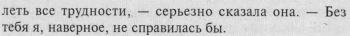

леть все трудности, — серьезно сказала она. — Без
тебя я, наверное, не справилась бы.

Она сама сделала не меньше для него. Пол хорошо
это понимал. Впрочем, говорить об этом сейчас он не
стал.

— Кстати, как твои дела? — спросил он с искренним интересом. — Дуг все еще мучает тебя, или...

— За него это делает его адвокат, — улыбнулась
Глэдис. — Но, как мне кажется, большинство вопросов мы уже решили.

Дуг действительно предложил ей через адвоката
значительное содержание и алименты на детей. Она
могла бы жить не нуждаясь. Кроме того, она рассчитывала, что сумеет время от времени делать небольшие репортажи и получать за них гонорары, так что
финансовый вопрос Глэдис считала решенным. Дом
Дуг тоже оставлял ей: она могла жить там до тех пор,
пока Сэм не поступит в колледж. Правда, он поставил
условие, что, если до этого момента Глэдис вторично
выйдет замуж, договор должен быть расторгнут, однако это ее не пугало. Адвокат, представлявший ее интересы, порекомендовал Глэдис согласиться, что она и
сделала с легким сердцем. Все имущественные вопросы, таким образом, были разрешены, и адвокат обещал Глэдис, что к Рождеству развод будет оформлен
юридически.

Впрочем, Пол, с которым она все это уже обсуждала по телефону, был, что называется, в курсе. Отдавая
должное Дугу, он сказал, что это весьма щедрое предложение.

— Просто не верится, что я снова в Нью-Йорке,
Глэдис, — промолвил Пол, откидываясь на спинку сиденья. Он внимательно глядел на проносящиеся за ок-
нами городские пейзажи. Каким ему кажется Нью-
Йорк после всех мест, которые он посетил? Венеция,
Сицилия, Корсика, Портофино, Антибы — сами эти
названия звучали гораздо более поэтично, чем Бронкс,

Гринвич и Тридцать седьмая улица, но в тех далеких и прекрасных местах Пол прятался от боли, поселившейся в его сердце. И вряд ли они сумели облегчить его страдания.

Пол действительно боялся возвращаться в свою прежнюю квартиру. Он сам сказал ей об этом, и Глэдис ободряюще улыбнулась ему.

— Может быть, тебе стоило бы остановиться в отеле? — спросила она.

— Я тоже об этом думал, — сказал Пол извиняющимся тоном. Теперь, когда они встретились, он признавался в своих слабостях с меньшей охотой. Что-то изменилось. Впрочем, ей самой было странно думать о том, что далекий голос, который она слушала на протяжении почти целого года, внезапно обрел плоть и кровь. Им обоим еще предстояло к этому привыкнуть; Глэдис, во всяком случае, постоянно ловила на себе внимательный взгляд Пола, который незаметно ее рассматривал.

— Мне еще нужно разобрать кое-какие бумаги, — добавил он после небольшой паузы. — Заседание совета директоров состоится завтра, и, раз уж я все равно приехал, надо к нему подготовиться.

— Что-нибудь серьезное? — уточнила Глэдис, сворачивая на проспект Рузвельта, откуда было уже совсем близко до Ист-Ривер, где жили когда-то Пол и Селина. А теперь он будет жить один.

— Да нет, не очень. Просто моим партнерам необходимо убедиться, что я жив и в здравом уме. Устав банка требует, чтобы первое лицо в совете директоров присутствовало на отчетных заседаниях за каждый квартал. Два заседания я уже пропустил... Но теперь... теперь я должен испытать свои силы.

Он снова бросил на нее быстрый взгляд исподтишка.

— Слушай, Глэдис, где ты хотела бы поужинать?

— Сейчас? — удивленно переспросила Глэдис, и Пол рассмеялся.

— Нет, завтра... Конечно, я бы с удовольствием пригласил тебя куда-нибудь и сейчас, но, боюсь, я буду не слишком интересным собеседником. Дело в том, что у меня буквально слипаются глаза — ведь по европейскому времени, к которому я привык, сейчас где-то около четырех утра. Но до завтра, надеюсь, я успею акклиматизироваться. В крайнем случае — отосплюсь на заседании... Так куда бы ты хотела пойти? В «Очко», в «Кот Баск» или в «Дэниэл»?

Услышав эти названия, Глэдис рассмеялась. Пол совершенно забыл, какую жизнь она вела раньше и тем более — теперь. Дуг никогда не возил ее в дорогие нью-йоркские рестораны, ограничиваясь более скромными уэстпортскими заведениями. Правда, раз или два в год они ездили с ним в театр, но даже тогда не искали ничего необычного и закусывали в ближайшем кафе или пиццерии. В фешенебельные рестораны Дуг водил только своих клиентов.

— Знаешь, — ответила она, немного подумав, — я чувствовала бы себя гораздо уютнее в каком-нибудь небольшом кафе типа «Денни». Ты, наверное, забыл, что в последнее время я бываю в общественных местах только вместе с детьми, и это... не могло не сказаться. Впрочем, на самом деле мне хотелось бы побывать в каком-нибудь хорошем ресторане, просто я не знаю — в каком.

— Тогда как насчет «Дэниэла»? Там очень неплохо и в то же время спокойно, — предложил Пол. «Дэниэл» был одним из любимых ресторанов Селины, но и ему там тоже нравилось. Он считал его не таким вычурным, как «Ла Греноле» или «Кот Баск».

— Никогда там не была, — вздохнула Глэдис. — Но я о нем читала. Одна из моих подруг утверждает, что это лучший ресторан в Нью-Йорке.

— А детей найдешь с кем оставить? — спросил Пол и слегка нахмурился.

— Разумеется! — Глэдис улыбнулась. Ей было приятно, что Пол об этом подумал. — Кстати, может быть, ты заглянешь к нам в выходные, если задержишься в Нью-Йорке? Сэм будет очень рад тебя видеть. Да и с остальными тебе пора познакомиться.

— С удовольствием, — ответил Пол с такой решимостью, словно ему предстояло войти в горящее здание. — Мы могли бы сходить с ними в кино и слопать по пицце в одном из этих... ну как ты там сказала.

Он знал, что для детей Глэдис это будет настоящим удовольствием. Так почему бы и не доставить его им. И им, и ей, и себе тоже. Мир, в который он вернулся после долгого отсутствия, казался ему совершенно незнакомым и новым. Пол даже не знал, сумеет ли он жить в нем, но все же он хотел попробовать.

Глэдис не знала, сумеет ли Пол справиться со своими воспоминаниями. Иногда ей казалось, что он не выдержит даже одной ночи, в особенности если все-таки решится провести ее в своей старой квартире. Но в какие-то минуты она была почти уверена, что Пол выдержит и все у него наладится. Она вряд ли могла рассчитывать, что они будут часто встречаться. Полу наверняка захочется повидаться со своими старыми знакомыми и друзьями, а на нее просто не останется времени. В конце концов, они, наверное, снова будут ежедневно перезваниваться, и разве могла она требовать от него чего-то большего?

Квартира Пола располагалась на Пятой авеню, почти на самом углу Семьдесят третьей улицы, и занимала целый этаж элегантного многоэтажного дома с подъездом, отделанным мрамором, и с консьержем, который был очень рад видеть Пола.

— О, мистер Уорд! Вы вернулись! — воскликнул он, протягивая руку, которую Пол с чувством пожал.

— Добрый вечер, Росарио, — сказал он. — Как дела?

— Очень хорошо, мистер Уорд, спасибо. А как вы? Вы, наверное, все это время были на своей лодке?

— Да, я путешествовал на яхте, — кивнул Пол, пропуская Глэдис вперед.

Росарио как раз собирался сказать Полу, что сожалеет о гибели его жены, но, увидев Глэдис, промолчал. Он от души надеялся, что эта красивая блондинка — новая подружка Уорда.

Глэдис поднялась с Полом на его этаж. Он достал из сумки ключи. У него дрожали руки, и он не сразу справился с замком, но наконец раздался щелчок, и дверь отворилась. На пороге Пол замешкался, и Глэдис осторожно тронула его за рукав.

— Все будет хорошо, Пол, — сказала она негромко. Он через силу улыбнулся. Прежде чем перешагнуть порог собственной квартиры, он поставил на пол сумку и кейс и крепко обнял Глэдис.

— Мне кажется, это будет потруднее, чем я рассчитывал, — прошептал он.

— Может быть, и нет. — Глэдис ободряюще улыбнулась. — Во всяком случае, попробовать стоит...

Пол глубоко вздохнул. Глэдис была совсем рядом, точно так же, как она всегда была с ним на борту «Морской звезды». И ее лицо больше не казалось ему посторонним, отдельным от голоса, который он привык слушать, сидя в окружении ярких, южных звезд на темной, слегка покачивающейся палубе. Перед ним был живой, настоящий человек, на которого он привык полагаться.

Набрав полную грудь воздуха, как перед прыжком в воду, Пол поднял с пола вещи и решительно шагнул через порог. Он щелкнул выключателем и огляделся. В квартире никто не жил с самого сентября, но здесь царил идеальный, хотя и несколько искусственный порядок. Просторная прихожая, отделанная мореным дубом, украшенная множеством литографий и уставленная современными скульптурами самых разных цветов и размеров, походила на торговый зал закрытого на ночь антикварного магазина. Огромное зеркало на трельяже все еще было завешено темным газом. Пол, поспешно сорвав эту траурную драпировку, так и остался стоять, комкая ее в руках и не зная, что ему теперь с ней делать.

Не говоря ни слова, Глэдис взяла ткань у него из рук и, аккуратно сложив, убрала в ящик под зеркалом. Пол благодарно взглянул на нее и, сделав приглашающий жест, первым прошел в гостиную. Глэдис последовала за ним.

Гостиная была очень большой и красивой. Смесь антикварной и современной мебели. На стенах — подлинники Миро, Шагала, Поллока и каких-то других художников, которых Глэдис не знала. Все вместе выглядело довольно эклектично. По какой-то неведомой причине обстановка гостиной напомнила ей Селину. Впрочем, Глэдис довольно быстро убедилась, что вся квартира несла на себе отпечаток порывистой, увлекающейся личности своей бывшей владелицы. Повсюду Глэдис натыкалась на ее фотографии, взятые в основном с обложек книг, а над камином висел большой портрет. Увидев его, Пол застыл, словно загипнотизированный, и довольно долго не произносил ни слова.

— Я успел забыть, как она была красива! — произнес он наконец хриплым шепотом. — Но я постараюсь не думать об этом теперь...

Глэдис кивнула, зная, как трудно ему было оказаться в знакомой обстановке и снова увидеть Селину — хотя бы только на портрете. Но она знала так же, что ему необходимо через это пройти. Уберет он в конце концов портрет или оставит? Глэдис казалось, что портрет в какой-то степени властвует над всей комнатой, как, без сомнения, царила здесь Селина, когда была жива. Ее присутствие до сих пор ощущалось в воздухе, хотя в квартире уже слегка пахло нежилым.

Глэдис хотела что-то сказать, но Пол прошел в небольшую, смежную с гостиной комнату, служившую ему кабинетом. Там он поставил кейс на стол и включил уютную настольную лампу с зеленым абажуром.

Глэдис тоже вошла в кабинет, хотя ей начинало казаться, что она навязывает ему свое присутствие. Не зная, как ей быть, она решилась задать ему прямой вопрос.

— Может быть, мне лучше уйти? — негромко сказала она и увидела, как на лице его появилось разочарование, смешанное с обидой.

— Почему? — спросил Пол. — Разве ты не можешь побыть еще немножко?.. Или тебе пора возвращаться к детям?

Глэдис пожала плечами.

— В общем-то нет, я просто не хотела навязываться.

Лицо его чуть дрогнуло и на мгновение сделалось совершенно бесстрастным, но это выражение не могло обмануть Глэдис.

— Ты нужна мне, Глэдис... С тобой мне гораздо легче, — проговорил он и добавил после небольшой паузы: — Может быть, ты хочешь чего-нибудь выпить?

Глэдис покачала головой.

— Мне нельзя. Ведь мне еще возвращаться в Уэстпорт.

— Ужасно не хочется отпускать тебя одну! — заявил он, с размаху садясь на обитую темно-лиловым бархатом козетку, стоявшую напротив еще одного, несколько меньшего по размерам камина. Над камином висел эскиз кисти Ренуара в массивной золоченой раме.

— Когда ты приедешь ко мне в следующий раз, я найму для тебя лимузин. Или, если ты не имеешь ничего против, я буду сам отвозить тебя в Уэстпорт.

— Я прекрасно доберусь — мне это совсем не трудно, — весело сказала она. — Впрочем, спасибо, что подумал обо мне.

Пол тем временем смешал себе скотч и содовую, достав все необходимое из маленького бара. Там же нашлась и кока-кола. Глэдис с удовольствием выпила несколько глотков.

— Какая роскошная квартира, — сказала она задумчиво, еще раз обводя взглядом обитую бархатом мебель и панели красного дерева на стенах кабинета. Впрочем, чего-то подобного она ожидала. Каюты «Морской звезды» выглядели не менее богато.

— Селина обставляла ее сама, — вздохнул Пол, глядя на Глэдис. Она сидела в кресле, скрестив длинные, изящные ноги, и тоже смотрела на него. Что-то в ее взгляде неожиданно напомнило Полу прошлое лето, когда они почти так же сидели друг напротив друга на палубе «Морской звезды».

— У Селины было много самых неожиданных способностей и талантов, — добавил он. — Наверное, не было такого дела, которое оказалось бы ей не по силам. И, признаться, с этим порой было нелегко мириться.

Он и раньше говорил ей нечто подобное, но теперь, оказавшись в его квартире, Глэдис лучше понимала, что Пол имеет в виду. Во всем: в обстановке, драпировках, в самом воздухе — чувствовались присущие Селине стиль, порывистость и острый ум, не боящийся контрастов и привыкший ради достижения наибольшего эффекта играть на непривычном.

— Не знаю, что мне теперь делать с этой квартирой, — покачал головой Пол. — Наверное, придется продать ее вместе с обстановкой — так будет проще всего.

— Зачем спешить? — отозвалась Глэдис, отпивая небольшой глоток кока-колы. — Попробуй сначала слегка передвинуть вещи.

Пол усмехнулся:

— Селина убила бы меня на месте, если бы я тронул хоть одну статуэтку на каминной полке. Она всегда говорила, что если она поставила ту или иную вещь на какое-то место, значит, там она и должна стоять.

Если я передвигал пепельницу на журнальном столике, она поднимала такой шум, словно я оскорбил ее действием. Но, возможно, ты права. Даже сейчас это все еще квартира Селины, а я должен сделать ее своей.

И это действительно было так. Селина никогда не вмешивалась в то, как Пол обставлял и украшал свою яхту, — это был полностью его мир, и именно поэтому после гибели жены он укрылся там. Но здесь, в квартире, все буквально дышало Селиной, все напоминало Полу о его потере.

— А как ты собираешься поступить со своим домом? — спросил он внезапно. — Ты будешь переставлять там мебель, или оставишь все, как было при Дуге? Кстати, он забрал много своих вещей?

— Нет, — покачала головой Глэдис. Он оставил ей все, за исключением компьютера и нескольких книг и безделушек, которые были дороги ему как память о колледже. Дугу, как и ей, не хотелось расстраивать детей больше, чем это было необходимо. — Нет, он оставил почти все, — повторила Глэдис. — Что касается перестановок, то я не хочу с этим спешить. Это может расстроить детей, а им и так непросто приспособиться к новой ситуации.

Пол кивнул. Он знал, что подобный подход был полностью в ее характере. Именно поэтому она посоветовала «слегка передвинуть вещи», вместо того чтобы прямо сказать ему, от чего следует избавиться. Глэдис считала себя не вправе распоряжаться чужими вещами и даже советовать ему продавать квартиру. За месяцы их телефонного общения Глэдис стала для него тихой гаванью, в которой Пол мог укрыться, когда ему становилось совсем худо.

— Ты собираешься перегонять яхту в Нью-Йорк? — неожиданно спросила Глэдис. Она очень хотела знать, как долго Пол собирается пробыть в «цивилизованном мире», как он выражался, но спросить об этом прямо она по-прежнему не решалась.

Пол ненадолго задумался.

— Я еще не решил, — промолвил он наконец. — Все будет зависеть от того, как долго я здесь пробуду. А этого я сам пока не знаю. Как пойдут дела.

Он посмотрел на нее, и Глэдис стало ясно, что Пол имеет в виду не столько свой бизнес, сколько то, насколько уютно он будет чувствовать себя в знакомой обстановке старой квартиры.

— В принципе, — продолжал тем временем Пол, — в апреле я собирался куда-нибудь на острова Карибского моря. В это время года там просто великолепно. Ты когда-нибудь бывала на Мартинике или на Барбадосе?

— Нет, не удалось, — рассмеялась Глэдис. — Там, видишь ли, давно не было никаких войн и вооруженных конфликтов.

— Зато на Гренаде они были, — напомнил Пол.

— Эту войну я пропустила, — призналась Глэдис. — В это время я была в Лаосе.

— Может быть, если я в конце концов решу побывать где-нибудь на Антигуа, вы с детьми прилетите ко мне хотя бы на несколько дней? — предложил Пол. — Мне кажется, это было бы интересно и тебе, и им.

— О, дети будут просто в восторге! — ответила Глэдис с признательностью. — Особенно Сэм, — добавила она, внезапно перехватив тоскующий взгляд Пола, устремленный на одну из многочисленных фотографий Селины. — Ты не проголодался? — спросила она быстро, пытаясь отвлечь его от печальных мыслей. — Я могла бы быстренько что-нибудь приготовить: например, омлет или сандвичи с арахисовым маслом.

— Что ты говоришь? — Пол рассеянно посмотрел на нее, но быстро опомнился. — Обожаю арахисовое масло! — воскликнул он и грустно улыбнулся. Он прекрасно понял, почему Глэдис заговорила с ним о еде. Она снова поспешила ему на помощь. Увы, на этот раз ее усилия увенчались лишь частичным успехом: быть в этой квартире и не вспоминать Селину было просто невозможно. — Я люблю арахисовое масло с оливками и бананами, — добавил он и рассмеялся, увидев, какое выражение появилось на лице Глэдис.

— Ну и рецептик! — заметила она. — Все равно что копченая рыба с клубникой и сливками. Очень тебя прошу, не рассказывай об этом блюде Сэму — он обожает подобные, гм-м... гремучие коктейли. А кстати, есть у тебя арахисовое масло?

— Не думаю. Впрочем, можно посмотреть.

Полу совершенно не хотелось есть, но в кухне воспоминания, пожалуй, не будут одолевать его с такой силой. Кухня была единственным во всей квартире местом, куда Селина не заходила никогда. Обычно она и Пол питались в ресторанах или нанимали повара. Иногда Пол сам брался готовить ужин или обед, но за все одиннадцать лет их совместной жизни Селина ни разу не пожарила для него простой яичницы. И она гордилась этим.

Пройдя через роскошную столовую, посреди которой красовался антикварный обеденный стол, Глэдис оказалась в просторной кухне, отделанной черным полированным гранитом. Повсюду поблескивали никелированными деталями и циферблатами замысловатые кухонные приспособления, назначение которых Глэдис удалось угадать лишь благодаря своему большому опыту. «Эту кухню надо бы сфотографировать и послать снимок в «Интерьер и дизайн», — подумалось ей.

Однако в многосекционном холодильнике, в который при желании можно было запихать целую говяжью тушу, не нашлось ничего, кроме промороженных насквозь бифштексов, оставленных здесь в незапамятные времена кем-то из наемных поваров, и целой батареи жестяных баночек с содовой водой.

— Интересный у тебя будет завтрак, — заметила Глэдис, заглядывая в холодильник.

— Моя секретарша не знала, что я остановлюсь здесь. Я просил ее зарезервировать номер в «Карлайле». Наверное, завтра я действительно переберусь туда, — объяснил Пол и посмотрел на нее с каким-то странным выражением лица. — Извини, но мне совершенно нечего тебе предложить.

Глэдис улыбнулась.

— Я-то не голодна. А вот когда ты ел в последний раз?

Пол бросил быстрый взгляд на часы.

— Не помню. Это было еще в Париже, когда я пересаживался на рейс «Эйр Франс».

— Ты, наверное, просто валишься с ног.

Пол ненадолго задумался.

— Да вроде нет, не особенно... Должно быть, это от того, что мне очень хорошо с тобой.

Многие женщины на ее месте приняли бы эти слова чуть ли не за любовное признание, но Глэдис слишком хорошо знала Пола. Ему было просто страшно оставаться одному среди этих стен, среди портретов и едва уловимых знакомых запахов. Он знал, что платья Селины все еще хранятся в чуланах и стенных шкафах, и боялся наткнуться на них. Пол не догадался попросить кого-нибудь разобрать вещи Селины и что-нибудь с ними сделать. Теперь ему предстояло заниматься этим самому. Он заранее вздрагивал, представляя, как будет держать в руках ее домашние туфли, ее ночную рубашку, ее сумочки и платья.

— Скажи, когда тебе пора будет возвращаться в Уэстпорт, — произнес он неожиданно севшим голосом. Полу очень не хотелось, чтобы Глэдис ехала домой одна, да еще в такой поздний час. Это было небезопасно, к тому же ему нравилось ощущать ее рядом, после того как они так долго общались на расстоянии. Но Пол не знал, как сказать об этом Глэдис. Он боялся даже лишний раз обнять ее, чтобы ненароком не оскорбить и не оттолкнуть. Вот почему он вел себя с ней предельно сдержанно. Глэдис, разумеется, воспринимала это как несомненный признак того, что их дружба носит чисто платонический характер. Пол понятия не имел, как это можно изменить.

На часах было начало первого. Провожая ее до дверей квартиры, Пол выглядел как ребенок, которого заставляют расстаться с самым близким другом. На мгновение Глэдис ужасно захотелось остаться с ним.

— С тобой все будет в порядке? — заботливо спросила она, совершенно позабыв о том, что перед ней вполне самостоятельный, взрослый мужчина, совершивший два кругосветных путешествия под парусами.

— Будем надеяться, — честно ответил он и вздохнул, чувствуя, как напряжение и тревога снова овладевают им.

— Если будет нужно — сразу звони, — сказала Глэдис. — И не бойся разбудить меня — твое спокойствие важнее.

— Спасибо, Глэдис... — сказал Пол мягко и неожиданно заколебался. Казалось, он хотел еще что-то добавить, но передумал.

Он спустился вместе с ней, усадил в машину и на прощание указал на замки обеих дверей. «Запрись как следует», — вот что означал этот жест. Глэдис, кивнув, опустила стекло, чтобы еще раз пожелать ему всего хорошего.

— Если ты не передумаешь, то завтра после заседания мы опять увидимся, — напомнил Пол. — Как насчет половины восьмого?

— Отлично. Кстати, как принято одеваться в этом... ну, куда мы пойдем? Что мне лучше надеть?

— Что-нибудь не слишком экстравагантное. — Глэдис сразу догадалась, что то же самое он сказал бы Селине. — Я тебе позвоню, — добавил Пол, и Глэдис кивнула.

— Постарайся уснуть, хорошо? — она махнула рукой и отъехала, продолжая думать о Поле. Здесь у него не было даже молока, и единственное, что он мог сделать, — это полежать в горячей ванне, прежде чем идти спать. Впрочем, она почти не сомневалась, что сегодня ему вряд ли удастся уснуть, даже если он выпьет цистерну горячего молока и разорит целую пасеку. Оставалось только надеяться, что Пол все-таки ей позвонит; она, во всяком случае, была готова разговаривать с ним хоть до утра.

«Ведь это совсем другое дело, — подумала она. — Теперь Пол здесь, а не где-то за тридевять земель. Он совсем рядом, и, если бы он попросил, я могла бы даже приехать к нему снова...».

Но тут Глэдис поняла, что если она и дальше будет размышлять подобным образом, это может завести ее далеко. Поэтому она включила радио и, вполголоса подпевая знакомому певцу, стала думать о том, как завтра они с Полом пойдут в «Дэниэл».

ГЛАВА 6

На следующий день Пол позвонил Глэдис в семь часов утра. Он сообщил, что провел кошмарную ночь и сегодня же переезжает в отель «Карлайль».

— О, Пол, как я тебе сочувствую! — воскликнула Глэдис. Она предвидела, что так и будет. В квартире все еще было слишком много Селины. — Ты, наверное, ужасно себя чувствуешь. Как же ты пойдешь на заседание совета директоров?

— Да, чувствую я себя скверно, — неохотно признал Пол. — Хуже, чем рассчитывал. Наверное, мне следовало сразу ехать в отель.

У него был такой голос, словно он только что плакал, и Глэдис прикусила губу, чтобы самой не разреветься от жалости.

Возникла тяжелая пауза. Глэдис не знала, что сказать.

— Я хотел бы встретиться с тобой в «Карлайле», — неожиданно произнес Пол. Он явно сумел справиться с собой. — Приезжай в бар Бемельмана в семь — мы с тобой выпьем по коктейлю, а потом переберемся в «Дэниэл».

— Хорошо, буду в семь, — пообещала Глэдис. — Кстати, ты позавтракал? Не можешь же ты идти на работу на пустой желудок!

Для нее — матери четырех детей — беспокоиться о подобных вещах было совершенно естественно, и Пол не сдержал улыбки. Уже много лет его никто не спрашивал, позавтракал он или нет. В особенности — Селина. Она сама вставала поздно и никогда не завтракала — поэтому-то ей, вероятно, казалось, что он тоже не нуждается в еде.

— Я перекушу в офисе, — сказал Пол. — В нашем банке большая кухня и два повара. Думаю, они сумеют соорудить что-нибудь для меня, хотя, по правде говоря, мне совершенно не хочется есть...

Глэдис поняла, что Пол собирается уехать на работу как можно раньше, лишь бы поскорее выбраться из квартиры, которая так пугала и мучила его.

— Не знаю, смогу ли я снова вернуться сюда, — грустно промолвил Пол, подтверждая ее мысли.

— Не будем говорить об этом сейчас, — поспешно перебила его Глэдис. — Но, думаю, что когда пройдет сколько-то времени, тебе будет проще. Ты проделал уже большой путь, Пол, осталось сделать всего несколько шагов...

Но им обоим было ясно, что эти-то шаги и будут самыми трудными. Возвращение в квартиру, которую он столько лет делил с женой, стало для Пола настоящим эмоциональным шоком, справиться с которым было очень нелегко.

— Спасибо, что снова меня утешаешь, — сказал

Пол и вдруг насторожился, услышав в трубке какой-то шум и удары. — Что там у тебя происходит?

— Обычный утренний бедлам, — улыбнулась Глэдис. — Я пытаюсь готовить завтрак для детей, которые уже ломятся в кухню, а в коридоре сходит с ума собака — ей пора гулять.

— Как, кстати, поживает мой друг Сэм? — поинтересовался Пол.

— Неплохо. В последнее время он стал слишком много есть. Сэм утверждает, что настоящий моряк должен быть сильным.

— Ну, не буду тебе мешать — корми свою команду, — сказал он и, попрощавшись, дал отбой.

Весь день Глэдис ездила по магазинам, закупая продукты, карандаши, носки и прочие необходимые мелочи. Когда во второй половине дня она отправилась в школу, чтобы забрать детей, то на автостоянке неожиданно столкнулась с Мэйбл.

У Мэйбл были для нее новости. По ее сведениям, прошедший уик-энд Дуг провел со своей новой подружкой и двумя ее детьми. Глэдис была неприятно поражена тем, что теперь вдруг это сильно ее расстроило. Она понимала, разумеется, что у Дуга есть полное право делать все, что ему заблагорассудится, однако поспешность, с которой он начал создавать вторую семью, была ей очень и очень не по душе. В конце концов, они расстались всего два месяца назад, и у нее до сих пор не было никого. За исключением, разумеется, Пола, но это совсем другое. О его возвращении она не говорила даже Мэйбл — это был ее собственный, тщательно хранимый секрет.

Наемная няня приехала в пять. Глэдис уже одевалась. В шесть она готова была ехать в Нью-Йорк, но ее неожиданно задержали дети.

— Почему ты опять куда-то уходишь? — захныкал Сэм, когда она наклонилась, чтобы поцеловать его на прощание. — Ведь ты ездила в Нью-Йорк только вчера вечером!

— У меня есть друзья в городе, и я обещала их навестить. Не расстраивайся, Сэм: сегодня я вернусь поздно, но завтра утром мы обязательно увидимся!

Он хотел спросить, кто эти друзья, но Глэдис так поспешно выскочила за дверь, что Сэм не успел задать вопрос, который вертелся у него на языке. Но ни ему, ни кому-либо другому из детей Глэдис все равно бы не созналась, что едет к Полу. В конце концов, это не их дело. Кроме того, ей не хотелось вселять в их детские сердца лишнюю тревогу — все четверо и так очень переживали из-за того, что у Дуга появилась вторая семья, которой он интересовался гораздо больше, чем ими.

Как бы там ни было, в Нью-Йорк Глэдис ехала с тяжелым сердцем. Дорога оказалась забита, и она опоздала на десять минут, но улыбка, которой встретил ее Пол, искупила многое. В новых лакированных туфлях на шпильках, в черном кардигане, короткой юбке и с золотыми волосами, собранными в напоминающий корону пучок, она выглядела совершенно потрясающе. Глэдис и сама знала это и тем не менее волновалась. Одеваться для ужина в дорогом ресторане было для нее внове.

— Ты сегодня просто как картинка, — сказал Пол, помогая ей усесться. Сам он, однако, выглядел неважно. После бессонной ночи сегодняшний день показался ему особенно долгим. К тому же он успел отвыкнуть от строгой деловой атмосферы, царившей в офисе банка. Разумеется, с его возвращением сразу же возникло множество проблем и вопросов, которые мог разрешить только он. Пол был донельзя издерган.

— Как прошел твой день? — поинтересовался он. — Надеюсь, ты не была так занята, как я?

Глэдис улыбнулась и заказала себе бокал белого сухого вина, рассчитывая, что алкоголь успеет выветриться до того, как ей пора будет возвращаться в Уэстпорт. Правда, в телефонном разговоре Пол снова предложил прислать за ней наемный лимузин, но она отказалась. Что бы сказали дети, если бы увидели, как их мама садится в огромную черную машину? Скорее всего они решили бы, что у нее роман со знаменитым киноактером или торговцем наркотиками.

— Нет, я занималась своими обычными делами, а вечером забрала детей из школы, — ответила она, потом пересказала Полу услышанные от Мэйбл новости.

Выслушав ее, Пол слегка приподнял бровь.

— Твой бывший действительно не тратит времени даром, — сказал он с осуждением, но в глубине души Пол был рад. То, что у Дуга появилась любовница, означало, что он, по крайней мере, не будет досаждать Глэдис.

— Как твое заседание директоров? — задала вопрос Глэдис.

— Как я и говорил, это оказалось простой формальностью, правда, весьма утомительной. Зато я разговаривал со своим сыном. Они с женой задумали завести третьего ребенка, и мне кажется, что это прекрасно. Кто заводит детей, тот верит в будущее. Впрочем, Шон вряд ли заглядывал так далеко...

Глэдис посмотрела на Пола. Он совсем не был похож на дедушку. Он даже не выглядел на свои пятьдесят с лишним лет, хотя и утверждал, что сегодня он особенно отчетливо ощущает каждый прожитый год.

— Мне кажется, ты правильно поступил, когда решил перебраться в отель, — сказала она. — Здесь ты быстрее освоишься и... выздоровеешь, если можно так выразиться.

— Я понимаю, — грустно согласился Пол. — Просто мне казалось, что глупо жить в отеле, когда в нескольких кварталах отсюда у тебя есть собственная квартира. Только она не моя, эта квартира. Мне кажется, что еще одной ночи в тех стенах я бы не вынес. Все кошмары, которые мучили меня на протяжении шести месяцев, в одночасье вернулись, и я... В общем, мне снова приснилась Селина; она смотрела на меня и спрашивала, как вышло, что я не погиб вместе с ней...

— Она никогда бы не сказала тебе ничего подобного, и ты это отлично знаешь, — твердо заявила Глэдис. Раньше она могла позволить себе сказать ему такое только по телефону, но сейчас слова сорвались с ее языка сами собой, и Глэдис решила, что начинает понемногу привыкать к тому, что Пол находится рядом с нею.

Пол печально улыбнулся.

— Ты знаешь, сейчас ты говорила совсем как она. Селина терпеть не могла, когда я начинал жалеть себя, и каждый раз устраивала мне хорошенькую взбучку. Разумеется, ты права, Глэдис, права, как всегда. Вы обе правы...

Они вышли из бара и отправились в «Дэниэл». Метрдотель встретил их у дверей и усадил за уютный столик в углу, где им никто не мешал. Пола здесь явно знали. Метрдотель изо всех сил старался ему угодить, и Глэдис, время от времени ловившая на себе его любопытный взгляд, с грустью подумала о том, что он, должно быть, часто бывал здесь с Селиной.

Пол тоже заметил эти взгляды.

— Все гадают, кто ты такая, — с улыбкой сказал он, когда метрдотель отошел. — В этом костюме ты выглядишь как супермодель. И такая прическа тоже тебе очень идет...

На самом деле Полу очень не хватало ее косы, ее голубой майки и вылинявших шортов, в которых она была на «Морской звезде». Их первая встреча почему-то запечатлелась в его мозгу особенно ярко, и он часто рисовал себе Глэдис именно такой, какой она была тогда. Впрочем, Пол надеялся, что когда-нибудь Глэдис и Сэм снова поднимутся на борт его яхты. Он был почти готов отдать команде приказ перегнать «Морскую звезду» из Франции на Антигуа.

Они заказали суп из омаров, жареных голубей для Глэдис и бифштекс с пикантным соусом для него, а также салат из цикория и шоколадное суфле на десерт. Когда официант, принесший заказ, налил вино и отошел от их столика, Пол неожиданно предложил Глэдис отдохнуть вместе с детьми у него на яхте.

— «Морская звезда» придет на Антигуа через две недели или чуть больше, — сказал он. — Это значит, что на Пасху вы сможете прилететь ко мне и провести там несколько дней. Думаю, что, даже если вы немного задержитесь, на школьных занятиях это не отразится.

— Ты действительно этого хочешь? — спросила Глэдис. — Нас все-таки слишком много. Имей в виду, дети порой способны свести с ума кого угодно. Подумай, может, ты лучше пригласишь кого-нибудь другого?

— Если твои остальные дети хоть чем-то похожи на Сэма, я смогу выносить их как угодно долго, — возразил Пол. — И потом, если даже разместить их по двое в каюте, то на яхте останется еще достаточно места для других гостей. На самом деле сейчас мне хотелось бы видеть у себя Шона, но он — скверный моряк, к тому же его жена наверняка откажется. Она, видишь ли, уже на третьем месяце, поэтому подобное путешествие может ей повредить. Я, конечно, все равно спрошу. Быть может, твои дети подружатся с детьми Шона, хотя они, конечно, еще слишком малы, чтобы общаться с твоими на равных. В общем, дети не проблема. Пока мы с Сэмом будем управлять яхтой, остальные могут смотреть видео, играть в лото, в триктрак или во что-нибудь еще...

Пол так загорелся этой идеей, что Глэдис растаяла. Отказаться от такого предложения было совершенно невозможно. Тем более Дуг уже намекнул ей, что у него на предстоящие каникулы свои планы. Он и его новая «спутница жизни» собирались съездить с ее детьми в Диснейленд. Дети Глэдис были обижены тем, что отец не пригласил и их тоже. Но, как сказала Мэйбл, большинство разводов кончаются именно так. Отцы перестают интересоваться собственными детьми, как только находят подружку.

— Значит, ты... серьезно нас приглашаешь? — осторожно поинтересовалась Глэдис. — Знаешь, ты ведь не обязан...

— Знаю. Но я этого хочу. Ну а если ты думаешь, что будешь скучать по нашим с тобой телефонным разговорам, можешь звонить мне на мостик из каюты по внутренней связи... Это поможет тебе вспомнить, кто я такой.

Он, разумеется, шутил.

Услышав его предложение, Глэдис от души рассмеялась.

— Отлично, — сказала она. — Мне прямо сейчас хочется выйти на улицу и позвонить тебе из платного телефона-автомата.

— Я не стану подходить, — серьезно ответил Пол.

— Почему? — удивилась Глэдис, и он посмотрел на нее с каким-то странным выражением лица.

— Потому что у меня — свидание. Первое свидание за много, много лет. Боюсь, этому нужно учиться заново. Я просто не помню, как это делается.

Его глаза стали какими-то беззащитными, и Глэдис, сама того не сознавая, ответила ему чуть слышным шепотом, боясь причинить Полу боль одним лишь звуком собственного голоса:

— Так это... свидание? Я думала, мы друзья.

Она была совершенно сбита с толку, и Пол это понял. Покачав головой, он сказал:

— Разве нельзя быть и тем, и другим одновременно?

Он действительно приехал в Нью-Йорк не только ради бизнеса, хотя и уверял Глэдис в обратном. После шести месяцев заочного общения ему страстно хотелось увидеть ее.

— Наверное, можно, но... — ответила Глэдис, отчего-то вдруг занервничав.

— Осторожней, не разлей суп, — сказал Пол, заметив, как дрожит ложка в ее руке, и Глэдис неловко улыбнулась. Его вопрос буквально потряс ее.

Глэдис было страшно менять хоть что-то в отношениях, которые ее устраивали. Еще под Рождество, еще до того, как от нее ушел Дуг, Пол сказал ей, что они будут только друзьями. Но почему тогда он назвал их сегодняшнюю встречу «свиданием»? Что это значит? Почему он вдруг передумал?

— Знаешь, Пол, иногда ты меня... просто пугаешь, — сказала она, и Пол невольно улыбнулся. В эти минуты Глэдис казалась ему очень молодой, очень наивной и... удивительно красивой. Совершенно очевидно, что она не ходила на свидания, наверное, еще дольше, чем он.

— Я тебя и правда напугал? — Его лицо неожиданно стало озабоченным. — Прости, я вовсе не хотел!.. Я не знал, что тебя это испугает.

— Я и не испугалась... Почти не испугалась. Но ведь ты сам сказал, что мы будем только друзьями. Помнишь, когда я звонила тебе перед самым Рождеством?..

— Перед Рождеством? Но ведь это было очень давно!.. Я и сам не знаю, почему я так сказал. Что ж, очевидно, я сморозил глупость, — признался он, и Глэдис почувствовала, как сердце у нее в груди на мгновение замерло, а потом забилось быстрее. — Надеюсь, ты меня простишь?

Глэдис с готовностью кивнула. Она всегда готова была простить его.

Глядя на нее, Пол вздохнул и, протянув через стол руку, осторожно взял ее пальцы в свои.

— Иногда, Глэдис, мне становится очень страшно... и очень грустно. Мне ужасно не хватает Селины, и тогда я... говорю такие вещи, которые говорить не следовало бы.

Это было похоже на попытку отступиться. Глэдис показалось, что она вдруг перестала его понимать.

К глазам подступили слезы, а горло стиснуло внезапной судорогой. Она не хотела его терять, не хотела навсегда испортить их отношения, пусть они оставались бы «только дружбой». Ей было совершенно ясно, что если все превратится в нечто большее, Пол в конце концов может сам этого испугаться и снова сбежать на свою яхту, на этот раз — навсегда.

— Мне кажется, иногда ты действительно не вполне отдаешь себе отчет в том, что с тобой творится... — сказала она, аккуратно промокнув глаза его носовым платком. — Как и я, впрочем...

— Возможно, ты права. Но почему бы нам не довериться друг другу? Почему бы не разобраться во всем вместе?

Глэдис на мгновение закрыла глаза и кивнула. Когда же она снова посмотрела на него, то увидела, что Пол улыбается. Он был рад тому, что с ними происходит, и нисколько не смущался своего чувства. На мгновение он даже забыл о Селине и блаженствовал от сознания того, что в его жизни появилось что-то новое, светлое.

После этого объяснения настроение и у Глэдис, и у Пола снова поднялось. Он принялся рассказывать какие-то забавные случаи, которые происходили на его яхте, и Глэдис от души смеялась, слушая, как гости Пола напивались и падали в воду и как одна леди позабыла задраить иллюминаторы в каюте и едва не потопила «Морскую звезду».

— Хорошо, — сказала она, — я буду помнить, что иллюминаторы нельзя оставлять открытыми.

— А если забудешь, — подхватил Пол, — я тебе напомню. Тонуть — это такая морока, к тому же от морской воды портятся ковры!

Глэдис слушала его, широко раскрыв глаза и затаив дыхание. Она знала о парусах и яхтах гораздо меньше, чем Сэм, и Пол вовсю этим пользовался. История с незакрытыми иллюминаторами была подлинной (лишь в одном месте Пол слегка приврал), зато следующую он выдумал от начала и до конца.

— Удивительно все же, как надежно спроектирована моя яхта! Однажды в сильный шторм мы опрокинулись. Так вот, мачты вместе с парусами описали под водой полный круг, после чего яхта снова встала на киль и пошла дальше как ни в чем не бывало. Многие члены экипажа даже не заметили, что побывали под водой. Только паруса промокли, и их пришлось долго сушить.

Поначалу глаза Глэдис расширились от ужаса, а рот слегка приоткрылся, но потом она сообразила, в чем дело.

— Пол Уорд, я тебя ненавижу! — заявила Глэдис, при чем ее голос и интонация удивительно напоминали Сэма. — Это все неправда!

— Ну, зачем же так резко? — рассмеялся Пол. — Я просто хочу произвести впечатление. «Морская звезда» на самом деле очень устойчива. Когда мы будем на Антигуа, я покажу тебе, как трудно ее опрокинуть!

— Пожалуй, ни на какие острова я с тобой не поеду, — решительно сказала Глэдис. — Иначе ты посадишь нас на рифы только для того, чтобы показать, какой у твоей яхты крепкий корпус! И вообще — прибереги свои истории для Сэма — он, по крайней мере, не станет верить всему, как я.

Но она нисколько не сердилась на Пола. Он просто пытался ее развеселить, и ему это удалось. А главное, он сам отвлекся от своих мрачных мыслей.

— Уж он не станет, — пробормотал Пол с удрученным видом, но глаза его смеялись. Он явно получал удовольствие от ее общества, от еды, от вина и даже от окружающей обстановки. Насколько Пол помнил, в последний раз он чувствовал себя так легко и свободно очень давно, еще до того, как... Но он не хотел вспоминать, когда это было. Главное, ему было хорошо сейчас, а остальное не имело значения.

— Хотя, по-моему, я вру очень убедительно, — добавил он задумчиво.

— Очень, — согласилась Глэдис со смущенной улыбкой. Ей нравились его легкий, безобидный юмор и непринужденная манера держаться, которая очень напоминала ей прежнего Пола. И то ли благодаря этому, то ли чему-то другому, она начинала чувствовать себя с ним так же свободно, как и во время их телефонных разговоров.

Они провели вместе чудесный вечер. Когда десерт был съеден, а кофе выпит, они вышли из ресторана и не торопясь вернулись в «Карлайль». Времени было еще мало, и Пол пригласил Глэдис подняться к нему в номер, чтобы немного поболтать. И она ответила согласием. Возвращаться в Уэстпорт не хотелось. Няня была готова остаться до утра, если Глэдис слишком задержится в городе. А это означало, что времени у нее было сколько угодно.

— У меня довольно удобный номер, но, к сожалению, это не люкс и не апартаменты, — извинился Пол, пропуская Глэдис в кабину лифта. — Просто удобная квартира на одного.

Глэдис ничего не ответила. Ей было совершенно все равно.

Пока лифт поднимался на нужный этаж, Пол успел кое-что рассказать Глэдис об Антигуа и других островах из группы Малых Антильских, которые они могли бы при желании посетить. У Глэдис было о них самое смутное представление. Пол объяснил, что весной там стоит тихая и совсем не жаркая погода, зато людей отдыхает гораздо меньше, чем на Багамах.

На девятом этаже они вышли, и Пол показал Глэдис свой номер. Он был достаточно просторным, но, как и предупреждал Пол, выглядел совершенно безликим, несмотря на обилие свежих цветов и мини-бар, в котором можно было найти напитки на любой вкус. Пол сразу же налил Глэдис бокал вина, но она не стала пить, помня о том, что ей еще предстоит возвращаться. Вместо этого она попросила глоток пепси. Пол, позвонив в коридорную службу, заказал для нее крюшон, фрукты и печенье.

Пощипывая кисточку винограда и запивая ее в меру холодным крюшоном, от которого слегка щипало нёбо, Глэдис присела на краешек дивана. Она еще не успела проголодаться после ужина, съеденного в «Дэниэле», но виноград и персики выглядели так аппетитно, что Глэдис не смогла устоять.

Пол уселся рядом с ней. Еще несколько минут он, словно по инерции, продолжал рассказывать о своей яхте и далеких южных островах, но потом вдруг замолчал. В ту же минуту Глэдис ощутила, как ее словно пронзил легкий электрический разряд. Нечто подобное она испытывала только однажды — в тот день, когда впервые встретила Пола.

Теперь ей стало окончательно ясно, что в нем было что-то наподобие внутреннего магнетизма, который притягивал ее с непреодолимой силой.

— Не могу поверить, что все это на самом деле, — промолвил Пол. — Мне все время кажется, что я вот-вот проснусь у себя на яхте, а капитан или его помощник скажут, что ты просишь меня к телефону.

— Странно, да? — Глэдис улыбнулась, вспоминая их долгие разговоры и холодные, продуваемые всеми ветрами будки телефонов-автоматов. Это было одним из самых драгоценных ее воспоминаний, с которым она не рассталась бы ни за что на свете. — Знаешь, — сказала она, негромко смеясь, — иногда, когда мы заканчивали разговор, мои руки так застывали, что мне не сразу удавалось разжать пальцы и повесить трубку на рычаг.

Пол смотрел на Глэдис. В ее глазах он видел нежность и ласку, и сердце его переполняло новое, незнакомое чувство, которое незаметно, исподволь взросло между ними и неожиданно завладело ими обоими.

Пол ничего больше не сказал Глэдис. Вместо этого он наклонился к ней и, обняв за плечи, поцеловал в губы, сладкие не то от виноградного сока, не то от чего-то еще. А Глэдис внезапно поняла, что получила ответы на все вопросы, которые даже не решалась задать.

Прошло довольно много времени, прежде чем они снова заговорили друг с другом. Голос Пола звучал совсем негромко, но был хриплым от страсти.

— Мне кажется, я влюбился в тебя, Глэдис, — прошептал Пол. Он и сам не ожидал, что такое может случиться с ними. Еще меньше ожидала этого Глэдис, ибо с самой их первой встречи она постоянно твердила себе, что такое просто невозможно.

— Я очень долго не позволяла себе этого почувствовать, — сказала она, — а когда почувствовала — старалась не проговориться, но теперь...

— Я давно понял, что люблю тебя, — он крепче прижал ее к себе, — но боялся, что это может оказаться совсем не то, чего ты хочешь и чего ждешь...

— А я боялась, что ты... что я... — Глэдис никак не могла решиться высказать ему то, что мучило ее больше всего. Разве сумеет она когда-нибудь сравняться с Селиной в его глазах? Она не смела на это даже надеяться, однако и говорить Полу о своих опасениях Глэдис не хотела. Во всяком случае — не сейчас. Он поцеловал ее еще раз и прижал к себе с такой силой, что на мгновение ей стало трудно дышать. Потом Пол неожиданно поднялся и, взяв ее под локоть, подвел к дверям спальни.

— Я сделаю, как ты скажешь, — проговорил он, останавливаясь на пороге. В глазах его промелькнули сожаление и печаль. Он готов был навсегда оставить свою прежнюю жизнь и вступить в новую, если Глэдис хочет того же. Он любил ее сильнее, чем кого бы то ни было — в эти минуты это стало ему предельно ясно. — Если ты хочешь сейчас же уехать, я... не буду возражать, — проговорил он с очевидным трудом. — Я... я все понимаю, Глэдис.

Но она только посмотрела на него и покачала головой. Глэдис никуда не хотела уезжать. Она давно уже поняла, что хочет быть с ним, но не желала себе в этом признаться. Больше того, она изо всех сил сопротивлялась возникшему внутри ее чувству и, казалось, даже одержала победу. Глэдис уже почти смирилась с тем, что они будут просто друзьями, но стоило ему поцеловать ее, как здание лжи и самообмана, возведенное ею с таким тщанием, в одночасье рухнуло.

— Я люблю тебя, Пол... — сказала она негромко.

Тогда он ввел ее в спальню, погасил свет и, уложив Глэдис на кровать, лег рядом, прижимая ее к себе, прикасаясь к ней, наслаждаясь ее теплом, ее нежностью и красотой. Потом Пол осторожно снял с нее костюм и все, что он нашел под ним, черные чулки, разделся сам, и вот уже оба они приникли один к другому с жадностью, какой они в себе не подозревали.

— Ты так прекрасна, Глэдис! — прошептал Пол, приподнимаясь на локте и глядя на нее сверху вниз, и она протянула к нему руки и улыбнулась той самой улыбкой, которую он так хорошо помнил и которой ему так не хватало все эти многие месяцы.

Не выпуская друг друга из объятий, они поднялись в самые небеса, и танцевали там, и в конце концов обрели то, что так долго искали на жестокой и скучной земле, искали в объятиях других людей, которых тоже когда-то любили и которые любили их. Но все, что осталось в прошлом, казалось им теперь просто наваждением, от которого они сумели наконец избавиться. Никогда раньше ни он, ни она не испытывали ничего подобного, и океан нежности и любви, который плавно покачивал их, словно два лепестка на воде, был еще одним — и самым наглядным — доказательством того, что они оба с самого начала были созданы только друг для друга. В эти мгновения — а может быть часы, годы, столетия — Глэдис и Пол как будто рождались заново. Вместе с ними оживали их прежние упования, надежды и мечты, которые были давно позабыты или просто брошены как несбыточные.

Они стонали, но не от горя, а от наслаждения, ибо обоим было ясно: на самом деле ничто не кончилось — все только начинается.

Они долго лежали неподвижно и молчали. Потом Пол поцеловал Глэдис, а еще некоторое время спустя она неожиданно уснула. Он долго смотрел на нее спящую, потом закрыл глаза и погрузился в спокойный, крепкий сон, словно моряк, который долго скитался в пустынных морях и землях и наконец вернулся домой.

Когда они проснулись, солнце уже встало. Пол снова занимался с Глэдис любовью, и она призналась ему, что даже не знала, как удивительно, волшебно и прекрасно это может быть.

— Я тоже, — ответил он, с обожанием глядя на нее и испытывая благоговейный трепет перед ее нежностью и красотой. Глэдис была всем, чего ему так не хватало все это время, и он жалел, что не понял — не позволил себе понять этого раньше.

— Я больше не отпущу тебя, — сказал он и улыбнулся счастливо, как ребенок. — Ты будешь со мной везде — на яхте, в офисе, в других местах... Я не смогу жить, не видя тебя!

— Вот как? — Глэдис озорно улыбнулась в ответ. — А как же мои дети? Вообще-то, мне уже давно пора возвращаться в Уэстпорт.

Услышав эти слова, Пол застонал.

— Ты сможешь вернуться сегодня вечером? — спросил он. Ему очень хотелось снова заниматься с ней любовью, но он понимал, что и Глэдис, и ему самому нужен небольшой перерыв, чтобы освоиться с тем, что так внезапно на них свалилось.

Глэдис задумалась. Она знала, что ей будет трудно уехать от детей в третий раз.

— А может, лучше ты приедешь к нам? — спросила она с надеждой.

— Но... как же твои дети?

— Мы что-нибудь придумаем... В крайнем случае, положим тебя с Сэмом.

— Это было бы интересно... — протянул Пол, и Глэдис хихикнула.

— Ничего, как-нибудь, — повторила она. Ей не хотелось покидать Пола, но оставаться дольше она не могла и поэтому, неохотно отстранившись от него, стала одеваться.

Лежа на кровати, Пол наблюдал за Глэдис. Она казалась ему прекрасной. Даже не верилось, что всего несколько минут назад он держал в объятиях это великолепное, почти не тронутое возрастом тело. Но дело было не только в физической близости. Полу очень хотелось верить, что ее душа и сердце тоже принадлежат ему.

Но отношения с Глэдис были совсем не похожи на те, что сложились у него с Селиной. Самым соблазнительным, дразнящим, притягивающим было в Селине то, что она никогда не раскрывалась перед ним полностью — в ее душе всегда оставался недоступный для него уголок. Должно быть, подобным образом Селина охраняла свою независимость, давая Полу понять, что он никогда не сможет владеть ею полностью.

В этом и заключалась основная разница между ней и Глэдис, которая отдавала себя Полу целиком. Она была ласковой, отзывчивой, ранимой, и Полу казалось, что ему не хватит и тысячи лет, чтобы вычерпать до дна океан нежности, который изливали на него ее глаза, ее голос и руки. И восторг сладострастия, который они разделили, еще крепче привязал их друг к другу именно в духовном плане.

Он тоже принял душ и стал одеваться. Глэдис в свою очередь наблюдала за ним и таинственно улыбалась. Сказавший о нем, что он был «до неприличия хорош собой», нисколько не погрешил против истины. То же самое и еще многое другое она могла сказать сама.

Они вместе молча спустились в вестибюль отеля. Только когда Глэдис уже садилась в машину, Пол наклонился к ней и, глядя ей в глаза так, словно хотел запомнить это мгновение на всю жизнь, негромко сказал:

— Будь осторожна, Глэдис... Я люблю тебя.

В ответ Глэдис поцеловала его, и ее длинные светлые волосы, которые она не стала заплетать в косу, невзначай упали ей на щеку. Пол коснулся их, чтобы отвести в сторону, и они показались ему мягкими, как самый тонкий шелк. Глэдис смотрела на него снизу вверх, и в глазах ее светились невинность и доверие, безмятежное спокойствие и уверенность.

— Я тоже тебя люблю. Позвони мне — я расскажу, как до нас добраться.

Потом она отъехала, а Пол долго смотрел ей вслед. Наконец он повернулся, чтобы идти обратно в отель, но стоило ему коснуться ручки двери, как он вспомнил Селину, и сердце его заныло от чувства острого раскаяния и вины.

Но эта боль была совсем легкой и прошла, как только он поднялся в свой номер и увидел в спальне забытый Глэдис платок.

ГЛАВА 7

Вечером Пол приехал в Уэстпорт и ужинал вместе с Глэдис и ее семьей. Джессику, Эйми и Джейсона он видел впервые, и они ему понравились. Во всяком случае, он нашел их очень милыми и забавными.

Сэм развлекал всю компанию на протяжении целого ужина. Потом Пол и Джейсон вели серьезный разговор о парусниках и современном мореплавании. Эйми осторожно пыталась флиртовать с гостем, как бы пробуя свои силы в этой области. Пол нашел ее прелестной — главным образом потому, что она была очень похожа на мать. Только Джессика, храня верность отцу, держалась с ним весьма сдержанно. Впрочем, ей было известно, что у Дуга фактически уже есть новая семья, поэтому до откровенной грубости она не опускалась. Тем не менее после ужина Джессика первой встала из-за стола и отправилась к себе — готовить домашнее задание.

— Ну, кажется, ты сдал первый экзамен, — с улыбкой сказала Глэдис, когда они наконец остались вдвоем. — Джейсон сказал, что ты — «клевый», Эйми нашла тебя «симпатичным», а что касается Сэма, то он любит тебя уже давно.

— Зато Джессике я, кажется, не очень понравился, — спокойно заметил Пол.

— Ошибаешься. Она, правда, ничего не говорила, но это значит только, что Джесс отнеслась к тебе достаточно терпимо. Поверь мне, я-то хорошо ее знаю. Если бы ты ей не понравился, она бы так и сказала.

— Что ж, это радует, — улыбнулся Пол. Он всегда знал, что Глэдис — образцовая мать, но теперь ему выпала возможность лично в этом убедиться. Несмотря на уход отца, дети Глэдис не озлобились и не замкнулись в себе. Они оставались под защитой ее материнской любви, и этого было достаточно, чтобы все четверо чувствовали себя уверенно и комфортно.

Вскоре после полуночи, когда дети уже давно спали, Глэдис и Пол на цыпочках прокрались в спальню. Они старались заниматься любовью как можно тише, но Пол все равно нервничал, хотя Глэдис и заперла дверь.

— Ты уверена, что мы поступаем правильно? — спросил он, когда они отдыхали, лежа в объятиях друг друга.

Глэдис кивнула в ответ.

— Дверь заперта, — шепнула она, — а дети обычно спят крепко.

— Святая детская невинность... — вздохнул Пол. — Возможно, вначале нам это и поможет, но мы не сможем дурачить их вечно. Ведь я не могу остаться до утра, верно?

— Пока нет. Нужно дать им время. Известие о том, что Дуг завел себе другую женщину, да еще с двумя ребятишками, очень сильно на них подействовало. Теперь Дуг проводит уик-энды со своей новой пассией, а они...

— Понятно...

Пол вздохнул, подумав о том, как ему не повезло. Появись он на сцене раньше, чем новая подружка Дуга, все было бы иначе. Ему не пришлось бы ехать одному из Уэстпорта в Нью-Йорк в четыре часа утра.

В конце концов он остался у Глэдис до шести и успел даже немного поспать. Правда, ему снова снились самолеты, но они никуда не падали, а главное — он не видел во сне Селину. Когда рассвело, они с Глэдис на цыпочках спустились на первый этаж. Она пообещала приехать к нему вечером. Это несколько его подбодрило, но на обратном пути в Нью-Йорк Пол сообразил, что, если так пойдет и дальше, им обоим придется туго. Такие расстояния и постоянный недосып могли в буквальном смысле прикончить его. Но Глэдис того стоила.

В ближайшие дни Пол собирался встретиться с собственным сыном, но с гораздо бо́льшим нетерпением он ждал субботы. Глэдис шепнула ему, что выходные все четверо ее детей проведут с Дугом и у нее будет возможность приехать к нему в отель. Это, однако, не снимало главной проблемы — как им встречаться в остальные дни, но Пол надеялся, что они что-нибудь придумают.

Размышляя об этом, Пол улыбнулся. У судьбы оказалось странное чувство юмора: завести в его возрасте роман с женщиной, у которой было четверо детей, собака и дом в Коннектикуте, было все равно что пытаться установить новый мировой рекорд в марафонском беге, да еще напялив на себя зимнее пальто и ботинки. Но ради нее он был готов на любое безумство. Глэдис была восхитительна. Это искупало многое. Даже собаку.

Но в четыре часа пополудни, когда Пол ушел из своего кабинета в банке, чтобы сделать массаж и немного вздремнуть, он чувствовал себя совершенно разбитым. Короткий дневной сон почти не освежил его, и вечером, встречаясь с Глэдис в ресторане «Джино», он чувствовал себя лишь немногим лучше.

— Ну, что дети? — спросил он с беспокойством. — Они что-нибудь сказали? Может быть они слышали, как я уходил сегодня утром?

— Разумеется, нет, — спокойно ответила Глэдис и улыбнулась. Бессонная ночь тоже далась ей нелегко, но четырнадцать лет материнства приучили ее к куда бо́льшим нагрузкам, и она выглядела свежей и бодрой. Кроме того, она была на четырнадцать лет моложе Пола, хотя он уже доказал ей, что в некоторых областях возраст не играет существенной роли.

Но когда они наконец оказались в номере Пола и легли в постель, усталость взяла свое. Они заснули как убитые и проснулись только на следующий день.

— О боже! — в ужасе воскликнула Глэдис, поглядев на часы. — Няня меня убьет! Я обещала ей, что вернусь домой к полуночи, а сейчас уже почти семь утра!

Перегнувшись через Пола так, что ее соблазнительная грудь оказалась прямо у него перед носом, она схватила с ночного столика телефон и, набрав домашний номер, принялась рассказывать сиделке сложную историю о том, что одна из ее подруг попала в больницу и ей пришлось провести в палате всю ночь. Потом

Глэдис позвонила Мэйбл и попросила заменить ее в автопуле. Таким образом, все проблемы ей удалось решить за считанные минуты, однако она еще долго не могла успокоиться. В конце концов Пол отвел ее в душ и сделал там то, чего они не успели сделать вчера.

В спальню оба вернулись, чувствуя во всем теле приятную истому, и Пол заказал завтрак в номер. Глэдис накинула на плечи его рубашку и выглядела очень возбуждающе и сексуально.

— Ты никогда не думала о том, чтобы переехать в Нью-Йорк? — издалека начал Пол, когда они утолили голод и принялись за кофе и груши.

— Мне придется это сделать после того, как Сэм поступит в колледж, — ответила Глэдис. — Мы с Дугом так договорились.

— Боюсь, до этого момента я просто не доживу, — заметил он, подавляя зевок, и Глэдис внимательно посмотрела на него.

— Я понимаю, — сказала она после небольшой паузы. — Человек не может совершенно не спать.

Пол провел в Нью-Йорке уже три дня, но только одну ночь он проспал спокойно. Глэдис легко могла представить, что с ним будет, если так будет продолжаться и дальше.

— Пока все нормально, — ответил он, явно бодрясь. — Но ты права: долго я не выдержу. Да и ты не можешь каждый день ездить ко мне из Уэстпорта.

Воспоминания о вчерашней ночной поездке были еще свежи в его памяти, и Пол хорошо представлял, как опасно ехать по шоссе ночью. Слава богу, погода стояла сухая, но ведь когда-нибудь будет дождь, или мокрые листья, или гололед... Нет, он не хотел рисковать ни собой, ни тем более Глэдис.

— До летних каникул осталось всего три месяца, — напомнила Глэдис. — В мае даже ночью будет совсем светло, а там мы что-нибудь придумаем...

Но Пол только покачал головой. Теперь, когда их

отношения так внезапно изменились, за один вечер приобретя совершенно новое качество, ни ему, ни ей не хотелось смотреть в лицо фактам. А факты были таковы: у него была работа в банке, которую никто не отменял, у нее — дети, а это автопулы, уборка, готовка, стирка и многое другое. Сам Пол уже успел забыть, как это бывает, — его сыну Шону было за тридцать.

Мысль о Шоне заставила Пола вспомнить о том, как после развода сын долго не давал ему наладить семейную жизнь с другой женщиной, люто ненавидя всех, с кем встречался его отец. К счастью, Селина оказалась нечувствительна к его выходкам. К тому же, когда Пол с ней познакомился, Шон уже учился в колледже. В конце концов Селина и Шон начали относиться друг к другу более или менее терпимо, но даже на это потребовалось несколько лет. Свою роль, наверное, сыграло и то, что вскоре Шон женился сам и стал меньше ревновать отца.

Вспомнив о Шоне, Пол вздохнул почти с облегчением. Вечером он пригласил сына на ужин, а это значило, что по крайней мере сегодня ему не придется снова ехать в Уэстпорт.

Покончив с завтраком, Пол и Глэдис оделись и вышли из отеля. Полу надо было торопиться в банк, и он, как и позавчера, только усадил Глэдис в машину и поцеловал на прощание.

— Наверное, я сошел с ума, но я действительно люблю тебя, — сказал Пол, но, когда она уехала, он снова вспомнил Селину. Пол никак не мог забыть ее, но любовь к Глэдис, в которую он бросился очертя голову, помогла ему совладать с одиночеством и тоской. Во всяком случае, он ни о чем не жалел.

Вечером он рассказал сыну о Глэдис и об их отношениях и был неприятно удивлен тем, что Шон не проявил по этому поводу ни малейшего энтузиазма. Трудно было даже понять, кто из них старше: Шон реагировал по-стариковски брюзгливо и был почти по-отечески сдержан и осторожен.

— Не слишком ли рано, пап?

— Что? Встречаться с женщинами? — удивленно переспросил Пол. Даже после того как отношения между Селиной и Шоном стали более или менее нормальными, его сын продолжал считать, что она слишком высокого мнения о себе. «Селина — блестящая писательница, этого у нее не отнимешь, — часто говорил он Полу, встречаясь с ним один на один, — но это не мешает ей быть законченной эгоисткой». Но ведь Глэдис была совершенно другой! Она была скромной, не любила поднимать шум по поводу своего таланта и успехов и была самоотверженной, мягкой и внимательной...

Тут Пол вспомнил, что Шон ничего этого не знает, поскольку с Глэдис он никогда не встречался. Рассказать же ему о том, какая она, Пол не успел. Отвечая на собственный вопрос, Шон сказал:

— Пожалуй, все же рановато. Ведь с тех пор, как погибла Селина, прошло чуть больше полугода, а ты так ее любил!

— Я любил ее и люблю, — подтвердил Пол. — Но не кажется ли тебе, что я имею право встречаться с кем хочу?

Это был прямой вопрос, который требовал такого же прямого и честного ответа.

— Зачем? — искренне удивился Шон. — Ведь в твоем возрасте тебе вовсе не обязательно жениться еще раз!

— Разве я говорил что-то насчет женитьбы? — удивился Пол, пораженный проницательностью сына. Только сегодня утром, размышляя о необходимости каждый день ездить в Уэстпорт и обратно, он мельком задумался о браке как о возможном решении проблемы, но сразу же отбросил этот вариант как абсолютно нереальный. Нет, он никогда не сможет жениться на Глэдис.

— Тогда зачем тебе с ней встречаться, если ты не собираешься жениться? — рассудительно сказал Шон. — В конце концов, у тебя есть твоя яхта...

Пол поморщился. Обидно, что сын считает его неспособным встречаться с женщинами, хотя ему было только пятьдесят семь.

— С каких это пор ты считаешь плавание под парусами самым подходящим времяпрепровождением для мужчины в расцвете сил? — спросил он с обидой. — Впрочем, можешь считать как угодно — это твое дело. Я просто хотел, чтобы ты с ней познакомился...

— Если ты не собираешься на ней жениться, папа, то мне незачем с ней знакомиться, — спокойно ответил Шон, и Пол понял, что попал в ловушку. Если теперь он все-таки представит Глэдис сыну, то это будет означать, что он решился на брак. Если же нет, то... «Зачем встречаться»?..

— Она — очень талантливый человек, — сказал он, чтобы переменить тему. — Глэдис отличный фотограф, она ездит по всему миру и делает поразительные фоторепортажи о военных конфликтах, катастрофах и прочем.

— Отлично, — заметил Шон, по-прежнему не проявляя никакого особенного интереса. — А у нее есть дети?

Это был еще один гениальный вопрос, заданный то ли случайно, то ли по наитию. Пол, совершенно растерявшись, только кивнул в ответ. Но от Шона было не так-то легко отделаться.

— Сколько? — спросил он, и Пол замялся.

— Не знаю. Несколько, — ответил он, чувствуя себя крайне неловко.

— Двое? Трое? — продолжал наседать Шон.

— Четверо.

— Маленькие?

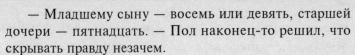

— Младшему сыну — восемь или девять, старшей дочери — пятнадцать. — Пол наконец-то решил, что скрывать правду незачем.

— Ты шутишь?

— Нисколько.

— Отец, ты сошел с ума!

— Возможно. — Полу и самому начинало это казаться.

— Но ведь даже моих детей ты не можешь выносить больше десяти минут!

— Твои дети намного младше, и потом они почему-то все время орут. Дети Глэдис не кричат и не плачут, они уже почти взрослые.

— Ничего, погоди немного... Ты не успеешь оглянуться, как они начнут доставлять проблемы совсем иного свойства. Они начнут пить, хулиганить, пропадать на дискотеках, употреблять наркотики. Старшая девочка уже сейчас может принести в подоле, да и твоя Глэдис тоже может забеременеть. И когда все это случится, ты поймешь, от чего отказался, когда не захотел спокойно вернуться на яхту.

— Ладно, перестань, — прервал его Пол. — Ты, кажется, не доставлял никаких подобных хлопот.

— Ты просто не знаешь, какова современная молодежь, — парировал Шон. — К тому же мне многое не дозволялось. Моя свобода была весьма ограниченной — вот почему я был так называемым благополучным ребенком. — Он немного помолчал. — Послушай, папа, тебе не нужна женщина с четырьмя детьми. Почему бы тебе не найти себе кого-нибудь помоложе? Или наоборот — постарше...

— Как насчет Джорджии О'Киф[1]? Ей сейчас, наверное, уже за сто.

— Джорджия О'Киф умерла больше десяти лет

---

[1] Джорджия О'Киф (1887—1986) — художница, одна из наиболее известных представительниц современной живописи США.

назад, — заметил Шон. — И потом, я вовсе не шучу. Возвращайся к себе на яхту и расслабься как следует. Мне кажется, что у тебя самый обыкновенный кризис среднего возраста. Это довольно распространенное явление.

— Спасибо за комплимент, — сухо сказал Пол. — Я не рассчитывал дожить до ста четырнадцати, но обещаю, что постараюсь оправдать твои ожидания. Что же касается твоего предположения, не выжил ли я из ума... — Он немного помолчал, сознавая, что, как бы он ни храбрился, Шону удалось существенно поколебать его уверенность. — Ты просто ее не знаешь, — закончил он негромко. — Я понимаю, что одинокая женщина с четырьмя несовершеннолетними детьми, возможно, кажется тебе алчным чудовищем, но, уверяю тебя, это не так. Глэдис — совсем другая. Она хороший друг и прекрасный человек, и... она мне очень нравится. Вот почему я подумал, что тебе тоже будет приятно с ней познакомиться, но если не хочешь — не надо. Забудь об этом.

— Нет. — Тон Шона был таким жестким, словно он решил поквитаться с Полом за все нравоучения и нотации, которые тот прочел ему в детстве и юности. — Это ты забудь.

На этом разговор между отцом и сыном практически закончился. Они поболтали еще немного и покинули ресторан, однако по лицу Шона было хорошо видно, что проблема, которую поставил перед ним Пол, все еще его беспокоит. На прощание он пообещал отцу, что позвонит в выходные и сообщит, когда ему лучше приехать, чтобы повидаться с внуками. У Пола не хватило мужества сказать Шону, что в выходные он занят. Он только ответил, что сам позвонит ему, если не уедет из города по делам, но Шон мгновенно понял, что это означает. Вернувшись домой, он первым делом сообщил своей позеленевшей от токсикоза жене, что отец впал в маразм. Мари, однако, отреагировала вовсе не так, как он ожидал. К ее чести, она вовсе не считала, что Пол страдает старческим слабоумием.

— Твой отец имеет полное право поступать так, как ему хочется, — сказала она, чуть не дословно повторив ответ свекра, однако это лишь еще больше рассердило Шона.

— Отец просто сбрендил, — заявил он. — И он еще за это поплатится. А ты из-за своей беременности просто не соображаешь, что говоришь. И вообще, тебя это не касается, — добавил он совсем уж нелогично.

Но сны, которые преследовали Пола этой ночью, были намного хуже всего, что мог пожелать ему Шон. До самого утра он видел перед собой взрывающиеся самолеты: они скрывались в клубах черного дыма, из которых проступало лицо Селины — то покрытое сеткой трещин, словно оно отражалось в разбитом зеркале, то медленно обугливающееся с одного края, как брошенная в огонь фотография. Дважды Пол просыпался весь в поту от того, что ему слышался ее предсмертный крик, а один раз ему почудилось, будто Селина горько плачет, упрекая его в измене.

Когда утром Пол посмотрел на будильник и понял, что пора вставать, он чувствовал себя лет на девяносто. Он старался не вспоминать свой сон и не думать о вчерашнем разговоре с Шоном, но одна мысль застряла у него в мозгу, словно игла: что, если Глэдис забеременеет? Одного этого было вполне достаточно, чтобы свести его с ума по-настоящему.

Но когда в половине шестого вечера Пол увидел Глэдис на пороге своего номера, он сразу позабыл и о своих кошмарах, и о предупреждениях сына. Стоило ему коснуться губами ее теплой кожи, как его сердце сразу оттаяло. Они собирались поужинать, но вместо этого оказались в постели. В конце концов Полу пришлось заказывать ужин в номер. Глэдис казалась ему сказочной королевой; таких женщин, как она, он никогда не встречал, и ему было наплевать, сколько у нее детей. Пол любил Глэдис и знал это. Хуже того — он был просто без ума от нее, и суббота с воскресеньем, которые они провели вместе, действительно напоминали либо сумасшествие, либо волшебство.

Нет, они, разумеется, выбирались из постели и даже успели погулять в Центральном парке, посетить Метрополитен-музей и посмотреть новый фильм: любовную историю, которая заканчивалась трагически. Они оба поплакали над судьбой героев. Они накупили уйму книг и компакт-дисков. Их вкусы оказались очень схожими, но особенно приятно Полу было слышать, с каким воодушевлением Глэдис говорит о предстоящем круизе на «Морской звезде».

А она уже почти не стеснялась его и охотно поверяла Полу свои мечты, свои надежды и страхи, как привыкла делать это по телефону. Он слушал ее, чувствуя, как с каждой минутой они становятся все более близкими людьми. Ему даже думать не хотелось о том, что в воскресенье вечером им снова придется расстаться, к тому же перспектива провести ночь без нее по-настоящему пугала Пола. Но Глэдис пришлось уехать даже раньше обычного, чтобы успеть забрать у Дуга детей и вернуться домой к ужину.

Ночь с воскресенья на понедельник оказалась даже хуже, чем предполагал Пол. Ему снилось, что Селина крепко обнимает его и умоляет спасти ее от смерти. «Я хотела бы быть с тобой вечно, любимый!» — сказала она, и Пол вздрогнул во сне, потому что в следующее мгновение Селина исчезла в языках жгучего пламени. И ее боль он ощущал как свою.

Пол проснулся в три часа утра и долго плакал в подушку. Чувство вины, которое он испытывал, оказалось слишком тяжким бременем. Примерно через час Пол успокоился, но заснуть снова так и не смог. К утру ему стало совершенно ясно, что он не имел права оставаться в живых, ибо это означало предать Селину.

Рано утром Пол отправился в банк, чувствуя себя

разбитым и бесконечно подавленным. Накануне он обещал Глэдис, что приедет к ней после работы, но около шести вечера он позвонил ей и сказал, что не сможет. Это было выше его сил. Ему нужна была еще одна ночь, чтобы подумать о себе. Но Глэдис сказала, что сама приедет к нему.

Когда она увидела Пола, его состояние ужаснуло ее. Лицо его было серым, точно асфальт, глаза ввалились, а веки, наоборот, покраснели и набрякли. Не в силах сдержать своей тревоги, Глэдис спросила, не заболел ли он, но Пол довольно спокойно сказал, что с ним все в порядке.

— Но ты выглядишь ужасно, — сказала Глэдис, у которой все же немного отлегло от сердца. — Ты похож на покойника.

Но Пол чувствовал себя не покойником, а скорее убийцей. За время их телефонного общения он успел хорошо ее узнать и прекрасно представлял себе, чем дышит Глэдис, что она думает и что чувствует, о чем мечтает и во что верит. Честность, верность, милосердие, нежность и все самые лучшие человеческие чувства — всё это в ней было, и она опиралась на них в трудные минуты.

И еще Глэдис верила в счастливый конец, а Пол уже знал, что у их истории конец будет скорее грустным. И иным он просто не мог быть. За те два дня, что Пол провел без Глэдис, он окончательно понял, что все еще любит Селину и будет любить всегда.

Сев на диван рядом с Глэдис, Пол посмотрел на нее печальным и долгим взглядом, чувствуя, как сердце его разрывается от горя. Она была так прекрасна, но он должен, должен был сказать ей все!

Уловив в его взгляде какую-то странность, Глэдис побледнела. Пол все никак не мог решиться заговорить и только молча рассматривал ее золотые волосы, большие голубые глаза и правильные, тонкой лепки черты.

— Ты, наверное, уже знаешь, что я хочу тебе сказать, — промолвил он наконец.

— Я... я не хочу этого слышать, — ответила Глэдис дрожащим голосом. — Что... что случилось, Пол?

— Я проснулся, Глэдис. Проснулся и пришел в себя.

— Нет, нет, не может быть! — воскликнула она, тщетно стараясь сдержать подступившие к глазам слезы. — Ты сошел с ума!

Глэдис действительно поняла, что он ей сейчас скажет, и всеми силами старалась отдалить этот страшный момент. Ее сердце билось так сильно, что казалось — оно готово выпрыгнуть из груди. Глэдис ужасно боялась потерять Пола, которого ждала и любила всю жизнь!

— Я был сумасшедшим, когда сказал, что люблю тебя, — глухо произнес Пол, опустив голову. — Я был просто... увлечен, и мне хотелось бы, чтобы это чувство действительно было тем, чем я считал, но... Ты самая удивительная женщина, какую я когда-либо знал, Глэдис, но я люблю Селину. До сих пор люблю...

— Ты просто испугался, только и всего! Ты боишься! — с отчаянием воскликнула Глэдис. — Это пройдет!

— Да, я боюсь, — признался он, по-прежнему глядя в сторону. Связать свою жизнь с Глэдис означало новую ответственность, а он не смог бы этого выдержать. Уже не выдержал... Шон был прав, когда сказал, что Пол окончательно выжил из ума.

— Ты живешь в Уэстпорте, Глэдис, — добавил он. — И у тебя четверо детей.

— А это-то тут при чем? — удивилась Глэдис. — В конце концов, я могу сдать их в приют — может быть, их кто-нибудь усыновит...

Она пыталась шутить, но губы ее жалко дрожали, а глаза застилали слезы. Глэдис понимала, что Пол говорит серьезно. Ей оставалось только сражаться за себя и за него, как она сражалась бы за свою жизнь.

— Я люблю тебя, Пол! — сказала она с отчаянием в голосе, но он только покачал головой.

— Ты меня даже не знаешь как следует. Я для тебя — лишь голос в телефонной трубке. Иллюзия, мечта, ничто...

— Нет, знаю тебя очень хорошо! — воскликнула Глэдис. — И ты тоже знаешь меня. Это несправедливо, Пол, несправедливо!..

Она разрыдалась, и Пол неловко обнял ее одной рукой и прижал к груди. Ему было очень не по себе; он чувствовал себя ее палачом, но нужно было довести дело до конца. Хотя бы ради того, чтобы уцелеть и не сойти с ума.

— Сейчас тебе кажется, что все хорошо, но что будет дальше? Очень легко привязаться друг к другу, но что потом? Да я и не могу... Селина мне не позволяет.

— Но она... ее нет, Пол! — сказала Глэдис как можно мягче. — И потом, она бы наверняка не захотела, чтобы ты был несчастен!

— Я знаю. Но Селина не захотела бы, чтобы я был с другой...

— Она была умной женщиной, Пол, и она тоже любила тебя!

Но Пол упрямо качал головой. Глэдис почувствовала, как у нее опускаются руки. Все было напрасно. Только неделю, одну неделю они были вместе, а теперь Пол сказал, что все кончено. Еще два дня назад он говорил, что любит ее, и хотел, чтобы она переехала в Нью-Йорк. Ему даже понравились ее дети, но теперь все это вдруг потеряло для него всякое значение.

— Неужели ты не хочешь дать нашей любви еще один шанс? — тихо спросила она.

— Я не могу. И не хочу. Поверь, Глэдис, я делаю это не только ради себя, но и ради тебя тоже. Я вернусь на яхту. Я буду жить там. Мой сын был прав — я слишком стар для всего этого. Тебе нужен мужчина помоложе. И потом, у тебя четверо детей... — Он замотал головой, словно стараясь избавиться от сильной боли. — Я не могу, Глэдис! Когда Шон был в их возрасте, он буквально сводил меня с ума! Я забыл об этом, но теперь вспомнил. К тому же это было двадцать лет назад; мне тогда было всего тридцать семь, а теперь мне сто. Во всяком случае, я чувствую себя именно так.

Он посмотрел на Глэдис. Она плакала. Полу пришлось напомнить себе, что он поступает так ради нее и Селины. Главным образом — ради Селины. Он чувствовал, что обязан сделать это хотя бы потому, что позволил ей умереть одной, в страшном взрыве, который опалил и разорвал ее на части еще в воздухе. А он не смог последовать за ней, и теперь ему предстояло вечно винить себя в этом, хотя бы он и прожил еще сто раз по сто лет.

— Нет, Глэдис. Это мое последнее слово, — сказал Пол твердо. — А сейчас ты должна уйти.

Он встал.

— Иди, — повторил он, но Глэдис никуда не пошла. Она просто стояла перед ним и плакала растерянно и горько. Происходило что-то страшное. Она знала, что Пол любит ее, тогда почему он гонит ее прочь?

— А как же Антигуа? — спросила она сквозь слезы. — Мы... мы поедем туда?

Это, разумеется, уже не имело никакого значения, но Глэдис надеялась, что Пол вспомнит, о чем они вместе мечтали, и придет в себя. Однако он оборвал и эту, последнюю ниточку, которая их связывала. Он хотел получить назад все — свое сердце, свою жизнь, их будущее...

— Нет, — холодно сказал он. — Мы туда не поедем. Найди себе нормального парня и поезжай с ним куда-нибудь в другое место. Я для этого не гожусь. Все, что было во мне хорошего, — все умерло вместе с Селиной.

— Нет, нет, не говори так! — вскричала Глэдис. — Ты остался таким же, как был. А я... я люблю и твои хорошие, и дурные стороны!

Это был последний крик отчаявшейся души, но Пол не захотел услышать его. От Глэдис ему больше ничего не было нужно. Все было кончено.

Глэдис подняла на него полные слез глаза.

— Что я скажу детям? Как объясню?

— Расскажи им, какой я подонок. Думаю, они тебе поверят.

— Нет, не поверят. И я тоже не верю, потому что это неправда. Ты просто боишься, боишься быть счастливым!

Пол вздрогнул, как от удара. Глэдис попала в точку, но он не хотел, чтобы она об этом знала.

— Поезжай домой, Глэдис! — сказал он, слегка повышая голос и открывая для нее дверь. — Возвращайся домой к детям, ты нужна им!

— И тебе тоже. Тебе я нужна больше, чем им, — убежденно ответила она. В конце концов, она знала его очень хорошо — лучше, чем он сам.

Но Пол ничего не сказал. Глэдис еще немного постояла на пороге, потом повернулась и медленно пошла по коридору к лифтам.

— Я люблю тебя, Пол. — Это было последнее, что она сказала ему.

Когда Глэдис скрылась за поворотом коридора, Пол тихо закрыл дверь номера и вернулся в спальню. Там он бросился на кровать, на которой они провели так мало ночей, и заплакал. Он хотел вернуть ее, но знал, что не сможет. Слишком поздно. Его больше не существовало — Селина позвала Пола за собой, и он пошел за ней по своей собственной воле, хотя и не без борьбы. Крошечная надежда на счастье, тлевшая в его груди всего несколько дней назад, погасла под спудом тяжкой вины, которую Пол испытывал перед женой. Он не погиб вместе с ней. Он подвел, предал ее. Он

изменил ей. И даже если бы Селина простила его, Пол знал, что не имеет никакого права быть с Глэдис.

А Глэдис ехала обратно в Уэстпорт. Глаза ее все еще застилали слезы, а сама она была близка к истерике. Неужели это произошло с ней? Как мог Пол так поступить? То, что он сделал, мало чем отличалось от выходок Дуга; вся разница заключалась только в том, что она любила Пола, а он любил ее. Глэдис знала это твердо. Что случилось? Как это могло случиться?

Сердце ее буквально разрывалось от горя и тоски, слезы продолжали ручьями течь из глаз, поэтому Глэдис не заметила машину, которая, выскочив откуда-то сбоку, попыталась втиснуться в узкий промежуток между капотом ее автомобиля и идущим впереди грузовиком. Раздался удар, универсал Глэдис отбросило на ограждение, а оттуда — снова на проезжую часть. Скорость была так велика, что тяжелая машина завертелась волчком и наконец опрокинулась, врезавшись в еще один автомобиль.

Но ничего этого Глэдис уже не видела. В самом начале она ударилась головой о рулевое колесо и потеряла сознание, успев только почувствовать на губах солоноватый вкус крови.

ГЛАВА 8

Когда Глэдис позвонила Мэйбл, было уже далеко за полночь. Итоги аварии оказались достаточно серьезными: у Глэдис была сломана рука, травмированы шейные позвонки и рассечена кожа на голове (врачи наложили четырнадцать швов). Кроме этого, у нее подозревали сотрясение мозга средней тяжести. Машина была разбита вдребезги и годилась только под пресс. Еще два автомобиля получили серьезные повреждения, но, кроме Глэдис, никто больше не пострадал.

Ей еще очень повезло, что она осталась жива. Глэдис доставили в уэстпортскую больницу через считанные минуты после аварии, и дежурная бригада сразу занялась ею. Два часа спустя она была уже в палате.

Рассказывая о происшествии Мэйбл, Глэдис заплакала. Сначала она хотела позвонить Полу, но потом передумала. Ей не хотелось, чтобы он жалел ее или — что было бы еще хуже — чувствовал себя виноватым перед нею. Нет, во всем была виновата только она одна — и больше никто.

В конце разговора Глэдис попросила Мэйбл приехать и забрать ее, и та примчалась в больницу меньше чем через полчаса — в кроссовках на босу ногу и в длинном анораке, накинутом поверх ночной рубашки. С детьми она оставила Джеффа.

— Боже мой, Глэдис! Как это тебя угораздило?!

— Сама не понимаю... — Глэдис виновато улыбнулась, хотя глаза ее все еще были красны от слез, а плечи судорожно вздрагивали. — Ничего, все будет в порядке...

— Ты выглядишь просто жутко! — заявила Мэйбл, рассматривая лицо подруги. Под глазами у Глэдис проявились черные круги, как у боксера, отстоявшего не меньше тринадцати раундов подряд. За много лет это была ее первая авария. Мэйбл была просто уверена, что Глэдис подверглась сильному психологическому стрессу. ˙

— Ты что, пила? — шепотом осведомилась она, осторожно оглядываясь по сторонам. Полицейские, выяснявшие обстоятельства происшествия, уже ушли, но вокруг, несмотря на поздний час, было много лишних ушей.

— Нет, что ты! — ответила Глэдис, стараясь встать, но ее тут же вырвало, и она снова присела на край койки. Врачи сказали, что она может ехать домой, но Мэйбл считала, что Глэдис лучше немного полежать.

— Может, ты останешься здесь хотя бы до завтра? — спросила она, но Глэдис отрицательно покачала головой.

— Нет. Я должна вернуться домой, иначе дети будут волноваться.

— Они будут волноваться еще больше, когда ты появишься перед ними в таком виде, — заметила Мэйбл, но Глэдис настаивала на своем. Она мучительно хотела оказаться дома, лечь в собственную постель и накрыться с головой одеялом.

Через двадцать минут Мэйбл вывела Глэдис из ворот больницы и усадила в машину. В руках Глэдис держала металлическую миску на случай, если ее будет тошнить. По пути домой ее действительно рвало еще четыре раза, к тому же она не переставала плакать, и Мэйбл никак не удавалось добиться у нее ответа на вопрос, в чем дело.

— Что случилось, Глэд? — допытывалась она. — Может быть, Дуг тебя э-э-э... оскорбил?

Но Глэдис твердила только, что с ней все в порядке.

— Перестань, ради бога! — перебила ее Мэйбл, останавливаясь перед крыльцом дома Глэдис. — Вот мы уже приехали.

Из машины Глэдис вышла сама, но на внутренней лестнице Мэйбл пришлось почти нести ее. В конце концов — с помощью няни, которая осталась ночевать, — они добрались до спальни; там Мэйбл раздела Глэдис, уложила в постель, а сама пошла в кухню, чтобы согреть чаю. Но Глэдис от чая отказалась. Она просто лежала и тихо плакала. Лишь под утро ее сморил сон.

Когда в семь утра дети спустились в кухню, они были очень удивлены, застав там Мэйбл, которая в одной ночной рубашке готовила им завтрак. Не дожидаясь вопросов, она быстро объяснила им, что Глэдис попала в небольшую аварию. У нее немножко болит голова, и ей надо полежать.

— А где наша машина? — спросил Сэм, выглянув в окно.

— Машина? Там... Осталась на дороге... — Мэйбл неопределенно махнула рукой, и Джейсон присвистнул.

— Должно быть, мама здорово стукнулась, если наш «автобус» не на ходу!

— Да, но вашей маме повезло гораздо больше, чем вашей машине, — сердито отрезала Мэйбл. Она так и не прилегла, однако ее раздражительность объяснялась скорее беспокойством за судьбу Глэдис, чем усталостью.

— А можно нам повидать маму? — робко спросила Эйми.

— Позднее. Пусть она поспит, — твердо сказала Мэйбл.

Завтрак прошел в молчании. Дети чувствовали, что авария была гораздо серьезнее, чем рассказала им Мэйбл. Тревога ясно читалась на их лицах. Когда они наконец уехали в школу, Мэйбл снова поднялась к Глэдис. Та еще спала, и Мэйбл решила, что может съездить домой переодеться. Впрочем, прежде чем уйти, она оставила на ночном столике записку с обещанием вернуться как можно скорее.

Глэдис проснулась, а вернее — очнулась около полудня. Первым делом она придвинула к себе телефон и набрала номер Пола. Не то чтобы она на что-то надеялась — просто ей хотелось услышать его голос.

Пол взял трубку на втором звонке.

— У тебя все в порядке, Глэдис? — с беспокойством спросил он. Пол не спал всю ночь, но это было все же лучше, чем кошмары, от которых он просыпался в холодном поту. К тому же он ужасно волновался из-за Глэдис и воображал себе всякие глупости. Пол знал, что она никогда не совершит самоубийства, и все же на душе у него было неспокойно.

— Конечно. Все в порядке, Пол, не волнуйся, — сказала Глэдис слабым голосом.

— Ты нормально доехала?!

— Да, нормально, — солгала она, стараясь говорить как можно убедительнее, но по щекам ее снова потекли слезы.

Услышав этот ответ, Пол почему-то не испытал облегчения. Он слишком хорошо помнил, какое у нее было лицо, когда она уходила.

— Ты, конечно, была не в том состоянии, чтобы вести машину, — сказал Пол. — Точно все в порядке?

— Все хорошо, — твердила Глэдис. — Ты не беспокойся.

Ее голос звучал нетвердо, но Пол решил, что она просто слишком мало спала. Как и он.

— Не очень хорошо, — мрачно ответил он. — Знаешь, я решил... Я сегодня же возвращаюсь на «Морскую звезду». Она сейчас в Гибралтаре. Потом мы, возможно, пойдем на Антигуа, а может, куда-нибудь еще. Я пока не знаю.

— О... — сказала Глэдис, чувствуя, как в груди у нее все переворачивается. Видимо, в глубине души она все-таки надеялась, что Пол передумает.

— И еще, Глэдис... Не звони мне больше, ладно?

Это был настоящий coup de grace[1], быстрый и безжалостный удар прямо в сердце.

— П-почему? — выдавила она.

— Потому что мы просто сведем друг друга с ума, — объяснил он. — Нам надо все забыть, понимаешь? Я совершил ошибку, страшную ошибку. Мне очень жаль, Глэдис.

— Мне тоже, — печально ответила она. Головная боль, которая ее мучила, была ничем по сравнению с болью сердечной.

— Я старше тебя, — продолжал тем временем

_____

[1] Coup de grace *(фр.)* — «удар милосердия».

Пол. — Мне следовало тысячу раз подумать, прежде чем... Но я уверен, ты сумеешь справиться. Мы оба забудем...

Он почти верил в то, что говорил. Как и в то, что никогда не сможет забыть Селину. Чтобы доставить ей удовольствие, он своими руками убил Глэдис, растоптал свою любовь к ней, и теперь ему казалось, что Селина — где бы она ни была — может быть довольна. Ему хотелось надеяться, что боль, которую он испытывал, хотя бы отчасти искупала его вину перед ней.

— Береги себя, — сказал он негромко, но Глэдис не смогла ничего ответить — рыдания душили ее.

Пол ждал, и в конце концов она справилась с собой.

— Я люблю тебя, Пол, — проговорила она, прижимая трубку почти к самым губам. — Я хочу, чтобы ты знал это. Всегда. Позвони мне, когда захочешь. Когда придешь в себя...

— Я пришел в себя. В конце концов пришел, так что не жди... Я не буду звонить.

Пол сказал это намеренно. Он не хотел, чтобы у Глэдис оставалась хоть малейшая надежда на то, что все может вернуться. Это было жестоко, но еще более жестоко заставлять ее ждать чего-то, что никогда не произойдет. Селина будет владеть его душой вечно.

— Прощай, — произнес он тихо и дал отбой, не дожидаясь ее ответа.

Глэдис медленно опустила трубку на рычаги. Откинувшись на подушку, она крепко закрыла глаза и некоторое время лежала неподвижно. «Как жаль, что я не погибла в этой аварии! — подумала она. — Так было бы намного проще. И легче».

Забрав детей из школы, Мэйбл поднялась к Глэдис, чтобы попытаться накормить ее. Но Глэдис выглядела гораздо хуже, чем утром, и это не на шутку напугало Мэйбл.

— Ты обязательно должна поесть, милая, — сказала она, присаживаясь на кровать. — Выпей хотя бы бульону — это тебя подкрепит.

Глэдис ничего не ела целый день, но каждый раз, когда Мэйбл появлялась у нее в комнате с чашкой чая или бульона, она отвечала, что не хочет, или просто качала головой. На этот раз Мэйбл решила проявить настойчивость. В конце концов ей удалось уговорить Глэдис поднести чашку к губам, но ни одного глотка она сделать так и не смогла. Горло ее стискивало такой судорогой, что она едва не подавилась.

И тут Мэйбл вдруг осенило. Она не знала, кто был тот человек, который довел Глэдис до такого состояния, но теперь она знала, что произошло.

— Это из-за мужчины, верно? — спросила она осторожно, но Глэдис не ответила.

— Не позволяй ему так обращаться с тобой! — решительно заявила Мэйбл. — Ты этого не заслужила. Хватит с тебя одного Дугласа! Этот парень... Кто бы он ни был, он не стоит и твоего мизинца!

— В том-то и дело, что сто́ит! — всхлипнула Глэдис. — Он... Я люблю его, Мэйбл.

Мэйбл не осмелилась просить, чтобы Глэдис назвала имя, но у нее были свои догадки. Вернее, одна, совершенно потрясающая догадка. Она была почти уверена, что это — правда. Этим мужчиной должен был быть Пол Уорд. Как и когда они встретились, каковы были их отношения, Мэйбл могла только предполагать — Глэдис не обмолвилась об этом ни словом. В последний раз, когда она упоминала при ней о Поле, он был где-то в Европе. Значит, он вернулся в Нью-Йорк.

Вернулся, чтобы нанести Глэдис безжалостный удар. За всю свою жизнь Мэйбл только один раз видела женщину в подобном состоянии — это была ее сестра. В двадцать один год она совершила самоубийство из-за парня, который жил по соседству, а Мэйбл нашла тело. Это стало трагедией всей ее жизни, и теперь, глядя на Глэдис, которая мало чем отличалась от трупа, Мэйбл с ужасом подумала, уж не пыталась ли ее подруга покончить с собой. Быть может, не сознавая, что делает, она могла просто допустить, чтобы эта ужасная авария произошла...

Но этого не знала даже сама Глэдис. Она лежала на подушке совершенно неподвижно, и из ее крепко зажмуренных глаз текли слезы. И Мэйбл плакала вместе с ней — вместе с ней и о ней.

ГЛАВА 9

Весь следующий месяц ушел у Глэдис на то, чтобы хоть как-то поправиться. На голове у нее остался шрам длиной в несколько дюймов, начинавшийся от левого виска и исчезавший в волосах. Спустя три недели после аварии он все еще был ярко-красным. Впрочем, когда она отправилась в больницу, чтобы проверить, все ли в порядке, пластический хирург, который зашивал ее в ту страшную ночь, обещал, что через полгода шрама совершенно не будет видно.

Глэдис понимала, что все могло быть хуже, гораздо хуже. Она могла погибнуть, могла получить такие повреждения, что пролежала бы в коме до конца дней своих, спокойная и безмятежная, как тыква на грядке. Но все обошлось. Сломанная рука срослась. Сотрясение мозга прошло без последствий, и единственным, что беспокоило Глэдис, была травма шейных позвонков. Она все еще носила гипсовый корсет, когда — уже в конце апреля — ей неожиданно позвонил Рауль.

У него опять было для нее задание. Один из журналов готовил большой материал о жертве изнасилования. Насильник был схвачен, и репортаж о процессе над ним обещал стать довольно скандальным, однако в качестве дополнения к текстовому и рисованному материалу[1] редактору нужны были фотографии.

---

[1] По традиции, в США запрещается фото- и видеосъемка в зале суда, поэтому газетные судебные отчеты, как правило, сопровождаются рисунками специальных художников.

Глэдис думала два дня и в конце концов... согласилась. Ей хотелось отвлечься от собственных проблем, да и по работе она соскучилась. И жалеть ей не пришлось.

Жертва — девушка по имени Кристин — произвела на Глэдис очень приятное впечатление. Ей было всего двадцать пять лет, однако, несмотря на это, она уже была довольно известной манекенщицей. Именно была, так как насильник, подкарауливший ее, когда Кристин выходила из такси на Пятой авеню, располосовал ей лицо обломком опасной бритвы.

На репортаж у Глэдис ушло два дня. Единственное, что было ей не по душе, — это то, что они с Кристин встречались в «Карлайле», где когда-то жил Пол.

Зато фотографии Глэдис удались. Они вызвали большой резонанс и, как говорили, даже способствовали тому, что насильник получил пятнадцатилетнюю прибавку к своим пятидесяти годам заключения.

От Пола по-прежнему не было никаких известий. Вот уже больше месяца она не звонила ему. Он тоже не звонил. Глэдис не знала даже, где находится сейчас «Морская звезда», на которую он собирался вернуться. Ей было известно только одно: Пола нет в Нью-Йорке, и подчас она думала об этом почти что с облегчением. Сознавать, что человек, которого ты любил всем сердцем и потерял, находится где-то совсем рядом, было бы намного тяжелее. В глубине души Глэдис продолжала верить, что когда-нибудь Пол все-таки позвонит ей, однако к середине мая ее призрачная надежда окончательно растаяла. Она поняла, что он ушел из ее жизни, и скорее всего — действительно навсегда. Пол оставил за собой выжженную равнину в ее душе, которая, если и зарастет когда-то новой травой, все равно еще долго будет пахнуть гарью в жаркий полдень. Что ж, придется научиться жить с этим, как она научилась жить без Дуга. Мечта исчезла. Уходя, Пол забрал с собой и ее сердце, и ее любовь, которую она подарила ему. У Глэдис осталось только сознание того, что и он любит ее. Она знала, что это так, и ничто не в силах было разубедить ее. Даже сам Пол, что бы он ни говорил и что бы ни делал.

В середине мая у Мэйбл был день рождения, и Глэдис пригласила подругу на ленч. За редким исключением она делала это каждый год, так что в конце концов подобные совместные трапезы стали для них традицией. Буквально накануне Глэдис приобрела новенький «Шевроле»-седан, и Мэйбл восхищалась мощной многоместной машиной. У Мэйбл вертелся на языке вопрос, который она уже давно хотела задать, но не осмеливалась. Но теперь Глэдис, кажется, чувствовала себя значительно лучше, чем полтора месяца назад, и это придало Мэйбл смелости. Разумеется, это было не ее дело, но любопытство превыше всего.

И вот, когда они сидели в ресторане, Мэйбл наконец решилась.

— Скажи, кто был тот человек? — спросила она. — Ну, ты понимаешь...

Глэдис вздохнула и долго молчала, глядя в сторону. Потом на лице ее отразилась такая мука, что Мэйбл немедленно пожалела о своей бестактности.

— Это был Пол Уорд, — ответила Глэдис. — Мы с ним все время перезванивались. С сентября, когда погибла Селина. Мы разговаривали друг с другом почти каждый день, и Пол стал моим лучшим другом, он был мне как брат... Даже больше: он был светом в конце тоннеля... — Тут Глэдис печально улыбнулась. — А потом Пол вернулся в Нью-Йорк. Мы встретились, и он сказал, что любит меня. К этому времени я уже поняла, что тоже давно люблю его, люблю с самой первой нашей встречи. Возможно, это прозвучит странно, но... Мы оба полюбили друг друга с первого взгляда, только тогда у меня еще был Дуг, а у него — Селина. Это помешало осознать истину.

Она немного помолчала, но Мэйбл смотрела на нее выжидательно, и Глэдис продолжила:

— Да, тех двух дней в Харвиче нам вполне хватило... И хотя с тех пор мы ни разу не виделись, наше чувство не стало от этого слабее. Напротив, оно все росло и в конце концов стало таким большим, что Пол испугался. Очень испугался, Мэйбл. Он решил, что ему оно не по плечу.

Глэдис горько улыбнулась и покачала головой.

— Наш роман продолжался ровно неделю. Потом Пол вдруг наговорил мне целую кучу глупостей. Он сказал, что мы не можем быть вместе из-за того, что он слишком стар, из-за того, что у меня четверо детей, из-за Селины и бог знает из-за чего еще. Он придумал множество причин, но на самом деле Пол просто испугался. И все кончилось... В тот день, когда я попала в аварию, я ехала от него. В последний раз.

— Скажи честно, Глэд, ты сделала это нарочно? — осторожно поинтересовалась Мэйбл. — Ну, я имела в виду... Ты хотела причинить себе вред?

Мэйбл думала об этом вот уже почти два месяца. Мысль о том, что Глэдис может повторить свою попытку, стала ее навязчивой идеей, ее кошмаром.

— Честно? Не знаю... — Глэдис покачала головой. — Мне хотелось умереть, это верно, но чтобы самой наложить на себя руки?.. Нет, наверное, на это мне бы просто не хватило храбрости. Откровенно говоря, я не очень хорошо помню, как все получилось, — помню только, что я плакала и думала о том, что моя жизнь кончена... Потом удар. В себя я пришла только в больнице.

— Он тебе больше не звонил? — спросила Мэйбл, у которой немного отлегло от сердца. История, которую поведала ей Глэдис, была действительно ужасной. Больше того, она чуть не кончилась трагически, но теперь Мэйбл по крайней мере знала, что ее подруга не собиралась покончить с собой.

— Нет. И, я думаю, не позвонит. Все кончилось, Мэйбл. Мне понадобилось много времени, чтобы понять это. Мы оба достаточно намучились. Теперь это в прошлом, и пусть мертвые хоронят своих мертвецов.

Мэйбл согласно кивнула. Она искренне надеялась, что Глэдис сумеет забыть Пола. Если она ему не нужна, ей оставалось только смириться с этим. И, похоже, Глэдис это удалось, хотя и дорогой ценой.

Остаток ленча прошел очень приятно. Они славно поболтали — о детях, о последнем фоторепортаже Глэдис, о том, какие новые задания обещает Рауль. Под конец речь зашла о женщине, с которой сошелся Дуг. Глэдис эта тема волновала, но не слишком. Теперь ее жизнь была намного проще, спокойнее, а главное — она почувствовала себя полноценной личностью, у которой есть не только обязанности, но и права. Правда, Глэдис ни с кем не встречалась, однако она и не ставила себе такой цели. После истории с Полом это вряд ли было возможно.

Мэйбл тоже так думала и потому старалась не заговаривать с ней на эти темы. Случайные связи (по схеме «знакомство — ресторан — ближайший мотель — прощание») были не в стиле Глэдис. Что же касалось нового романа — безразлично, серьезного или легкого, — то Глэдис была к этому еще не готова. Мэйбл ясно видела, как глубоко ранена ее подруга. Шрамы — гораздо более глубокие, чем швы на виске, — остались в ее душе и сердце. Глэдис слишком сильно любила Пола.

Рауль позвонил Глэдис в тот день, когда с ее руки сняли гипс. У него было для нее новое задание.

— Как ты себя чувствуешь? — осторожно поинтересовался Рауль, и Глэдис засмеялась. Она только недавно начала улыбаться, и смех был для нее большим достижением.

— А что? — ответила она. — Хочешь пригласить меня на танцульки? В таком случае я чувствую себя неплохо, хотя рок-н-ролл и самба мне, наверное, еще не по зубам.

— Как насчет того, чтобы станцевать под африканские барабаны?

Сначала Глэдис его не поняла.

— Что-что? — переспросила она. — Как ты сказал?

— Есть такая страна — Руанда. Тебе это ни о чем не говорит?

— Говорит. Только это очень далеко. — В юности Глэдис провела в Руанде несколько дней и работу свою там до сих пор считала одной из самых удачных.

— Да, это далеко, — откровенно сказал Рауль. — И задание, которое я хочу тебе предложить, будет не из простых. В джунглях Руанды есть полевой миссионерский госпиталь для маленьких сирот, которых собрали туда чуть ли не со всей Центральной и Восточной Африки. Самая главная проблема заключается в том, что госпиталю почти никто не помогает, если не считать французской католической миссии и нескольких добровольцев из Бельгии и Новой Зеландии. В последнее время они получали медикаменты и продукты от благотворительных организаций, но этого мало, ничтожно мало. Это чуть не единственный госпиталь подобного рода на сотни или даже тысячи квадратных миль. В общем, материал для репортажа отменный, и мне хотелось бы, чтобы его сделала именно ты. Ведь речь идет о детях, а тебе такие вещи особенно удаются. — Рауль немного помолчал. — Я знаю, что ты недавно болела, и потому не стану на тебя давить, — добавил он, — к тому же тебе надо заботиться о собственных детях, но... Подумай над моим предложением как следует, договорились?

— Сколько примерно это займет времени? — спросила Глэдис.

— Три, может быть, четыре недели. Возможно, ты справишься и быстрее, но я ничего не могу сказать наверняка. Я просто не знаю местных условий.

Глэдис задумалась. Она готова была согласиться, но как быть с детьми?

— Знаешь, я бы хотела сделать этот репортаж, — сказала она наконец. Именно о такой работе Глэдис мечтала, когда уговаривала Дуга разрешить ей вернуться в фотожурналистику. Задание было, разумеется, не из легких, однако непосредственно ее жизни ничто не угрожало — в Руанде не стреляли, да и вообще в том регионе сохранялось относительное спокойствие. Другое дело — тропические болезни, но ведь существовали же для чего-то прививки!

— Можно я подумаю об этом хотя бы пару дней?

— Ответ мне нужен завтра, — заявил Рауль в своей жесткой манере, и Глэдис, сама не отдавая себе в этом отчета, кивнула.

— Хорошо, завтра так завтра.

Но, положив трубку, Глэдис поняла, что думать, взвешивать все «за» и «против» ей уже некогда. Если завтра она скажет Раулю «да», то ей едва хватит времени, чтобы пристроить детей, сделать прививки, получить визу и купить билет на автобус до аэропорта.

И внезапно стало ясно, что для себя она уже все решила. Она поедет — должна поехать в Руанду во что бы то ни стало.

Терять ей было все равно нечего. Глэдис, что называется, взяла быка за рога. Первым делом она позвонила Дугу и, выложив ему все, прямо спросила, не мог бы он присмотреть за детьми, пока она будет отсутствовать. Дуг долго молчал, и Глэдис уже собиралась напомнить ему, что это и его дети тоже, как вдруг он задал вопрос, которого она не ожидала, но который показался ей достаточно разумным:

— А могу я не забирать их к себе, а переехать на это время в Уэстпорт?

Глэдис, ожидавшая упреков, обвинений, даже угроз, сначала растерялась. На мгновение ей показалось, что Дуг, возможно, жалеет о том, что между ними произошло, но потом она сообразила, в чем дело. Просто теперь ему было все равно, что она делает и куда ездит.

— Разумеется, можешь... — ответила она. — Наверное, для детей так будет даже лучше!

И тут Дуг сказал нечто такое, что заставило Глэдис вздрогнуть и болезненно сморщиться.

— А что ты скажешь, если Таня тоже приедет со мной в Уэстпорт?

Дуг уже давно жил с Таней Либерман и двумя ее детьми — именно жил, а не просто встречался. Глэдис отнюдь не горела желанием собирать их всех под собственной крышей. Молчала она, во всяком случае, гораздо дольше, чем позволяли приличия. В конце концов поездка в Африку перевесила все, и Глэдис, хоть и неохотно, согласилась. В конце концов, успокаивала она себя, это будет только справедливо: Дуг подменит меня на эти три или четыре недели, а я разрешу ему привести в дом свою подругу с детьми. Впрочем, она еще не знала, что скажут на это ее собственные дети. Глэдис было известно только, что они ненавидели и Таню, и ее сыновей.

— Значит, по рукам, — бодро сказал Дуг, и Глэдис невольно улыбнулась. Дуглас остался верен себе: он не договаривался, а «заключал договор», не приходил на помощь в трудный момент, а «оказывал необходимые услуги».

— Спасибо тебе, — от души поблагодарила его Глэдис и, не удержавшись, добавила: — Если бы ты знал, что это будет за репортаж!

Но Дуглас пропустил ее слова мимо ушей.

— Когда ты улетаешь? — спросил он.

— Не знаю, надо позвонить Раулю, но думаю, что скоро, — ответила Глэдис. Ей уже не терпелось бросить трубку и поскорее набрать номер агента.

— Не скоро, а очень скоро, — поправил ее Рауль,

когда она задала ему тот же вопрос. — Даю тебе пять дней. Успеешь?

Глэдис присвистнула. Ничего не скажешь, сроки жесткие. К счастью, она хорошо знала, что следует делать. Первым делом она перезвонила Дугу и сказала, что через пять дней он должен перебраться в их старый дом. Дуг — видимо, для разнообразия — не имел ничего против.

Вечером Глэдис рассказала детям о предстоящей поездке и о том, что на время ее отсутствия Дуг переедет к ним. Против этого они не возражали, но, как Глэдис и ожидала, известие о том, что Таня и ее дети тоже будут жить с ними целых три, а может быть, даже четыре недели, вызвало взрыв негодования.

— Неужели это обязательно, ма? — простонала Эйми, по-взрослому закатывая глаза.

— Какой кошмар! — ужаснулся Джейсон.

— Вы как хотите, а я не останусь с ними под одной крышей и пятнадцати минут! — надменно бросила Джессика, которой недавно исполнилось пятнадцать.

— Можно я поживу с тетей Мэйбл? — спросил Сэм, просительно глядя на мать.

— Нет, — твердо сказала Глэдис. — Нельзя. Вы все будете жить здесь и вести себя прилично. Папа сделал мне большое одолжение, согласившись побыть с вами, пока я буду в командировке. И вас я прошу о том же. В конце концов, Таня и ее мальчики переселяются сюда не навсегда.

— Но тебя не будет почти месяц! — дружно завопили все четверо.

— Значит, вам придется потерпеть ровно столько, — спокойно, но твердо ответила Глэдис.

На этом разговор закончился, но Глэдис слишком хорошо знала своих детей, чтобы полагать, будто вопрос окончательно улажен. О нет! Они, как могли, мстили ей по мелочам. Глэдис стоило огромного труда сохранять спокойствие. Но желание во что бы то ни

стало сделать репортаж с каждым днем становилось все сильнее и сильнее. Это перевешивало все.

Вечером накануне отъезда Глэдис повела всю компанию в кафе, и там, за пиццей и мороженым, состоялся еще один серьезный разговор. В конце концов дети неохотно пообещали ей быть вежливыми с Таней, однако они по-прежнему не хотели иметь ничего общего с ее «сопливой командой» («Ай-ай-ай, Джейсон, давно ли ты сам писал в штанишки?» — заметила Глэдис), и ей пришлось этим удовлетвориться.

Поздно вечером, когда, собрав свои пожитки, Глэдис наконец легла, к ней в кровать забрался Сэм. Ему недавно исполнилось десять, и он был единственным из ее детей, кто все еще изредка спал с мамой. Глэдис знала, что Сэму будет не хватать ее больше, чем остальным, однако она надеялась, что с Дугом детям будет не так тоскливо, к тому же разлуку им должна была скрасить предполагаемая «холодная война» с Таней и ее детьми.

Но и на этот счет Глэдис особенно не беспокоилась. Она хорошо знала свою четверку и была уверена, что через три, максимум — четыре дня ее дети оставят свои мстительные планы и вовсю начнут общаться со своими сводными братьями. Да и Таня ей, в общем, понравилась. Накануне она сама позвонила Глэдис и предложила заменить ее в автопуле, что было как нельзя кстати.

«Хорошо, что Таня нормально относится к моим детям, — подумала Глэдис. — Иначе проблем было бы куда больше». В самом деле, Дуг мог найти себе какую-нибудь ненавидящую детей двадцатилетнюю эгоисточку, и тогда Джессика, Джейсон, Эйми и Сэм потеряли бы отца по-настоящему. Таня в этом смысле была вполне приемлемым вариантом.

Таня и Дуг переехали в тот день, когда Глэдис предстояло улетать. Инструкции и путеводители по детским шкафам были составлены и написаны, а холодильник и морозилка ломились от запасов.

Оставила Глэдис и несколько телефонных номеров, по которым ее можно было бы разыскать, если бы случилось что-нибудь непредвиденное. Впрочем, она честно предупредила, что это вряд ли получится. Связь с миссионерским госпиталем осуществлялась по радио и была крайне неустойчивой.

— Так что поболтать о том о сем нам вряд ли удастся, — вздохнув, сказала Глэдис. — Если радио не действует, вызвать меня на переговоры можно только телеграммой, а сколько она будет добираться до лагеря — одному богу известно.

— Ничего, они пошлют с запиской скорохода из местного племени Быстроногих, — грустно пошутил Сэм. Ему очень не хотелось расставаться с матерью, но он крепился и даже старался ее подбодрить.

Потом, предварительно расцеловав всех, Глэдис отправила детей в школу, а сама позвонила Мэйбл и попросила помогать Дугу. Она была уверена, что оставляет детей в надежных руках, однако все равно считала, что лучше подстраховаться.

Мэйбл пообещала сделать все, что будет в ее силах, и пожелала Глэдис удачи. Она знала, что поездка пойдет ей на пользу: только получив это задание, Глэдис стала более или менее похожа на себя прежнюю. Со дня ее разрыва с Полом прошло около двух месяцев, и на протяжении всего этого срока Глэдис оставалась угнетенной и мрачной. Перемена обстановки и возвращение к любимой работе просто обязаны были подействовать на нее благотворно, и Мэйбл очень на это надеялась.

Добираться до места Глэдис предстояло в несколько этапов. Первый, самый простой, включал ночной перелет в Лондон. Там она должна была провести несколько часов в гостинице для транзитных пассажиров, дожидаясь рейса на Кампалу. Из Кампалы — до

Кигали[1] на маленьком самолете местной авиалинии, пересесть на джип и доехать — «как-нибудь попасть», как выразился Рауль — в район Сингугу, что на южной оконечности озера Киву. Вот так. Не больше и не меньше.

Личные вещи уместились в ее любимую дорожную сумку, сделанную из «чертовой кожи» и бывшую практически вечной. Фотоаппарат, пленки и прочие принадлежности для съемки Глэдис уложила в свой старый кофр, который верой и правдой служил ей вот уже много лет. Чтобы не брать ничего лишнего, она сразу оделась по-походному. Синие джинсы, грубые, но прочные высокие ботинки на шнуровке, просторная кожаная куртка со множеством карманов и бейсболка были не только практичны и удобны, но и очень шли ей. Спустившись в прихожую, Глэдис не без удовольствия бросила на себя взгляд в зеркало.

Прежде чем выйти из дома, она ненадолго остановилась в дверях, огляделась по сторонам, потрепала по голове собаку и беззвучно помолилась про себя, прося Бога, чтобы он тоже присмотрел за ее детьми.

Путешествие, выглядевшее непростым даже в теории, на практике оказалось еще сложнее. До Кампалы Глэдис добралась без особых проблем, но «самолет местной авиалинии» на поверку оказался допотопной двухместной конструкцией, где едва хватило места для ее скромного багажа. Аэродром в Кигали был в ужасном состоянии, и при посадке они чуть не перевернулись, когда правое шасси внезапно провалилось в какую-то выбоину. Но вид, который открывался с высоты, был поистине великолепным, и Глэдис, не утерпев, начала снимать еще до того, как самолет пошел на посадку.

Возле покосившейся бамбуковой хижины на краю аэродрома ее ждал древний трехосный грузовик.

---

[1] Кигали — столица Руанды.

Водителем был чернокожий, который говорил по-английски с таким странным акцентом, что Глэдис с трудом его понимала. К счастью, в машине сидел новозеландец, который проработал в госпитале более трех лет и прекрасно знал все здешние проблемы. По дороге он рассказывал об истории создания госпиталя, о детях, которые там лечились, и об их болезнях, а также о нравах и обычаях тутси и хуту — двух основных племен, населявших берега озера Киву.

— Из этого можно сделать замечательный репортаж, Глэдис! — сказал он с энтузиазмом, и она грустно улыбнулась в ответ. Тони — его звали Тони — понравился ей с самого начала, но Глэдис угнетала мысль, что она чуть ли не вдвое старше его, да и остальных сотрудников миссии тоже. Восточная Африка была той частью света, что привлекала главным образом людей очень молодых, не только не боящихся трудностей, но и с радостью идущих им навстречу, чтобы испытать себя. Глэдис было только сорок четыре, но она должна была казаться им древней старухой, что было не очень-то приятно.

— Откуда вы получаете припасы и медикаменты? — поинтересовалась она, подпрыгивая на продавленном сиденье и машинально хватаясь за светящуюся приборную доску. Уже давно стемнело, однако и Тони, и водитель заверили Глэдис, что никакой опасности нет. Единственное, что им грозило, — это встреча со львом или слоном-одиночкой, но на этот случай у обоих были крупнокалиберные карабины.

— Откуда придется, — лаконично ответил новозеландец.

— Надеюсь, не оттуда, откуда вы взяли этот грузовик. Его явно подобрали на какой-то панафриканской помойке, — заметила Глэдис, когда машина снова подпрыгнула на невидимом ухабе, и изрядный кусок приборной доски остался у нее в руке.

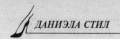

Тони рассмеялся и ловко приладил оторвавшуюся панель на место.

— Медикаменты и продовольствие нам доставляют самолетами со всего мира. Кое-какую помощь оказывает и Красный Крест. Погоди, вот приедем, я все тебе покажу и расскажу.

Но когда они наконец добрались до лагеря, было уже начало третьего ночи, и Тони сразу отвел Глэдис в приготовленную для нее палатку. Палатка была маленькой, душной, а заплаток на ней было столько, словно она не раз побывала под обстрелом, но Глэдис было на это наплевать. Главное, в ней стояла складная походная койка и лежал спальный мешок, а больше ей ничего и не требовалось — она так устала, что способна была заснуть стоя. Правда, Тони предупредил, чтобы она спала, не разуваясь: в палатки изредка заползали змеи, к тому же на лагерь могли набрести слоны или носороги, но Глэдис это не испугало. Африка есть Африка, подумала она и провалилась в сон.

Рано утром ее разбудил громкий крик попугаев, которые ссорились в ветвях акации прямо над ее палаткой. Глэдис, выкарабкавшись из спальника, выглянула из палатки. Она увидела здание госпиталя, представлявшего собой похожий на ангар сборный модуль из гофрированного железа с многочисленными пристройками. Возле одной из них стоял знакомый Глэдис грузовик, который разгружала группа негров, весело покрикивавших друг на друга. Еще несколько человек с озабоченным видом курсировали между госпиталем и крытой травой хижиной, наполовину скрытой от Глэдис металлическим корпусом ангара. Все были заняты делом, только она еще прохлаждалась!..

Молодая женщина — обладательница шотландского акцента и обаятельной улыбки — показала Глэдис удобства и, объяснив, как ими пользоваться (чтобы умыться, нужно было сначала накачать в бачок воду из большой цистерны), сказала, что в столовой — большой палатке за госпиталем — ее ждет завтрак.

В столовой — большой парусиновой палатке армейского образца — было оживленно, но, хотя Глэдис и умирала с голода, меню повергло ее в легкое недоумение. Его основу составляли туземные африканские блюда, предназначавшиеся для персонала из числа местных жителей. Всем остальным было предложено выбирать между яичницей и блюдами из замороженных полуфабрикатов, которые не вызывали у Глэдис никакого энтузиазма. В конце концов она решила остановиться на фруктах, тостах и кофе, который, вопреки ее ожиданиям, оказался совершенно великолепным.

Глэдис допила вторую чашку, прикидывая в уме, с чего начать. Тут внимание ее привлекло движение в дальнем конце палатки. Подняв голову, Глэдис увидела Тони с какими-то людьми. Все они только что вошли в столовую. Стоящие рядом с ней сказали, что это летчики. Глэдис посмотрела на них с интересом. Один из мужчин показался ей смутно знакомым, но его лицо было скрыто широким козырьком низко надвинутой бейсболки, а в следующую минуту его заслонил собой какой-то рослый негр, который поднялся из-за стола навстречу вошедшим.

«Должно быть, показалось», — решила Глэдис. Кроме Тони и водителя, у нее не было здесь ни одного знакомого. Возможно, она встречала этого человека лет двадцать назад, когда работала в Корпусе мира, но вряд ли. Столько времени прошло, и все изменилось. Кто погиб, кто навсегда оставил такую работу. Нет, старый знакомый — это вряд ли.

Глэдис все еще смотрела на группу летчиков, когда Тони, заметив ее, махнул рукой и пошел к ней по проходу. Пилоты последовали за ним. Один из них был низкорослым, широкоплечим и коренастым. Второй — худым и жилистым. Третьим пилотом был... Пол.

Их взгляды встретились. Увидев ее, Пол поднес к губам ладонь, словно стараясь сдержать крик удивления и ужаса. Казалось, лишь огромным усилием воли он поборол в себе желание немедленно броситься вон из палатки. Глэдис тоже почувствовала, как кровь отхлынула от ее лица, но Тони уже представлял ей пилотов.

— ...А это — мистер Пол Уорд, — сказал он. — Мисс Глэдис Тейлор, — обратился он к Полу.

Тони осекся, увидев, как побледнела Глэдис.

— Вы часом не знакомы? — спросил он, вглядываясь в их лица.

— Д-да, нам уже приходилось встречаться, — выдавила она, машинально пожимая руку Полу. Глэдис уже вспомнила, как Пол рассказывал ей о воздушно-транспортной компании или, вернее — клубе летчиков, который он когда-то основал. Они как раз занимались доставкой грузов в разного рода «горячие точки». Значит, теперь он снова сел за штурвал транспортного самолета.

«Почему же он не вернулся на «Морскую звезду»?» — рассеянно подумала Глэдис.

Тем временем товарищи Пола двинулись к дальнему концу стола, выбирая место, где бы сесть, и только он немного отстал. Перехватив его взгляд, Глэдис поняла, что Пол растерян, огорчен, раздосадован их неожиданной встречей так же сильно, как и она. Разумеется, ни один из них не мог предвидеть, что они столкнутся лицом к лицу так далеко от Нью-Йорка, в этом заброшенном уголке земного шара. Это была чистая случайность, но ни Пол, ни Глэдис не назвали бы ее счастливой.

— Мне очень жаль, что так получилось, — негромко сказал Пол. — Я не знал...

Глэдис только покачала головой. Она ехала в Руанду, чтобы окончательно прийти в себя, залечить раны

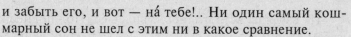

и забыть его, и вот — нá тебе!.. Ни один самый кошмарный сон не шел с этим ни в какое сравнение.

— Разумеется, ты знал!.. — Глэдис попыталась улыбнуться, но в ее голосе неожиданно для нее самой прозвучала горечь. — Наверное, ты специально все это устроил, чтобы помучить меня.

— Глэдис, я никогда не стал бы этого делать, — сказал Пол серьезно. — Мне казалось, что ты это знаешь.

— С тебя станется!.. — И снова Глэдис не удалось взять шутливый тон, хотя она прекрасно понимала, что своей встречей они обязаны обычному стечению обстоятельств. — Как бы там ни было, я еще ни разу в жизни не оказывалась в таком идиотском положении.

— Я тоже. — Пол покачал головой. — Когда ты приехала? Вчера вечером?

— Да. — Она кивнула. — А ты?

— Мы прилетели в Сингугу час назад. Там есть посадочная полоса.

Глэдис кивнула.

— И когда вы улетаете?

В обычных обстоятельствах спрашивать об этом было бы не совсем вежливо, но сейчас Глэдис меньше всего заботилась о приличиях. Она хотела знать одно: как долго он здесь пробудет.

Ответ ее разочаровал.

— Месяца через два. Конечно, мы будем совершать челночные рейсы между Сингугу и Могадишо — на днях туда пришел груз медикаментов и продовольствия.

— Понятно... — протянула Глэдис. Она все еще не верила, что все это произошло с ней на самом деле.

— А ты? — в свою очередь спросил Пол. — Ты здесь надолго?

— На три или четыре недели, — ответила Глэдис и посмотрела ему прямо в глаза. Ей было больно видеть его, слышать его голос, ощущать запах его одеколона, который она, оказывается, прекрасно помнила. Но не могла же она бросить все и уехать обратно в Нью-Йорк, не выполнив задания!..

Пол понял ее без слов.

— Я постараюсь держаться от тебя как можно дальше, — пообещал он, однако обоим было ясно, что это вряд ли осуществимо. В госпитале люди работали тесной, сплоченной группой; единственной возможностью уединиться было не вылезать из собственной палатки, но оба они не могли себе этого позволить.

— Спасибо, — неуверенно поблагодарила Глэдис. — Я тоже постараюсь пореже попадаться тебе на глаза.

С этими словами она встала и поставила недопитый кофе на поднос, собираясь уйти. Пол следил за ней тоскующим взглядом. На лице его было написано страдание. Глэдис захотелось спросить, как ему спится, но она сдержалась. С ее стороны это было бы просто подло. Для нее самой ночи уже давно превратились в нескончаемую череду кошмаров, лейтмотивом которых было лицо Пола в тот последний вечер. Он качал головой и говорил «...А сейчас ты должна уйти», и Глэдис плакала во сне.

— Как ты поживаешь? — спросил он негромко, когда Глэдис повернулась, чтобы выйти из палатки.

— А ты как думаешь?..

Пол кивнул, продолжая пристально рассматривать ее лицо. Оно изменилось, но он никак не мог понять, в чем дело. И только когда Глэдис уже шагнула к выходу из палатки, он сообразил, что на виске у нее появился шрам, которого раньше не было. Пол хотел окликнуть ее, спросить, откуда он у нее, но промедлил, а когда решился, Глэдис уже не было в столовой.

— Эй, Пол, ты будешь есть? — окликнул его Тони.

— Да, уже иду, — ответил Пол, но не двинулся с места. В его сердце как будто вонзился острый нож. Боль была почти физической, и он непроизвольно схватился за грудь. Раньше такое случалось с ним каждый раз, когда он вспоминал Селину, но сейчас она была ни при чем. Виновата была неожиданная встреча с Глэдис, разбудившая в душе Пола все чувства, которые он к ней испытывал.

Чувства, о которых он всеми силами старался забыть...

ГЛАВА 10

На протяжении следующих трех дней Глэдис и Пол делали все, что только было в их силах, чтобы не встречаться, однако результат был практически нулевым. Они сталкивались друг с другом то в лагере, то в госпитале, то на площадке, где стояли машины. Правда, они почти не разговаривали, однако от этого им было не легче — каждый слишком остро воспринимал присутствие другого и испытывал неловкость, смешанную с болью.

Вечером третьего дня, когда Глэдис сидела в столовой и ужинала, Пол сел с ней рядом.

— Ну что, ничего у нас не получается? — спросил он негромко, чтобы не услышал никто из сидящих за столом. В голосе его звучало отчаяние. Пол уехал бы, если бы мог. Но кто за него сделает его работу? Репортаж Глэдис должен был послужить более широкой известности этого места. Тогда госпиталю помогут.

Иными словами, ни он, ни она не могли бросить все и уехать, как бы им этого не хотелось. Оставалось только стиснуть зубы и терпеть. Пол буквально физически ощущал, как сердце его начинает рваться на части, стоит ему только увидеть Глэдис или хотя бы просто услышать ее голос.

А это происходило достаточно часто. Глэдис очень хотелось поскорее закончить работу. С самого утра она то беседовала с медсестрами, то фотографировала детей в палатах, то снимала африканскую природу и лагерь. Она казалась очень занятой, но стоило Полу оказаться поблизости, как их взгляды непременно встречались, и тогда его словно опаляло огнем. В ее глазах было столько боли, столько затаенного страдания, что Пол принимался лихорадочно изобретать какие-то предлоги, которые позволили бы ему уехать. Но придумать он ничего не мог. Они продолжали встречаться по десять раз на дню и страдать от этого.

— К сожалению, — ответила Глэдис сдержанно. Пол остро ощутил, как глубоко он ее ранил. Ее, прекрасную и нежную, пришедшую ему на помощь, когда ему было трудно, со всей своей самоотверженностью и любовью.

А Глэдис уже отвернулась, чтобы он не замечал, как сильно дрожат ее губы. В тот самый миг, когда она увидела его в столовой, чувства ожили в ее душе с новой силой. Глэдис было ясно: это уже навсегда, и ничего поделать с собой она не сможет. Пол был ее единственной настоящей любовью, забыть которую Глэдис не сумела бы, проживи она хоть тысячу лет.

Между тем ужин закончился, столовая опустела, и они остались вдвоем. Глэдис по-прежнему не смотрела на него, и Пол неловко заерзал на стуле.

— Можно я задам тебе один вопрос? — спросил он.

— Какой?

— Откуда у тебя этот шрам? Раньше его не было...

Теперь, вблизи, Пол рассмотрел его как следует. Шрам был очень длинным и явно недавний. Часть его скрывали волосы — ее чудесные, золотые волосы цвета спелой пшеницы. Кроме того, как-то утром Пол видел Глэдис выходящей из своей палатки с ортопедическим корсетом на шее. (Она надевала его иногда, если начинали болеть позвонки.)

— Что с тобой случилось, Глэдис? — Пол хотел коснуться шрама пальцами, но Глэдис отпрянула.

— Это дуэльный шрам, — сказала она, попытавшись обратить все в шутку, но Пол не улыбнулся. Он продолжал выжидательно смотреть на нее, и Глэдис неохотно сказала: — Я попала в аварию.

— Когда? — Пол хотел знать точно. Все дурные предчувствия, которые он испытывал в тот день, вдруг ожили в нем. — Когда, Глэдис?!

— Довольно давно, — уклончиво ответила она, но Пол понял.

— Это было... тогда? — спросил он, чувствуя, как у него кружится голова, а к горлу подкатывает тошнота. Если бы он не сидел, а стоял, то, наверное, вынужден был бы схватиться за стол, чтобы не упасть.

— Да, в тот день, — неохотно подтвердила Глэдис.

— Когда ты... возвращалась?

— Да.

— О боже!.. — Пол в отчаянии и ужасе схватился за голову. — Я не должен был разрешать тебе садиться за руль в таком состоянии. Я должен был настоять! У меня было предчувствие, но я...

— У меня тоже, — ответила Глэдис, думая о том, что он с ней сделал. Она могла погибнуть. Она чуть не погибла, но ей повезло.

Или скорее не повезло?

— Ты сильно разбилась?

— Достаточно сильно.

— Тогда почему ты ничего мне не сказала, когда звонила на следующее утро? — Пол вспомнил, какой слабый, прерывистый был у нее голос, и его сердце заныло от жалости и раскаяния.

— Потому что это была уже не твоя проблема.

— Мне очень жаль, Глэдис. Я... Мне просто нечего сказать...

— Пусть это тебя не беспокоит. Я уже поправилась, и теперь все нормально...

Но глаза выдавали ее. Душа ее была покрыта ранами гораздо более глубокими, чем шрам на виске. И раны эти продолжали кровоточить, хотя со дня, когда они расстались, прошло уже больше двух месяцев.

Глэдис честно старалась забыть о том, что произошло, и пока они с Полом были далеко друг от друга, ей это с грехом пополам удавалось. Однако теперь все началось сначала. Вернее, ничего не кончалось.

Особенно тяжело ей было смотреть ему в глаза. Никакие слова не могли бы ее обмануть. Пол продолжал любить ее, и от этого им обоим было только труднее. Глэдис не хотела ни в чем его винить. Но он пустил по ветру ее и свою жизнь, их счастье, их будущее — на это трудно было закрыть глаза.

Не поэтому ли Пол приехал сюда, подумала Глэдис. Убежать, спастись от того, от чего нельзя убежать, от чего нельзя скрыться, потому что это — в тебе... Она понимала его очень хорошо. Разве она сама не за этим приехала в Африку? Какая же горькая ирония в том, что они выбрали одно и то же место!

— Ну и что мы будем делать дальше? — спросила она, поворачиваясь к нему лицом. Здесь, в лагере, они просто не могли не встречаться, об отъезде кого-то из них даже речи быть не могло, следовательно, оставалось только...

— Терпеть, — ответил Пол, заглядывая ей в глаза. — Прости меня, Глэдис, я не мог знать, что встречу тебя здесь...

— Я тоже. Рауль предложил мне это задание неделю назад, и я согласилась. К счастью, Дуг и его, гм-м... подруга присмотрят за детьми, пока я буду отсутствовать. Они переехали в наш дом.

— Оба?! — поразился Пол.

— Да. — Глэдис немного помолчала. — Кстати, ты давно занимаешься доставкой продовольствия в госпиталь... и в другие места? — спросила она. Она уже знала, что все доставляемое приобретается на средства Пола. Она не знала только, как отразить это в своем репортаже.

— С марта месяца, — ответил Пол. — Я вернулся на яхту, но мне было очень тяжело сидеть и ничего не делать. Да и не могу же я оставаться на «Морской звезде» до конца жизни.

— А где сейчас твоя яхта?

— На Антибах. Я собирался позже совершить еще одно кругосветное путешествие. Сомневаюсь только, что это поможет... — Он грустно улыбнулся.

— Ничего, как-нибудь привыкнем... — сказала она, думая о том, что они оба находятся в безвыходном положении. Они приехали сюда с самыми лучшими намерениями, но судьбе было угодно наказать их за их добрые дела.

Глэдис подняла голову и с грустью посмотрела на Пола. Ну почему, почему все получилось именно так? На протяжении целых шести месяцев Пол был ее единственной надеждой и опорой, ее другом. Но потом он отнял у нее все, и ее сердце в придачу. Глэдис дорого бы дала за то, чтобы вернуть хоть часть того, что потеряла.

— Может быть, — добавила она негромко, — мы все-таки могли бы быть друзьями? С этого все начиналось, так пусть этим все и закончится. Вероятно, это просто предрассудок, но у меня такое ощущение, будто какая-то высшая сила свела нас здесь, чтобы мы помирились и попытались хотя бы отчасти исправить то зло, которое причинили друг другу.

— Ты ни в чем не виновата, Глэдис, — с горячностью возразил он. — Я сам все разрушил, своими руками!

— Я испугала тебя. — Глэдис печально покачала головой. — Я пыталась заставить тебя решиться на то, к чему ты был не готов.

Они оба знали, что это неправда. Пол первым сказал, что любит ее, он открыл ей двери своей души и пригласил войти. А потом, через считанные дни, он выбросил ее вон и поклялся никогда больше не впускать.

— Я сам себя испугал, — с горечью сказал он.

Глэдис не собиралась ему возражать. Но не проще ли забыть все это? И простить.

— Задолго до того, как вернуться в Нью-Йорк, ты сказал мне, что не хочешь быть светом в конце моего тоннеля. Ты меня честно предупреждал. А я не прислушалась. Вернее, не поверила...

Прошлое крепко держало Пола, страх связал его по рукам и ногам, но он, казалось, вовсе не замечал этого. Надежду на будущее ему заменила его скорбь по Селине. И любовь Глэдис была ему больше не нужна. Видеть все это, ничего не попытавшись сделать, было ужасно.

— Нужно перешагнуть через то, что было, — сказала она. — Хотя бы попытаться. Пусть это будет для нас своего рода испытанием. Прошлого не вернуть, но ведь надо как-то жить дальше...

Она улыбнулась Полу и, встав из-за стола, легко коснулась его руки, и он посмотрел на нее с недоумением. То, что сказала Глэдис, совершенно сбило его с толку.

— Можем мы быть друзьями? — спросила она напрямик.

— Я не знаю, — честно ответил Пол. Ему было очень тяжело находиться рядом с ней и помнить, каждую минуту помнить все, что было.

— У нас нет просто другого выхода, — покачала головой Глэдис. — Это единственный способ как-то пережить ближайшие три недели. Ну как?

Она протянула ему руку, но Пол не пошевелился. Два месяца назад он сам оттолкнул ее, он захлопнул за Глэдис дверь и запретил ей звонить. И вот волею судеб они снова оказались вместе. Немыслимо.

— Я подумаю, — буркнул он наконец и, встав со стула, быстро вышел из столовой.

Нет, ему слишком тяжело было ее видеть. Но когда им удавалось держаться на почтительном расстоянии друг от друга хотя бы несколько часов подряд, ему начинало отчаянно не хватать Глэдис. Вновь встретившись с ней, он понял, что все его рассуждения немногого стоят, но он принадлежал Селине — или считал, что принадлежит. Это не позволяло ему согласиться стать другом Глэдис. Он боялся снова увлечься ею, но и пренебречь ее словами он тоже не мог. Положение казалось совершенно безвыходным.

— Вы с Полом что, заклятые враги? — спросил у Глэдис Тони, когда после ужина они вместе возвращались к палаткам.

Его непосредственность обезоружила Глэдис.

— Вроде того, — ответила она честно. Не хватало еще сообщить, что они были любовниками. Слишком сложно и слишком отдает дешевой мелодрамой, да Тони и не спрашивал об этом.

— Я думаю, мы справимся. Африка — не самое подходящее место для вражды, — добавила она, и Тони удовлетворенно кивнул.

Глэдис лежала без сна на шаткой койке, грозившей развалиться от любого неосторожного движения, она думала, что сказать-то просто, а вот как оно будет на самом деле? Ведь Пол не захотел быть ей другом. Он продолжал отталкивать ее, и для Глэдис это было еще одним ударом. Конечно, она сделала все, что могла, но разве от этого легче?

Пол улетел на два дня в Могадишо, и Глэдис получила небольшую передышку. Она использовала ее для того, чтобы сосредоточиться на работе. Фотоаппарат Глэдис заглядывал, казалось, прямо в души людей, но это никому не мешало. Напротив, ее ненавязчивое внимание согрело атмосферу в лагере, и к тому моменту, когда Пол вернулся из Могадишо, Глэдис успела со многими подружиться. Теперь ей было уже не так тяжело видеть его и говорить с ним.

В пятницу вечером медсестры решили устроить у себя вечеринку, на которую пригласили всех желающих. Глэдис долго колебалась, не обидеть бы кого, но в конце концов решила не ходить. Она была совершенно уверена, что Пол тоже там будет. Ей не хотелось начинать все сначала. Все-таки удалось немного успокоиться, и слава богу.

Она осталась в палатке и читала при свете карманного фонарика, когда снаружи, у самого входа, что-то громко зашуршало. Вздрогнув от страха, Глэдис приподнялась на локте и посмотрела на противомоскитный полог. Она была уверена, что возле палатки бродит какое-то животное или, того гляди, заползет змея, которых в окрестностях лагеря было порядочно. Оружия у нее не было. Глэдис направила на вход в палатку луч фонаря, готовая закричать при малейших признаках опасности. Это был Пол. Он заглянул в палатку, щурясь от яркого света, бившего ему прямо в глаза.

— Ох, — сказала Глэдис. — Я думала, это рогатая гадюка!

— Это она и есть, — ответил Пол, загораживая глаза ладонью. — Извини, если я тебя напугал... Я хотел спросить, почему ты не пошла на вечеринку?

— Я устала, — солгала Глэдис.

— По-моему, ты врешь, — сказал Пол. — Ты никогда не устаешь.

Да, Глэдис следовало трижды подумать, прежде чем пытаться ввести его в заблуждение. Но на самом деле она не особенно боялась, что он прочтет ее мысли, — гораздо больше ее пугало, что Пол может заглянуть к ней в душу. И он вполне способен был это сделать. Шесть месяцев, на протяжении которых Глэдис делилась с ним своими самыми сокровенными надеждами и мечтами, не пропали даром. Теперь Пол мог видеть ее насквозь.

Тогда почему же он не разглядел страшные кровоточащие раны, которые сам нанес ей?

— Сегодня я устала, — упрямо повторила Глэдис. — Кроме того, мне давно хотелось кое-что почитать.

— Ты сказала, что мы могли бы быть друзьями, и я готов попробовать, — неожиданно заявил Пол. — Что, предложение еще в силе или я опоздал?

— Мы друзья, — ответила Глэдис, но он покачал головой.

— Нет. Мы все еще кружим вокруг друг дружки,

словно раненые львы. Настоящие друзья так себя не ведут, — сказал он и прислонился плечом к центральному шесту палатки.

— Но мы не львы, — негромко возразила Глэдис. — Мы — просто люди, а люди иногда делают друг другу больно. Даже если они друзья...

— Мне очень жаль, что я обидел тебя, Глэдис, — с мукой в голосе произнес Пол, пока она вела отчаянную борьбу с собой. Глэдис старалась не пустить его в свое сердце. Так она выстрелами отгоняла бы от палатки льва. И то и другое было трудным делом.

— Я не хотел, — добавил Пол. — Не хотел, понимаешь?.. Но иначе я просто не мог. То, что мной владело, было сильнее меня.

— Я все понимаю, Пол. — Глэдис отложила книгу и уселась поудобнее. — Перестань, не казни себя. Наверное, так должно было случиться...

И она грустно посмотрела на него. Снова эта боль, и казалось, ей не будет конца.

— Что в порядке?! — с горячностью воскликнул Пол. — Мы оба все еще наполовину мертвы. По крайней мере я — мертв... Я попробовал все, за исключением, быть может, отворотного зелья и колдовства, но ничто не помогло. Я принадлежу ей, Селине! И всегда буду принадлежать.

— Она никогда не принадлежала тебе, Пол, потому что сама этого не хотела. Ты никогда не владел ею, потому что она этого не позволяла. Как же ты можешь принадлежать Селине? Я пыталась объяснить это тебе, но... не смогла. Значит, остается только ждать. В один прекрасный день ты проснешься и все поймешь.

Он пристально посмотрел на нее.

— Я хочу, чтобы ты пошла со мной на вечеринку, Глэдис, — предложил он. — Как друг. Мне очень хочется с тобой поговорить — просто поговорить. Если бы ты знала, как мне этого не хватает!

В его глазах блеснули слезы, и Глэдис поняла, что приглашение пойти вместе на вечеринку было той оливковой ветвью мира, которую он протягивал ей в ответ на ее предложение быть друзьями.

— Мне тоже этого не хватает, — призналась она. — Только здесь, к сожалению, нет телефонов...

Глэдис пыталась шутить, но в ее словах было слишком много горечи. Не было никакого смысла возвращаться к прошлому. Страница была прочитана, ее надо было только закрыть.

— Давай не будем спешить, — добавила она.

— Куда? — Пол криво улыбнулся. — Нам совершенно некуда торопиться, Глэдис, нам осталось только вместе поплакать над осколками, которые уже не склеишь...

И Пол выдавил из себя еще одну жалкую улыбку. Нечеловеческим напряжением воли он заставил себя не вспоминать о том, как целовал ее и что при этом чувствовал. Он отдал бы десять лет жизни за возможность снова обнять ее, но это было бы безумием. Ему нечего было дать ей. Он не принадлежал даже самому себе.

— Ну давай же одевайся, и пойдем, — сказал Пол просительно. — Ведь у нас осталось всего три недели. Потом мы снова расстанемся... надолго. — Он хотел сказать «навсегда», но не смог.

На его лице появилось такое выражение, словно он решил стоять здесь до тех пор, пока Глэдис не пойдет с ним.

— Но я не хочу! — упрямо возразила она.

— Брось, Глэдис! — Пол тоже заупрямился. Они словно играли в пинг-понг, и ни один не хотел уступать. — Вылезай из своего мешка, иначе я отнесу тебя в столовую прямо в нем.

Глэдис живо представила себе эту картину и расхохоталась. «Сумасшедший! Настоящий сумасшедший!» — подумала она, зная, что будет любить его всегда. Даже когда кончатся три недели, которые у них еще оставались.

И, совершенно неожиданно для себя, Глэдис решила, что Пол прав. Все равно она потеряла его навсегда, так что три недели ничего не решали. Так почему бы им не побыть немного вместе на прощание?

— Хорошо, я иду, — сказала Глэдис, расстегивая «молнию» спального мешка. На Глэдис были джинсы и плотная хлопчатобумажная майка. Вытряхнув ботинки, куда могли забраться ядовитые насекомые или змеи, Глэдис зашнуровала их и встала.

— О'кей, мистер, на ближайшие три недели мы — друзья, — сказала она. — А потом вы должны навсегда исчезнуть из моей жизни.

— Я думал, что я ужé... — проворчал Пол, поднимая полог палатки и давая ей пройти.

— Я тоже так думала, но ты умеешь здорово притворяться, — сказала Глэдис, когда они шли через лагерь к столовой, откуда доносилась музыка и звон посуды. — Та, заключительная сцена в «Карлайле» показалась мне достаточно убедительной. Я и в самом деле решила, что ты прощаешься со мной по-настоящему.

Пол ничего не ответил, но его взгляд машинально скользнул по смутно белевшему в темноте шраму на виске Глэдис. Их встреча в отеле едва не стала последней. Он не сомневался, что Глэдис спасло только чудо, и не уставал благодарить за это судьбу. Он никогда не простил бы себе, если бы она погибла.

В этот момент Глэдис споткнулась, и Пол поддержал ее под локоть, а она в задумчивости не вырвала руку. Ночь была великолепна: такие ночи — жаркие, влажные, насыщенные густым ароматом цветов и звенящими голосами насекомых — могли быть только в Африке. Рука Глэдис осталась в руке Пола, который уверенно вел ее по тропинке, проложенной между магнолиями и зарослями бамбука.

Наконец они добрались до столовой. Пола окликнул австралиец, прилетевший с ним из Могадишо, и он, извинившись, отошел поговорить с ним о делах. Австралиец был механиком; весь день он копался в забарахлившем моторе самолета и, кажется, нашел причину поломки. Пол слушал его, но думал о другом. Он думал о Глэдис и ничего не мог придумать.

А Глэдис, испытывавшая искреннюю благодарность к Полу, который не стал навязывать ей свое общество, чувствовала себя совершенно свободно. Присоединившись к группе сестер и сиделок, она непринужденно болтала с ними, одновременно стараясь узнать что-то новое и интересное, что могло пригодиться ей для репортажа. С вечеринки Глэдис ушла одной из последних, и Пол, исподтишка наблюдавший за ней, решил, что она неплохо провела время.

На следующий день утром кто-то негромко постучал по ведру, повешенному около ее палатки, и Глэдис, которая как раз застегивала джинсы, выглянула наружу. Несмотря на неоднократные предупреждения, она была босиком. Золотистые волосы, которые она не успела расчесать и заплести в косу, красиво обрамляли ее правильное лицо, покрытое ровным светлым загаром.

Пол с укоризной взглянул на нее.

— Обуйся, — сказал он. — Ты что, хочешь, чтобы тебя ужалила какая-нибудь дрянь?

— Спасибо за предупреждение, — отрезала Глэдис, с трудом сдерживая раздражение. Было еще очень рано, она не выспалась и была не расположена выслушивать нравоучения. — Что ты хотел?

— Мы сейчас летим в Бужумбуру — надо забрать важный груз. Это займет всего два или три часа в один конец. Может быть, ты хотела бы слетать с нами? Из кабины открывается очень красивый вид, и ты могла бы сделать превосходные снимки для своего репортажа, — предложил он.

Глэдис немного подумала. Пол был прав — несколько общих планов и видов с высоты птичьего полета очень бы пригодились для ее репортажа. Но шесть часов в обществе Пола... Глэдис колебалась.

В конце концов, профессионализм одержал верх.

— О'кей, — сказала она сухо. — Я лечу с вами. Когда?

— Через десять минут. — Пол улыбнулся. Он был рад, что Глэдис согласилась. Даже ее резкость не смутила его — когда Глэдис сердилась, она напоминала ему Селину.

— Хорошо, я буду готова, — кивнула Глэдис. — Есть у меня время на чашечку кофе?

— Пару минут, я думаю, мы можем подождать. В конце концов, мы — не «Пан-Америкэн».

— Спасибо. Я подойду прямо к джипу, — сказала она, и Пол, повернувшись на каблуках, быстро зашагал прочь. Голова его была низко опущена, и Глэдис невольно спросила себя, о чем он может думать.

Меньше чем через пять минут она уже пила, обжигаясь, горячий кофе и закусывала отсыревшими галетами, которые отдавали плесенью. Впрочем, этим отличалась вся здешняя пища, и Глэдис, чье меню состояло преимущественно из кофе, фруктов и яичницы, невольно подумала, что как пить дать потеряет за эту командировку несколько фунтов веса. Впрочем, еще в Нью-Йорке, глядя на себя в зеркало, Глэдис замечала, что выглядит тоньше, чем обычно. Должно быть, сказывались переживания последних двух месяцев, которые были едва ли не самыми тяжелыми в ее жизни.

Когда Глэдис подошла к джипу, она увидела, что Пол стоит там с высоким пилотом, которого, как она знала, звали Рэнди. Рэнди родился в Калифорнии и бо́льшую часть жизни прожил в Лос-Анджелесе. Когда-то он служил в военно-воздушных силах, потом поступил учиться на киноактера и был помощником продюсера в двух или трех фильмах. Карьера была ему обеспечена, но Рэнди неожиданно бросил все и приехал в Африку. Как он сам говорил, ему захотелось сделать что-то полезное для человечества, и Глэдис его хорошо понимала. В госпитале Рэнди работал уже три года и успел за это время освоить профессию фельдшера. «Летчик, актер, продюсер, фельдшер... — говорили его друзья. — Такие люди на вес золота». Но Глэдис считала, что они — куда дороже. Она хотела сфотографировать Рэнди для своего репортажа, но он только отшучивался. Глэдис вообще серьезно задумывалась о том, чтобы сделать фоторепортаж об Ассоциации бывших военных летчиков. Единственным, что ее смущало, было то, что основателем и фактическим главой ассоциации был Пол.

Через двадцать минут езды они были уже в Сингугу. Самолет, купленный Полом для госпиталя, был старой армейской машиной, имевшей довольно обшарпанный вид, однако, как сказал Рэнди, он мог прослужить еще довольно долго. Действительно, самолет легко оторвался от земли, и Глэдис, занявшая место в хвостовой кабине, где когда-то размещался стрелок с пулеметом, приникла к аппарату. Она снимала и проносящиеся внизу зеленые холмы, и стада носорогов в высокой траве, и бесконечные банановые плантации, и стаи фламинго на озере. Пол летел как можно ниже, чтобы дать ей возможность сделать хорошие снимки. Но Глэдис, стремившаяся увидеть и запечатлеть на пленке как можно больше красот этого удивительного края, все равно жалела о том, что не может поместиться где-нибудь под фюзеляжем.

Рынок в Бужумбуру поразил Глэдис своим шумным многолюдьем и обилием экзотических фруктов. Здесь она тоже сделала несколько превосходных снимков в полной уверенности, что когда-нибудь непременно сумеет их использовать. Потом щелкнула Пола и Рэнди, загружавших самолет, отметив, что пригодится для репортажа об ассоциации.

Наконец все было готово к отлету. Они сели в тени под крылом самолета, чтобы перекусить кофе и фруктами, которые купили на рынке. Время от времени мимо них степенно проходил крупный броненосец. Каждый раз Глэдис хваталась за аппарат, чтобы еще и еще раз заснять это удивительное животное. Однако в конце концов и она устала от впечатлений и спрятала камеру в кофр.

— Потрясающее место, верно? — спросил Рэнди, широко улыбаясь. Он относился к Глэдис очень тепло, но ни о каком «увлечении» речь не шла — Рэнди ухаживал за одной из медицинских сестер.

— Да, — ответила она. — Конечно.

Покончив с трапезой, они полетели обратно. На этот раз Глэдис сидела на свободном месте в пилотской кабине и просто смотрела на проплывающие внизу пейзажи. Пол по-прежнему был молчалив и не разговаривал ни с ней, ни с Рэнди, и Глэдис почувствовала, как от жалости у нее сжимается сердце.

Грузовик с Тони за рулем уже ждал их на взлетной полосе. Ящики и коробки быстро перегрузили в кузов. Рэнди запрыгнул в кабину к Тони, и грузовик, урча и недовольно фыркая, покатил обратно в лагерь. Глэдис пришлось ехать с Полом в джипе.

На обратном пути Пол несколько раз взглянул на нее, но лишь когда до лагеря осталось миль пять, он поднял руку и коснулся шрама на ее виске.

— Он еще болит, Глэдис?

— Нет. Вернее — почти нет. Иногда он чешется, но мне сказали, что так и должно быть. В конце концов он должен пропасть совсем, но я не буду расстраиваться, если какой-то след все же останется.

Глэдис пожала плечами. Ее действительно не очень волновал этот вопрос. Но все же она была благодарна судьбе за то, что в тот день, когда ее доставили в уэстпортскую больницу, среди дежурных врачей оказался пластический хирург. Если бы не он, шрам мог оказаться куда больше и страшнее.

Пол кивнул. Он хотел было снова сказать, как он сожалеет обо всем, что случилось, но передумал. Они оба и так повторяли эти слова слишком часто, однако ни один из них не в силах был изменить прошлое, да и настоящее тоже.

Они вместе вернулись в лагерь, и Глэдис, поблагодарив Пола за то, что он взял ее с собой, собиралась пойти в душевую, как вдруг из крытой травой хижины позади госпиталя выглянула молоденькая медсестра.

— Мисс Глэдис! — окликнула она ее. — Постойте! Пока вас не было, вам звонили. Нам передали по радио...

Она на мгновение заколебалась, и Глэдис почувствовала, как у нее упало сердце. «Что-то случилось! — подумала она. — Что-то неладно дома!»

Предчувствие ее не обмануло. Правда, связь была очень плохая, и дежурный радист сумел разобрать только, что сын Глэдис упал в школе и что-то себе сломал.

— Кто звонил? Вы знаете, кто звонил?! — спросила Глэдис, и голос ее зазвенел от тревоги. Звонить могли Дуг, Таня или Мэйбл, мог позвонить и врач, если кто-то дал ему номер ее телефона.

— Нет, я не знаю. — Сестра пожала плечами. — Было очень плохо слышно, и...

Новая мысль пришла в голову Глэдис.

— Который сын? Как его зовут?! — почти крикнула она.

— Не знаю, — снова ответила сестра. — Были очень сильные помехи. — Она наморщила лоб, словно что-то вспоминая. — Кажется, Кэм или что-то в этом роде...

Это, конечно, был Сэм. Он что-то сломал, а она даже не знает, насколько это серьезно. Бремя вины неожиданно обрушилось на нее всей своей тяжестью. Глэдис чувствовала непреодолимую потребность куда-то бежать, что-то делать, но она не знала — что.

Пол все еще стоял рядом с ней. Он все слышал, и, когда Глэдис повернулась и посмотрела на него, сердце его рванулось из груди навстречу этим огромным, потемневшим от тревоги глазам.

— Как мне можно отсюда позвонить? — спросила Глэдис. Губы плохо ей повиновались, но она из последних сил старалась держать себя в руках.

— Можно попробовать связаться с Кигали по радио, но я боюсь, что ты снова ничего не услышишь. Лучше ехать... В пригороде Кигали есть отделение Красного Креста. Туда около двух часов езды, но зато у них надежная связь со всем миром.

— Ты отвезешь меня? — спросила Глэдис напрямик, и он кивнул. Правда, помочь Сэму Глэдис все равно ничем не могла, но она, по крайней мере, могла выяснить, в чем дело. Выяснить и не волноваться так сильно.

— Иди к джипу, — властно приказал он. — Поедем на нем. Думаю, мы успеем, к тому же самолет все равно не заправлен. Я буду через две минуты — только предупрежу Тони.

Меньше чем через пять минут они уже мчались по дороге в Кигали. Довольно долгое время они молчали, и, лишь когда позади осталась примерно треть пути, Пол попытался подбодрить Глэдис.

— Это, наверное, какая-нибудь ерунда, — сказал он, стараясь говорить как можно небрежнее, но Глэдис поняла, что он тоже волнуется.

— Надеюсь, ты прав, — вздохнула она. Отвернувшись к окну, Глэдис долго смотрела на проносящиеся мимо африканские пейзажи и вдруг заговорила глухим, срывающимся голосом:

— Наверное, я действительно не имела права бросать детей. Вот, что-то случилось, а я оказалась на другом конце земли. Именно сейчас Сэм особенно нуждается во мне, а чтобы добраться до дома, мне нужно не менее двух дней. Мои дети даже не могут сюда позвонить, чтобы просто поговорить о том о сем, а ведь они, в сущности, еще такие маленькие!..

— Они остались не с кем-нибудь, а со своим родным отцом, — напомнил Пол. — Я думаю, что Дуглас вполне способен справиться со всем как надо. Кстати, — добавил он специально, чтобы отвлечь ее, — эта его подружка... У них это серьезно?

— Не знаю, наверное... — ответила Глэдис, продолжая думать о своем. — Таня — неплохая женщина, у нее двое своих детей, которых она любит, но мои дети их ненавидят. И ее тоже. Они считают ее набитой дурой...

— Я думаю, в данных обстоятельствах они точно так же возненавидели бы любую женщину, которая попыталась бы прибрать к рукам их отца, — рассудительно заметил Пол. «И любого мужчину, который появился бы в жизни их матери», — добавил он про себя.

Когда они подъехали к представительству Красного Креста, здание уже закрывалось. Увидев на крыльце какую-то женщину, которая возилась с ключами, Глэдис выскочила из джипа еще до того, как Пол успел остановить машину, и, размахивая руками, бросилась вперед. Торопясь и сбиваясь, она объяснила, в чем дело, и та кивнула.

— Звоните, раз такое дело, — сказала она, сочувственно улыбаясь Глэдис. — Правда, иногда линия бывает перегружена, но... попробуйте.

Оказавшись у аппарата, Глэдис схватила трубку и стала дрожащей рукой набирать длинную последовательность цифр. Несколько раз она ошибалась и начинала сначала, но Пол, вошедший в офис следом за ней, не сделал никакой попытки ей помочь. Он только молча стоял рядом и смотрел, и лицо у него было суровым. К счастью, женщина, впустившая их в здание, никуда не торопилась. Ожидая, пока Глэдис дозвонится, она вернулась к себе в кабинет и занялась какими-то делами.

Наконец Глэдис удалось правильно набрать номер, и она замерла, прислушиваясь к далеким гудкам и соображая, куда ей звонить, если дома никого не окажется. Но ей повезло. На шестом звонке кто-то взял трубку, и Глэдис узнала голос Дуга.

— Привет, Дуг, это я, — быстро сказала она. — Что с Сэмом? Как он?

— Он играл в школе в бейсбол и повредил запястье, — объяснил Дуг совершенно спокойно.

— Запястье? Только и всего? — удивилась Глэдис.

— А ты надеялась, что он сломал себе шею?

— Нет... Я просто подумала, что раз ты позвонил, значит, дело серьезное. Пока мы добрались до работающего телефона, я черт знает чего себе навоображала!

— Запястье — это вполне серьезно! — раздраженно бросил Дуг. — У Сэма очень болела рука, и Таня возилась с ним целый день.

— Что ж, поблагодари ее от моего имени, — сказала Глэдис. Она как раз собиралась спросить, не может ли он передать трубку Сэму, но оказалось, что Дуг еще не все сказал.

— Таня действительно заслуживает благодарности, а вот ты — нет! — заявил он. — С чего ты взяла, что она обязана заботиться о твоих детях, пока ты болтаешься бог знает где?

Глэдис вздохнула. Дуг был в своем репертуаре.

— Они и твои дети тоже, — напомнила она. — Постарайся не забывать об этом — тебе предстоит прожить с ними еще около двух недель.

— Об этом я и говорю, — парировал Дуг. — Тебе ничего не стоит переложить ответственность...

— Я ехала три часа бог знает по каким дорогам, чтобы попасть к телефону! — перебила его Глэдис, и ее глаза сверкнули гневом. — Я мать и не собираюсь ни на кого перекладывать ответственность за моих детей. А вот ты — пытаешься. Почему с Сэмом возилась Таня, а не ты?

Глэдис хотела добавить еще несколько слов, но сдержалась — все равно это не принесло бы никакой пользы, к тому же она задерживала служащую Красного Креста, которая пустила ее к телефону.

— Ты можешь позвать Сэма? — спросила она.

— Сэм спит, — твердо ответил Дуг. — Ему было так больно, что он не спал всю ночь, и Таня дала ему болеутоляющее. Я...

Услышав, что Сэм страдает, Глэдис почувствовала, что глаза ее непроизвольно наполнились слезами.

— Тогда передай ему, что я очень его люблю, — сказала она. — И остальным, конечно, тоже. — К этому времени Глэдис уже подсчитала, что в Уэстпорте сейчас утро и дети ушли в школу.

— Передам, передам, хотя и не знаю, стоит ли... Я звонил тебе не сегодня, а еще вчера вечером, и рассчитывал, что ты сразу же перезвонишь, но ты, наверное, не сочла нужным...

Дуг, несомненно, хотел уязвить ее, но Глэдис только рассердилась, и это помогло ей справиться с огорчением и грустью.

— Ты забыл. Я предупреждала тебя, что ваши звонки будут доходить до меня не сразу. Меня не было в лагере, и твое сообщение я получила только три часа назад. А мне еще надо было добраться до нормального телефона... — Она не стала напоминать Дугу, что между ними — восемь часов разницы и что его утро означает для нее поздний вечер. — В общем, передай Сэму, что, когда я вернусь, я распишусь на его гипсе — пусть оставит для меня место, — добавила она.

— Ладно, ладно... Только постарайся в следующий раз поживей поворачиваться, — проворчал Дуг, и Глэдис захотелось обругать его самыми черными словами, но она сдержалась.

— До свидания, Дуг, — сказала она ледяным тоном и, повесив трубку, со вздохом повернулась к Полу. — Слава богу, ничего страшного, — сказала она. — Сэм просто повредил запястье. Это, конечно, плохо, но вполне поправимо.

— Я понял. — Пол кивнул, но лицо его оставалось суровым, почти мрачным, и Глэдис решила, что он сердится на нее за то, что она заставила его ехать в такую даль.

— Извини, что побеспокоила тебя: я же не знала, что это такой пустяк, — проговорила она. Несмотря ни на что, она была рада, что все эти три часа он был рядом.

— Твой Дуг — все такая же задница? — осведомился Пол.

— Горбатого могила исправит. Только теперь это уже не моя проблема, а Танина, — вздохнула Глэдис.

— Когда-то я его ненавидел. По-настоящему ненавидел, — неожиданно сказал Пол.

— Когда-то я его любила, — вздохнула она. — Все-таки я, наверное, очень плохо разбираюсь в людях...

С этими словами она отправилась в соседнюю комнату, чтобы поблагодарить любезную служащую Красного Креста. Вручив ей пятьдесят долларов для оплаты разговора и в качестве компенсации за беспокойство, Глэдис вышла на улицу. Пол завел мотор джипа, и они быстро поехали по пустынной пыльной улочке.

Обратный путь проходил в густой ночной темноте, поэтому занял еще больше времени. В лагерь они вернулись около полуночи, когда столовая была давно закрыта. Ужин они пропустили, легкий ленч в Бужумбуру язык не поворачивался назвать обедом, да и тот был довольно давно, и теперь оба буквально умирали от голода.

— Я бы пригласил тебя в «Дэниэл», но боюсь, что это слишком далеко, — попытался пошутить Пол, когда они обнаружили, что все припасы убраны под замок.

— Я готова съесть живую лягушку, — призналась Глэдис, действительно чувствуя себя в состоянии сделать это. Лягушку не лягушку, но обжаренную в масле саранчу, которую очень любили рабочие из местных жителей, она, пожалуй, отважилась бы попробовать.

— За этим дело не станет. Думаю, я сумею поймать несколько штук, — откликнулся Пол и неожиданно зевнул, деликатно прикрывая рот ладонью. Сегодняшний день был нелегким и для него.

— Мне правда очень жаль, что тебе пришлось ехать так далеко, — еще раз извинилась Глэдис. — Если бы я знала, что с Сэмом не случилось ничего страшного, я бы...

— Я тоже за него волновался, — признался Пол. — И рад, что все обошлось...

Потом оба надолго замолчали. Они стояли на поляне посередине лагеря, и до ближайшего ресторана, где можно было бы поужинать без вреда для здоровья, было несколько десятков, а может быть, и сотен миль.

— Придумала! — неожиданно воскликнула Глэдис. — В госпитале должна быть какая-то еда. Идем, может быть, нам удастся что-нибудь украсть!

— Рискнем, — согласился Пол.

В шкафу в служебном помещении госпиталя они нашли несколько пачек мягкого от влаги печенья, коробку древних бисквитов, несколько упаковок пшеничных хлопьев — вполне съедобных на вид и без жучков, ящик грейпфрутов, с полдюжины банок сгущенного молока без сахара и несколько пакетов порошкового мусса «Джелло», который регулярно присылала в госпиталь мормонская община из Монтгомери, штат Алабама.

— Что ж, Скарлетт, это уже похоже на ужин, — проговорил Пол, подражая Рету Баттлеру, и высыпал пшеничные хлопья в миску со сгущенным молоком, которое предварительно разбавил водой. Потом он разрезал пополам несколько грейпфрутов, которые показались ему спелее остальных, и размешал в двух чашках мусс «Джелло». Разумеется, все это не шло ни в какое сравнение с супом из омаров, цыпленком и бифштексами, которые они ели в «Дэниэле», но Глэдис была настолько голодна, что даже не подумала об этом. Единственное, о чем она жалела, — это о том, что у них нет ничего горячего.

— Что желаете, мэм, черствые бисквиты или мокрое печенье? — спросил Пол самым светским тоном, и Глэдис фыркнула.

— Право, они так хороши, что я не в силах остановиться на чем-нибудь одном. Подайте мне и то, и другое, сэр, — ответила она ему в тон, и Пол поставил перед ней обе коробки.

Они слегка перекусили и вскоре разговорились, впервые за все время чувствуя себя друг с другом свободно и непринужденно. Пол даже рассказал Глэдис о своем разговоре с Шоном, происшедшем два месяца назад; при этом он позволил себе отнестись к нему с юмором, чего прежде еще не делал.

— Шон открытым текстом заявил, что в моем возрасте встречаться с женщинами уже как бы и ни к чему, — со смехом объяснял Пол. — И он не видит причин, почему бы мне не прожить остаток моих дней в воздержании. Кстати, остаток оказался довольно большим: Шон сказал, что я — «мужчина среднего возраста», а значит, я доживу как минимум до ста. У детей бывают порой самые странные представления о родителях, не правда ли?

Но Глэдис не улыбнулась. Не менее странные идеи посещали самого Пола. Например, он решил остаться верным памяти жены, хотя сама Селина наверняка сочла бы это глупостью. Но заводить об этом речь Глэдис не стала. Все уже было сказано, и ей не хотелось снова обострять отношения с Полом. Ей нужно было только спокойно дожить оставшееся время, чтобы вернуться домой и больше никогда его не видеть.

— А что ты думаешь по этому поводу? — неожиданно спросил Пол, разрезая еще один грейпфрут для нее и для себя. Глэдис, правда, уже чувствовала, что наелась, но Пол, очевидно, был все еще голоден. — Ты... у тебя кто-нибудь был? Ну, после того вечера?

Он давно хотел задать ей этот вопрос, но не решался. Сейчас ему, однако, казалось, что настал самый подходящий момент.

— Нет, — честно ответила Глэдис. — Я была слишком занята. Я зализывала раны.

— А сейчас?

— А сейчас мне просто не хочется.

— Но это же глупо! — без обиняков заявил Пол. — Глупо, Глэдис!..

— В самом деле? — Глэдис немедленно ощетинилась. — Кто бы говорил! Я что-то не слышала, чтобы ты встречался налево и направо с красотками из нью-йоркского высшего света и фотомоделями. Вместо этого ты полгода прожил на своей яхте, а теперь торчишь в Руанде — возишь лекарства, продукты и одеяла... Это, значит, не глупо?

Тут Глэдис почувствовала, что, пожалуй, хватила через край, но она надеялась, что Пол не обидится. Все-таки они договорились быть друзьями, и это давало ей право говорить откровенно.

— Да, ты, наверное, права... — Пол грустно улыбнулся. — Я действительно ни с кем не встречался с... довольно долгое время. И не собираюсь. Я хочу остаться верным Селине.

— А как твои кошмары, Пол? — поинтересовалась она и осеклась. Об этом, наверное, не стоило, но сказанного не вернешь.

— Лучше, — ответил Пол спокойно. — Намного лучше... Должно быть, дело в физической усталости. Здесь я выкладываюсь на полную катушку, а потом сплю как убитый. Но если я, так сказать, вернусь к цивилизации, проблемы, вероятно, начнутся снова.

— Да, — вздохнула Глэдис, — наверное.

Когда в последний раз Пол возвращался к цивилизации, он продержался всего неделю. Потом он сбежал, а она получила перелом и сотрясение мозга. И, в придачу разбитое сердце, которое не мог вылечить ни один врач.

— Так почему же все-таки ты не хочешь ни с кем встречаться? — снова спросил Пол. — Почему?

Глэдис вздохнула. Такая странная настойчивость была совершенно неуместна, ну да ладно.

— По-моему, это очевидно. Мне нужно было время, чтобы оправиться после... после нас. И после Дуга тоже. Одна катастрофа, другая... Не каждый это выдержит.

На самом деле Глэдис не считала потерю Дуга такой уж большой бедой. Но, расставшись с Полом, она потеряла все, во что верила и на что надеялась.

— Но, быть может, — добавила она, специально для него стараясь говорить бодрее, — в конечном итоге это принесет мне пользу. Я стала мудрее и сильнее. Правда, пока я еще не готова начать все сначала, но кто знает?

— Тебе еще не так много лет, чтобы ставить на себе крест, — кивнул Пол и нахмурился. Почему-то ему казалось, что Глэдис говорит не то, что думает. Или — не совсем то. Но в голосе ее звучала какая-то сила, которой раньше не было. Похоже, со времени их последней встречи или, вернее, расставания она действительно выросла, стала независимее и сильней. Он понял это по ее разговору с Дугом. Пол мог только догадываться, каких гадостей наговорил Глэдис ее бывший супруг, но зато он очень хорошо понял, что она больше не позволит ему топтать себя ногами. Ни ему и никому другому. Она очертила для себя какие-то границы, переступать которые не разрешалось ни одному человеку, и перестала бояться терять тех, кого когда-то любила. Кроме детей, у Глэдис не осталось никого в целом свете, и это сделало ее храбрее.

— Наверное, я пока не встретила человека, который бы мне понравился, — сказала Глэдис.

— А какой человек может тебе понравиться? — полюбопытствовал Пол, и Глэдис надолго задумалась.

— Как он будет выглядеть, мне, пожалуй, все равно, — сказала она наконец. — Конечно, я не имею ничего против красоты и мужественности, но пусть он лучше будет милым, добрым, умным, сострадательным и... — Она посмотрела ему прямо в глаза и решила быть честной до конца. — И еще этот человек должен быть без ума от меня. Он должен обожать меня и считать меня своей удачей. Для него в мире должна существовать только я, иначе не стоит и стараться... Всю жизнь я любила кого-то, отдавала всю себя, шла на уступки и даже на жертвы. И теперь мне кажется, что было бы только справедливо, если бы кто-то любил меня.

Совсем недавно Глэдис до безумия любила Пола и готова была отдать ему все, что у нее было, включая детей, но он выбрал Селину. И ей было больно сознавать, что она вынуждена уступить его женщине, которая ушла и никогда больше не вернется. Пол предпочел любить мертвую и оттолкнул Глэдис, вместо того чтобы протянуть руки и любить ее.

— Быть может, это покажется тебе наивным и глупым, — добавила Глэдис после небольшой паузы, во время которой она решала, есть ли у нее право говорить ему что-либо подобное тому, что она собиралась сказать, — но все это означает, что мне нужен человек, который готов ради меня пройти сквозь бури и штормы. Любые бури и штормы, Пол. Меня больше не устраивают люди, которые любят вполсердца. Мне не нужны люди, которым я заменяю кого-то, кого они потеряли. Лучше быть одной, чем с кем попало. Я не хочу быть запасной лошадью, на которую пересаживаются, когда фаворитка вдруг захромает. Я не хочу больше ни перед кем извиняться или вымаливать для себя хоть немножко любви... С меня хватит, Пол!

И он неожиданно понял, что Глэдис имеет в виду не только Дуга, но и его тоже. Ведь это он сказал, что не может любить ее, потому что любил и будет любить Селину. Это он оттолкнул ее, когда ему стало трудно. Он до сих пор считал, что по-другому поступить не мог, но вспоминать об этом ему было неприятно. Хорошо, что она не потеряла способности надеяться, подумал он. Другое дело, сумеет ли Глэдис найти свою мечту. Но она, по крайней мере, знала, чего хочет, и в этом смысле ей, конечно, было гораздо легче, чем ему.

— А ты? — внезапно спросила Глэдис. — Какая

женщина нужна тебе? Расскажи мне, каков он, тот идеал, который ты ищешь?

Пол не ожидал этого вопроса, но не колебался ни секунды, прежде чем ответить.

— Я его уже нашел, Глэдис, — ответил он серьезно. — Селина — мой идеал.

Полу очень хотелось бы сказать, что женщина, которую он считает воплощением своей мечты, должна быть похожа на нее, на Глэдис, но он не смог. Ему многое в ней нравилось, но у Селины было перед Глэдис одно преимущество: она была мертва и, следовательно, не имела недостатков.

— Селина?!. — ахнула Глэдис и надолго замолчала. Это слово ударило ее, словно кулак, оглушило, смяло и заставило снова отступить в глубь себя. И дело было не в том, что Пол это сказал, а в том, что он сказал это так определенно. Значит, подумала она в панике, это действительно... конец?

— Да, Селина, — подтвердил Пол. Он принял ее крик боли за вопрос и теперь добивал Глэдис безжалостно и методично. — Теперь, когда я оглядываюсь назад, — сказал он, — я начинаю понимать, что для меня она была самым подходящим человеком. Я был от нее действительно без ума, а когда обожаешь кого-то, то недостатков просто не замечаешь, не говоря уже о том, чтобы пытаться их исправлять.

— Возможно, но ведь это... — Глэдис не договорила. «Я должна сказать ему! — решила она. — Пусть он знает, что я думаю. Быть может, это и есть то, что ему сейчас нужно!»

— Я всегда знала, — начала она, — что мне никогда не удастся сравняться с Селиной в твоих глазах, что я всегда останусь для тебя второй и что ты будешь постоянно сравнивать меня и ее, не в мою пользу, разумеется. Но была одна неделя — всего неделя, Пол! — когда я была совершенно уверена, что ты любишь не ее, а меня, любишь по-настоящему! Почему ты отступил?

Она-то знала ответ: когда Пол сказал, что не любит ее, это говорил не он, а его страх. Но Пол должен был понять это сам. Никакой логикой невозможно было переубедить его. Только сам.

— Я действительно любил тебя, — ответил Пол. — По крайней мере я думал... мне казалось, что я люблю тебя. Но меня хватило только на неделю. Потом я испугался... испугался того, что сказал Шон, испугался тебя, твоих детей, своих кошмаров и своих воспоминаний о Селине. Это трудно объяснить, Глэдис, но я думаю, ты поймешь. Я... так много перечувствовал за эту неделю, что в конце концов во мне снова проснулось ощущение огромной вины перед... перед ней. И с этим я уже ничего не смог поделать.

— Ну, с кошмарами, я думаю, ты бы справился, — спокойно заметила Глэдис. — Большинству людей это удается.

Но Пол отрицательно покачал головой. Неожиданно он вспомнил, почему он полюбил Глэдис. Она была такой нежной, такой внимательной, ласковой и такой очаровательной, что он просто не сумел устоять.

— Я никогда бы не смог справиться с воспоминаниями о Селине. Я знаю это.

— Ты просто не хочешь! — Это были жестокие и резкие слова, но Глэдис произнесла их очень мягко и с сочувствием.

— Возможно. — Пол отвел глаза, и Глэдис снова подумала о том, что, пока Селина была жива, она не казалась Полу такой уж идеальной. Только теперь, в воспоминаниях, она представала ему с ангельскими крылышками и подобием нимба вокруг головы. Реальная же Селина — Селина, с которой ему порой бывало тяжело, — отступила и практически исчезла в глубинах его памяти.

— Кстати, — заметила Глэдис, произвольно меняя тему, — я бы на твоем месте не позволяла Шону вмешиваться в твою жизнь. Извини, что я это тебе говорю, но... у него нет на это никакого права. В конце концов, у тебя своя жизнь, а у него — своя. Я его совсем не знаю, но мне почему-то кажется, что он вряд ли будет заботиться о тебе, утешать, успокаивать и держать тебя за руку, когда тебе будут сниться кошмары. Если судить по тому, что ты мне рассказал, он тебя просто ревнует. Будь его воля, он посадил бы тебя под замок и держал взаперти, чтобы ты не достался никому, кроме него. Ради бога, Пол, не позволяй ему поступать с тобой так.

— Я и сам об этом думал, — признался Пол. — Дети есть дети, они остаются эгоистами в любом возрасте. От родителей они ждут только одного: чтобы те давали им снова и снова, и так — без конца. Они требуют, чтобы родители всегда были рядом, и очень редко задумываются о том, насколько это удобно отцу или матери. Возможно, это их право, но, когда приходишь к ним за советом или хотя бы за... пониманием, они просто отказываются тебя выслушать. И это еще в лучшем случае. В худшем ты получаешь изрядную нахлобучку за то, что пытаешься поступать так, как тебе хочется. Взять, к примеру, Шона — когда он заявил мне, что я должен оставаться один до конца моих дней, он ни на секунду не усомнился в своей правоте. Но если — не дай бог, конечно, — его жена вдруг умрет, и я скажу Шону, что он должен хранить ей верность до конца его жизни, он решит, что я спятил, и, чего доброго, действительно упрячет меня в «желтый дом»!

В его словах было много правды, и они оба это понимали. Дети в любом возрасте редко бывали снисходительны и добры к тем, кто произвел их на свет и воспитал. И Шон явно не был исключением из этого достаточно всеобщего правила.

— Мне всегда казалось, что твой сын будет не в восторге, когда узнает о... о нас, — сказала Глэдис негромко. — И мне было интересно, как ты справишься с этой проблемой.

— Вот ты и узнала — как... Очень плохо, а вернее — никак. Впрочем, и с остальными проблемами я справился не лучше. У меня такое ощущение, что из всех возможных путей я всегда выбирал те, которые вели в никуда.

— Наверное, ты просто был еще не готов, — сочувственно сказала Глэдис. — Ведь прошло всего шесть месяцев с...

«...С тех пор как погибла Селина», — хотела она сказать. Это действительно был не очень большой срок, но Пол покачал головой.

— И никогда не буду. — Он посмотрел на нее с грустной, усталой улыбкой. Они оба прошли через многое, потратили массу сил и все равно проиграли. Во всяком случае, Пол чувствовал себя именно так. — Надеюсь, — добавил он, — что ты в конце концов найдешь мужчину, который будет готов пройти ради тебя через бури и ураганы. Ты заслуживаешь этого больше, чем все, кого я знаю. Я желаю тебе найти его, Глэдис...

Пол говорил это совершенно искренне. Только новая любовь способна была избавить Глэдис от боли, которую он ей причинил.

— Спасибо. Я тоже надеюсь, но...

— Ты сразу узнаешь его, как только увидишь, — сказал Пол. — Только ты должна ждать его... Если ты спрячешься под кровать, зажмуришь глаза или накроешься с головой одеялом, ты его просто не заметишь.

— Нет, — сказала Глэдис упрямо. — Я знаю, он сам меня найдет, где бы я ни была.

— На твоем месте я бы на это не рассчитывал. Ты тоже должна что-то делать, а не ждать, пока счастье само свалится с неба. Выйди хотя бы на берег и помаши ему платком — ведь пробиваться сквозь штормы и ураганы ой как не просто. И если ты действительно хочешь встретить его — маши как сумасшедшая!

Глэдис улыбнулась его словам.

— Хорошо, — сказала она. — Я попробую.

Было уже далеко за полночь, когда Пол наконец

поднялся и принялся убирать обратно в буфет остатки еды. Он чувствовал себя смертельно усталым и в то же время был рад, что они с Глэдис поговорили откровенно.

— Слава богу, с Сэмом ничего серьезного, — сказал Пол, сметая со стола крошки в подставленную ладонь. Потом он вдруг усмехнулся. — Кстати, когда увидишь на горизонте парня, который плывет к тебе сквозь бурю, спрячь куда-нибудь своих детей, иначе он развернется и двинется обратно со всей возможной скоростью. Женщина с четырьмя детьми способна напугать кого угодно, как бы красива она ни была!

Но Глэдис не поверила ему. Возможно, ее дети действительно испугали Пола, но это вовсе не означало, что точно так же будут вести себя и другие мужчины на его месте.

— У меня отличные дети, Пол! — сказала она, собирая со стола миски и кожуру от грейпфрутов. — И нормального человека они не испугают. Мужчина, который полюбит меня, должен полюбить и моих детей, иначе он мне просто не нужен.

Она посмотрела на него, и Пол отвел глаза. Когда он прогнал ее, Глэдис чувствовала себя чем-то вроде подержанной вещи, которой пренебрегли. Возможно, Пол не хотел оскорбить ее сознательно, однако вышло так, словно она была недостаточно хороша для него. У нее было слишком много детей, к тому же его идеалом была Селина, превзойти которую было невозможно. На самом-то деле судить, кто из них хуже, а кто лучше, мог человек либо очень самонадеянный, либо ослепленный каким-либо сильным чувством.

Например, горем.

Но Пол ничего ей не ответил. В молчании он убрал в буфет последнюю пачку печенья и пошел проводить Глэдис до палатки. У полога Пол остановился и долго смотрел на нее. Они провели вместе длинный, трудный, но очень хороший день, который стал для них чем-то вроде последнего поворота в долгом пути. Они навсегда попрощались с тем, что оставалось в прошлом.

— До завтра, Глэдис. Постарайся выспаться как следует... — сказал Пол негромко и добавил со смущенной улыбкой: — Я рад, что ты приехала сюда и мы встретились...

Глэдис кивнула. За время, что они провели в лагере, они многое узнали друг о друге, сумели победить все плохое, что между ними было, и положили начало новой дружбе, которая, как надеялась Глэдис, будет более долговечной, чем их короткая любовь.

— Я тоже, — шепнула она и, махнув ему на прощание рукой, скрылась в палатке.

Пол еще немного постоял у входа, потом повернулся и медленно пошел прочь.

ГЛАВА 11

Оставшиеся две недели пролетели совершенно незаметно. Глэдис по-прежнему много фотографировала, помогала медсестрам убирать в госпитале, летала с Полом в Бужумбуру и Могадишо, совершала дальние путешествия в джипе с Тони и Рэнди. Она сделала множество замечательных кадров, взяла десятки интервью, и была уверена, что репортаж получится первоклассным.

Несколько вечеров она провела с Полом. Примирившись с прошлым, они больше не чувствовали себя напряженно и прекрасно проводили время. Глэдис эти вечерние беседы очень напоминали то старое доброе время, когда они общались только по телефону: Пол был все так же остроумен, все так же весело шутил, и Глэдис неожиданно обнаружила, что они все еще очень дороги друг другу.

Последний вечер они тоже провели вместе. Впервые за все время Пол поделился с Глэдис своими планами. В июне он собирался перебраться в Кению, чтобы возить туда поступающее по линии ООН продовольствие. По поводу «возвращения к цивилизации» Пол по-прежнему не мог сказать ничего определенного. Единственное, о чем он упомянул, — это о том, что постарается выкроить недельку или две, чтобы провести их на своей любимой «Морской звезде».

— Если вдруг будешь в Нью-Йорке, позвони мне, — попросила Глэдис. Как всегда в июле, она собиралась ехать с детьми на мыс Код. Там она планировала пробыть до первой декады августа, после чего ее должны были сменить Дуг и Таня.

— Значит, в августе ты будешь свободна, — подвел итог Пол. — Что ты собираешься делать?

— Пока не знаю. Хорошо бы, Рауль нашел для меня что-нибудь интересное.

Своей поездкой в Руанду Глэдис была очень довольна. Репортаж несомненно удался. Кроме того, она встретила здесь Пола. Она поняла, что продолжает любить его, однако совершенно неожиданно обнаружила в себе достаточно сил, чтобы перестать цепляться за это чувство и отпустить Пола на все четыре стороны.

На следующий день Пол сам отвез ее на самолете в Кигали, откуда ей предстояло лететь до Кампалы. Пока они ожидали самолета местной авиакомпании, Пол попросил Глэдис передать привет Сэму и остальным, и она с улыбкой сказала:

— Если только они не в тюрьме...

Глэдис шутила, с удовольствием чувствуя, что теперь, когда она ничего от него не ждет и между ними не стоят больше его прежние страхи, они могут говорить совершенно свободно. И хотя то, что они оба потеряли, было ей бесконечно дорого, здесь, в Африке, Глэдис неожиданно обрела достойную замену всему, что она так долго оплакивала.

Вскоре объявили посадку, и Глэдис, с нежностью посмотрев на Пола, крепко обняла его за плечи.

— Будь осторожен, Пол. Береги себя и... не будь к себе слишком суров. Ты этого не заслуживаешь.

— И ты тоже береги себя. — Он улыбнулся печально. — А я, если встречу парня в штормовке, сразу пошлю его к тебе.

— Не трудись. Он сам должен найти меня! — Она знала, что, хотя между ними не было ничего, кроме дружбы, ей будет очень его не хватать.

— Если мне случится вернуться в цивилизованный мир, я непременно тебе позвоню, — пообещал Пол, но Глэдис поняла, что это вряд ли произойдет.

— Я буду очень рада, — все же сказала она, подхватывая на плечо драгоценный кофр, в котором лежали отснятые пленки.

И вдруг он обнял ее и на несколько секунд крепко прижал к себе. Полу хотелось сказать ей еще очень многое, но он не знал как. Он хотел поблагодарить ее, но не знал — за что. Быть может, за то, что она хорошо знала его и принимала его таким, как есть. И сам Пол тоже принимал ее безоговорочно и полностью, и это, наверное, было самым ценным в их новых отношениях.

Когда Глэдис поднималась по трапу на борт небольшого двухвинтового самолетика, в глазах ее дрожали слезы. Пол смотрел на нее и махал рукой, и Глэдис тоже помахала в ответ. Потом самолет взлетел и, сделав круг над аэродромом, взял курс на северо-запад. Пол долго провожал его взглядом, потом вернулся к своей машине и вскарабкался в пилотскую кабину.

Летя обратно в Сингугу, он снова вспомнил о Глэдис и почувствовал, как в его душе воцаряется мир. Он больше не боялся ее и не чувствовал себя виноватым перед ней, потому что Глэдис простила его. Теперь Пол любил ее как друга, как сестру, как мать и знал, что ему будет очень не хватать ее смеха, ее озорных глаз и задорных ямочек на щеках, которые появлялись каждый раз, когда она улыбалась. Раньше он почему-то не замечал их, но теперь они были ему особенно дороги. Ему уже не хватало ее, не хватало даже разочарования и досады, которые появлялись в ее взгляде каждый раз, когда ему доводилось ляпнуть какую-нибудь глупость.

Вечером того же дня Пол случайно оказался возле палатки Глэдис и испытал почти физическую боль при мысли о том, что не увидит ее ни сегодня, ни завтра. И, несмотря на то, что Пол совершенно искренне считал себя независимым и самостоятельным человеком, ему вдруг стало бесконечно одиноко.

А ночью ему снова приснился кошмарный сон, хотя вот уже несколько недель он спал вообще без сновидений. Ему снилось, что он стоит на взлетной полосе аэродрома и провожает взглядом самолет, увозящий Глэдис в Кампалу. И вдруг, прямо на его глазах, древняя двухмоторная машина взорвалась в воздухе, и объятые пламенем обломки рассыпались по взлетному полю. Пол бросился бежать, ибо ему показалось, что Глэдис зовет его из-за плотной стены дыма и огня, но его ноги проваливались в расплавленный гудрон, и он не мог сделать ни шага. Наконец он каким-то образом вырвался и долго бродил среди дымящихся обломков, но так и не нашел тела Глэдис. И тогда он заплакал, заплакал во сне и продолжал плакать даже после того, как проснулся.

ГЛАВА 12

Когда Глэдис вошла в двери своего дома в Уэст-порте, он показался ей очень маленьким, словно за время ее отсутствия он каким-то чудесным образом уменьшился и теперь производил впечатление почти убогое. Впрочем, впечатление это было мимолетным и прошло, как только Глэдис огляделась. В прихожей было чисто, вымытый пол сверкал, и даже детские вещи аккуратно висели на вешалках, а не были разбросаны где попало.

Дети под надзором приходящей няни как раз ужинали, но, заслышав шаги матери, выскочили из-за стола и с радостными воплями бросились ей навстречу. Все говорили разом, а Сэм вовсю размахивал своей рукой в лубке, чтобы Глэдис могла на нее полюбоваться. Прошедшие четыре недели были очень долгими не только для Глэдис, но и для них тоже.

Все в доме было в полнейшем порядке, жизнь детей была организована и налажена. Вечером Глэдис позвонила в Нью-Йорк и от души поблагодарила Таню за хлопоты. В том, что все это именно Танина заслуга, Глэдис не сомневалась — Дуг приходил домой слишком поздно, и единственное, что он мог сделать для детей, — это сводить их в воскресенье в кино. Дети нехотя признались ей в том, что Таня им, «в общем, понравилась». Глэдис было не очень приятно думать, что посторонняя женщина может с такой легкостью ее заменить — в том числе и в глазах Дуга, который, похоже, в Тане души не чаял.

Впрочем, от этих мыслей Глэдис избавилась довольно скоро. Она больше не хотела быть женой Дуга.

И все же в душе у нее что-то дрогнуло, когда Дуг, взяв трубку после Тани, сообщил, что их развод будет окончательно оформлен в декабре и после этого они с Таней поженятся. Глэдис молчала, должно быть, целую минуту и только потом сумела кое-как поздравить его и пожелать всего наилучшего.

Опуская трубку на рычаги, она дважды промахнулась — так сильно у нее тряслись руки.

— Что случилось, ма? — спросила Джессика, которая как раз в этот момент заглянула в кухню, чтобы попросить у Глэдис на вечер ее джемпер.

— Ничего, просто я... Скажи, ты знала, что ваш отец и Таня скоро поженятся?

Конечно, не самый лучший способ сообщать детям подобную новость, но об этом Глэдис как-то не думала. А Джессику ее вопрос нисколько не удивил.

— Да, разумеется. Ее дети часто говорили об этом.

— И как ты на это смотришь? — Глэдис разговаривала с дочерью как со взрослой, да она и была взрослой. Просто Глэдис не заметила, как Джессика выросла.

— А что, у меня есть выбор? — Джесс рассмеялась и пожала плечами.

— Пожалуй, нет, — согласилась Глэдис. В самом деле, от того, что думали по этому поводу Джессика и остальные, уже ничего не зависело. Да и от самой Глэдис тоже. Глэдис обрела себя и теперь просто не сумела бы без этого жить.

Однако ее самолюбие все еще было уязвлено, поэтому на следующий день, встретившись на школьном дворе с Мэйбл, Глэдис решила поделиться с ней новостью. Но оказалось, что та уже в курсе.

— Получается, что об этом знают все, кроме меня! — с досадой воскликнула Глэдис, все еще спрашивая себя, почему она никак не может успокоиться.

— Такова уж наша женская доля — подобные вещи мы всегда узнаем последними. — Мэйбл внимательно посмотрела на подругу. — Ну-ну, Глэдис, не расстраивайся. Ты семнадцать лет была за ним замужем, дай и другим попользоваться этаким сокровищем! — Мэйбл фыркнула. — Было бы о чем жалеть!

Глэдис задумалась. О боже, она, кажется, немного ревновала. Таня была моложе ее, к тому же она была умна (хотя ее дети продолжали утверждать обратное) и умела блестяще вести хозяйство, в чем Глэдис имела возможность убедиться лично. Вероятно, последнее обстоятельство и сыграло для Дуга решающую роль.

«Как странно, — подумала Глэдис, — что даже Дуг нашел себе женщину, и только у меня никого нет».

В самом деле, у Дугласа была Таня, у Пола — Селина, или ее призрак, и даже Мэйбл, похоже, была в последнее время весьма довольна своим Джеффом. На лето они сняли небольшой домик в Раматюэль, на юге Франции, и Мэйбл рассказывала об этом с таким воодушевлением, что Глэдис чуть было ей не позавидовала. Казалось, все, кто ее окружал, жили интересной, богатой событиями и чувствами жизнью, и только у нее не было ничего, кроме работы и детей.

«Но ведь это намного больше, чем есть у многих! — напомнила себе Глэдис. — И больше, чем было у меня всего год назад!» Ведь тогда Глэдис была по-настоящему несчастна. Как же быстро она об этом забыла!

Вскоре занятия в школе закончились, и Глэдис стала собираться на мыс Код. Как обычно, предстоящий отъезд вызвал среди детей настоящее ликование, и только Джессика выглядела не очень довольной. Как она заявила, презрительно морща носик, ей до смерти надоели «эти скучные Бордманы».

— Ничего, найдешь себе кого-нибудь другого, — утешила ее Глэдис, но Джессика посмотрела на нее с негодованием.

— Как ты не понимаешь, мама! — воскликнула она. — В Харвиче просто нет ни одного приличного парня!

Услышав эти слова, Глэдис неожиданно подумала о том, насколько точно они отвечают ее собственным мыслям. Наплевать. Она уже привыкла все делать в одиночку — взбираться на кручи, переходить вброд бурные потоки, в общем, преодолевать все препятствия, которые подбрасывала ей жизнь. Заботилась ли она о детях или готовила репортаж — и то, и другое Глэдис делала одинаково увлеченно, лишь изредка вспоминая о том, что у нее нет мужчины, который бы ее любил.

— Джессика, — сказала Глэдис с улыбкой, — если в пятнадцать ты не видишь на горизонте ни одного приличного парня, то нам, другим женщинам, совершенно не на что надеяться!

Но Джессике пока еще трудно было поверить, что у ее матери тоже может быть личная жизнь.

— Но, мама, ведь ты уже старая! — воскликнула Джесс.

— Спасибо, дорогая, — спокойно откликнулась

Глэдис. Ей было всего сорок четыре года, но Джессика, очевидно, считала, что в этом возрасте жизнь кончена. Это была довольно интересная концепция, которая неожиданно напомнила Глэдис о ее разговоре с
Полом. Тогда она советовала ему не позволять Шону
вмешиваться в свою жизнь, и вот теперь сама оказалась в том же положении.

На следующий день они выехали в Харвич на
новой машине Глэдис. Там их ждал привычный риту-
ал: следовало открыть и проветрить дом, перетряхнуть
и высушить постели, проверить ставни и навестить соседей по поселку. Когда поздно вечером Глэдис ложи-
лась спать, она улыбалась, прислушиваясь к рокоту
волн.

На следующий день она отправилась к Паркерам,
которые, как и всегда, пригласили ее и детей на барбекю по случаю Четвертого июля. Глэдис с радостью согласилась, хотя она все еще хорошо помнила прошло-
годний пикник, когда Пол представил ее Селине. Это
было не самое приятное воспоминание.

Между тем дни летели за днями, и понемногу Глэдис начала приходить к выводу, что летний отдых, пожалуй, удался. Ее нисколько не смущало то, что никто
не приезжал навестить ее в выходные. Даже отсутствие
каких-либо надежд на то, что в ближайшее время у нее
появится достойный поклонник, не омрачало ее мыслей. По правде говоря, одной ей было даже спокойнее.
Ей нравилось быть с детьми, нравилось неторопливое
течение праздной курортной жизни. Черт возьми, все
было прекрасно.

Даже Пола она вспоминала уже не так часто, как
раньше, тем более что от него не было никаких известий. Только однажды он прислал ей открытку, из которой Глэдис узнала, что Пол работает теперь в Кении, как и собирался. В постскриптуме он сообщал,
что продолжает поиски «победителя бурь в штормовке
и с огнем во взгляде». Читая эти слова, Глэдис улыбнулась, шутит — значит, дело идет на поправку.

Она, конечно, вспоминала события годичной давности — свое знакомство с Полом, катание на яхте и пикник у Паркеров. Для нее это было началом чудесного сна, который чуть было не превратился в кошмар, однако шрамы, которые оставил в ее душе их короткий роман, начинали понемногу затягиваться и бледнеть — совсем как шрам на виске, приобретенный ею в ту страшную ночь, когда Пол прогнал ее от себя. И, размышляя обо всем этом, Глэдис неожиданно поняла, что никакая скорбь не может длиться вечно. Самые черные дни когда-нибудь кончаются.

И она была благодарна богу и судьбе за то, что мир устроен именно так.

В конце июля Глэдис позвонила Раулю, надеясь, что у него есть для нее в запасе одно-два задания, которые она могла бы выполнить, пока дети будут жить в Харвиче с Дугом и Таней. Но Рауль не оправдал ее ожиданий — у него не было ничего, что подошло бы фотографу ее квалификации. Это несколько расстроило Глэдис. Но все могло еще тысячу раз измениться. Вешая трубку, она была почти уверена, что так и будет: Рауль позвонит ей и предложит срочно собирать вещи. Тогда снова придется улаживать вопрос с Дугом или просить Таню переехать на мыс Код раньше, чем планировалось.

Странно все-таки, как в столь короткий срок изменилась ее жизнь. Всего год назад они с Дугом отчаянно спорили и ссорились из-за ее желания вернуться в фотожурналистику, но теперь Глэдис казалось, будто они расстались ужасно давно. Год назад еще жива была Селина.

Да, много жизней прошло с тех пор — жизней, которые начались и кончились, и каждая из них изменяла что-то. Думает ли Пол о чем-то подобном?

До самого конца июля погода стояла отменная, но потом внезапно сильно похолодало. Дождь, который шел не переставая почти два дня подряд, загнал их в дом. Младших детей это почти не огорчило, и только

Джессика, которую подобное времяпрепровождение уже не могло удовлетворить, ходила мрачная и раздражалась из-за пустяков. К счастью, вскоре у нее завязался настоящий роман с одним из «скучных Бордманов», и Глэдис вздохнула с облегчением. Все были при деле, и никто особенно не скучал.

Глэдис от души надеялась, что пройдет один-два дня и на небе снова засияет солнышко. Но увы, погода стала еще хуже. А в один из первых дней августа они узнали из программы новостей, что к ним из Мексиканского залива движется настоящий тайфун.

Услышав эту потрясающую новость, Сэм пришел в неподдельный восторг.

— Ух ты, здорово! — воскликнул он. — Как ты думаешь, наш дом смоет? Или просто унесет ветром?

Много лет назад нечто подобное случилось с кем-то из их соседей. Рассказ об этом событии произвел на Сэма неизгладимое впечатление.

— Надеюсь, ни то, ни другое, — ответила Глэдис, стараясь казаться спокойной. По телевизору сказали, что тайфун, названный почему-то «Барбарой», достигнет мыса Код через два дня. Первый в этом году ураган «Эдам» обрушился на Северную и Южную Каролину две недели тому назад; он причинил значительный ущерб постройкам. Были человеческие жертвы. Глэдис считала, что паниковать раньше времени не следует.

— Думаю, нас предупредят, если надо будет эвакуироваться, — добавила она с уверенностью, которой не чувствовала.

Минут через тридцать позвонил Дуг, и разговор с ним заставил Глэдис обеспокоиться еще больше. Правда, он дал ей несколько полезных советов, однако на самом деле они мало что могли сделать. Обычно в подобных случаях полагалось прятаться в подвал, но в их летнем домике не было никакого подвала! Оставалось только надеяться, что за оставшееся время тайфун выдохнется или свернет в сторону, как это уже не раз бывало.

И накануне того вечера, когда ураган должен был обрушиться на полуостров, ее желание сбылось. Вместо штормового предупреждения или сигнала об эвакуации (а Глэдис уже знала, что части Национальной гвардии подняты по тревоге и находятся на пути к мысу Код) диктор сообщил им, что «Барбара» повернула и что центр циклона в настоящее время приближается к Ньюпорту, Род-Айленд.

Это, впрочем, не исключало сильного ветра, дождя и грозы. И действительно, налетевший со стороны моря шквал повалил несколько деревьев в саду, сорвал ставни в двух комнатах и повредил крышу, отчего в крыше образовалась дыра, под которую Глэдис тут же подставила ведро.

Она как раз проверяла в гостиной уцелевшие ставни, когда на столе неожиданно зазвонил телефон. Обычно Глэдис не брала трубку, поскольку почти всегда это оказывался кто-то из товарищей ее детей, однако сейчас каждый звонок мог оказаться важным.

— Алло? — сказала Глэдис и прислушалась. В трубке царила мертвая тишина, и она почти решила, что это чья-то неумная шутка, но вовремя вспомнила, что аппарат с утра барахлил. Очевидно, из-за урагана на линии произошла какая-то поломка.

— Вас не слышно, — громко сказала Глэдис и положила трубку, но телефон тут же зазвонил вновь.

И снова повторилась та же история. На этот раз Глэдис была почти уверена, что либо где-то оборван провод, либо случилось что-то на станции.

— Перезвоните, — сказала она и дала отбой, но аппарат сразу зазвонил опять. На этот раз в трубке были слышны шорох и треск и чей-то очень далекий голос, заглушаемый статическими разрядами. Глэдис могла расслышать только отдельные слова, которые не имели для нее никакого смысла. Она даже не поняла, был ли звонивший мужчиной или женщиной.

— Я не слышу, говорите громче! — прокричала она, гадая, слышно ли ее на том конце. Возможно, подумала Глэдис, это снова Дуг — хочет убедиться, все ли у них в порядке. Она знала, что он наверняка расстроится из-за крыши и ставней и будет ворчать, что ремонт обойдется в кругленькую сумму, поэтому заранее решила ничего ему сейчас не говорить.

Не успела Глэдис положить трубку, как телефон зазвонил снова, но Глэдис только покачала головой. Кто бы это ни был, подумала она, ему придется попытаться дозвониться позже. Сейчас у нее было сразу два дела: во-первых, на кухне сорвало еще один ставень, а во-вторых, Джейсон и Сэм, воспользовавшись кратким затишьем после первого шквала, улизнули на улицу. Их следовало вернуть назад как можно скорее.

Но аппарат продолжал надрываться, и Глэдис, не выдержав, взяла трубку. На этот раз, несмотря на обилие помех, голос раздавался как будто немного ближе, так что она сумела расслышать некоторые слова. Однако смысл сказанного продолжал по-прежнему от нее ускользать.

— Глэдис... буря... шторм... к тебе... — Потом ей послышалось что-то вроде «идет» и раздался такой треск, что она невольно отодвинула трубку подальше от уха. На линии снова наступила полная тишина. Глэдис вздохнула. Звонили, несомненно, ей, однако, если кто-то хотел предупредить ее о надвигающейся буре, он явно опоздал. Стены домика сотрясались от порывов ветра, и Глэдис чувствовала себя как Дороти из «Волшебника страны Оз». Глядя за окно, трудно было поверить, что ураган прошел стороной, задев их только краем. Что было бы, если бы он не свернул?!

И внезапно она вспомнила — дети!

Вспомнила и бросилась к окну, не обращая внимания на то, что в гостиной с потолка тоже закапало.

Она сразу увидела, как Сэм и Джейсон бегут вдоль берега под дождем. Они, разумеется, промокли насквозь. Глэдис, выскочив на веранду, замахала им руками, поскольку кричать все равно было бесполезно. Но Сэм домой не пошел. Вместо этого он махнул ей в ответ, словно звал к себе.

Глэдис огляделась. Небо было черным, как ночью, яркие кривые молнии прорезали небо над океаном, а огромные валы с грохотом разбивались о берег. Ветер неистовствовал, с ревом проносясь над коттеджем и гремя жестью на крыше.

Нечего было и думать докричаться до мальчиков, Глэдис вернулась в прихожую, схватила с вешалки их плащи и, надев дождевик, попыталась открыть дверь. Но дверь не поддавалась. Ей пришлось навалиться на нее всем телом, чтобы преодолеть бешеный напор ветра.

У Глэдис было твердое намерение как следует отругать обоих, но стоило ей оказаться на улице, она поняла, почему ее сыновья оказались на берегу в такую погоду. Разгулявшаяся стихия была прекрасна. Глэдис шла, наклонившись вперед и пряча лицо от ветра. Она ясно ощущала неистовое буйство грозы, грохотавшей, казалось, над самой ее головой. В жилах Глэдис как будто тек электрический ток молний, а при каждом громовом раскате по телу ее пробегала дрожь страха и восторга.

Но наконец она достигла берега и схватила сыновей за рукава мокрых рубах.

— Ступайте в дом! Немедленно! — прокричала она. И Джейсон, и Сэм давно промокли до нитки, и плащи были бесполезны, однако Глэдис все же попыталась надеть дождевик хотя бы на младшего сына. Но яростный порыв ветра вырвал плащ у нее из рук и унес в море. Секунда — и он пропал из вида. Сэм продолжал показывать куда-то в сторону моря и что-то говорить, а вернее — кричать.

— Что?! Я не слышу!!! — Глэдис наклонилась к нему и вдруг увидела, что в свинцовой мгле над океаном появляется и пропадает белое пятно.

— Это... «Морская... звезда»! — донесся до нее голос Сэма.

— Нет, не может быть! — крикнула в ответ Глэдис и покачала головой. Она-то знала, что «Морская звезда» в Европе. Или где-нибудь на пути к Антильским островам. Пол в любом случае позвонил бы ей, чтобы сообщить о своих планах. Но он не звонил, и значит, по-прежнему работает в Кении. А «Морская звезда» стоит на приколе.

Но Сэма ей убедить не удалось. Он возбужденно подпрыгивал на месте и, щурясь от дождя, продолжал указывать на горизонт. Глэдис напрягла зрение, и ей тоже показалось, что она видит какое-то судно, но оно было совсем не похоже на парусник.

— Нет, Сэм, ты ошибся! — повторила она, прикрывая глаза ладонью.

Джейсон выхватил у матери плащ и, накинув его, вприпрыжку помчался к дому.

— Идем домой, пока ты не схватил воспаление легких! — крикнула Глэдис и, схватив Сэма за руку, потащила за собой.

И тут она снова увидела таинственное судно. На этот раз Глэдис сумела разглядеть косой клин основного паруса, который почти касался гневных пенистых валов. «Морская звезда» здесь, конечно, ни при чем. Но, кто бы это ни был, он здорово рисковал. Яхта неслась к берегу с быстротой молнии. Казалось, она обгоняет ветер и летит, не касаясь воды, однако при этом она так накренилась, что Глэдис вздрогнула при мысли о возможном несчастье.

И все-таки это не мог быть Пол. Он слишком опытный моряк, чтобы на всех парусах мчаться сквозь ураган, рискуя каждую минуту опрокинуть яхту и погибнуть.

— Это не Пол... — проговорила она негромко и, снова взяв Сэма за руку, отвела его домой, где их уже ждал Джейсон. Велев сыновьям переодеться во все сухое, Глэдис поставила чайник, а сама вышла на террасу. Теперь яхту было видно и отсюда, и Глэдис несколько минут наблюдала за тем, как она лавирует, ложась то на один, то на другой бок. Огромные волны перекатывались через ее нос, мачты гнулись, как тростинки, паруса надувались так, что казалось, они вот-вот лопнут, но яхта продолжала приближаться к берегу. Не позвонить ли ей в береговую охрану? Ведь вполне могло быть так, что яхта оказалась застигнута штормом в открытом море и теперь торопилась к берегу, чтобы переждать непогоду у причалов яхт-клуба, обозначенного на всех картах.

О боже, ведь дальше по берегу, у самого мыса, скрывались под водой опасные острые скалы, которые могли пробить корпус любого судна. В тихую погоду их легко можно было обойти, но в бурю... Кто будет спасать людей, если яхта налетит на эти скалы?

Обернувшись через плечо и увидев, что Сэм и Джейсон буквально прилипли к окну гостиной, Глэдис вспомнила о своем намерении приготовить им горячий шоколад, но что-то помешало ей вернуться в дом. Она лишь махнула им рукой, чтобы они отошли от окна (Сэм и Джейсон предпочли не заметить этого ее жеста), и продолжала смотреть на борющееся с ветром судно. Через минуту дождевая завеса над океаном слегка разошлась, и Глэдис увидела яхту совсем близко... И в ту же минуту вспомнила странные телефонные звонки и голос, далекий голос сказавший: «Буря... шторм... к тебе...» Что это было? Голос звал ее по имени.

Глэдис снова всмотрелась в яхту и вдруг почувствовала, как ее сердце слегка сжалось от тревоги и смутной надежды. На мгновение ей даже показалось, что она сходит с ума. Неужели Сэм был прав? Неужели эта яхта — действительно «Морская звезда»?

«Буря... шторм... к тебе... идет...» — снова раздалось у нее в ушах. Но, быть может, не идет, а «иду». Только Пол обладал достаточным опытом и мужеством, чтобы плыть в такой ураган. И только он был достаточно безумен, чтобы сделать это.

И внезапно Глэдис стало ясно, это был Пол! Это он звонил ей, это он стоял сейчас на капитанском мостике «Морской звезды», и, возможно, он был одет в прорезиненную штормовку, а его мужественное лицо было мокрым от множества соленых брызг, которые впивались в кожу, словно осы. Все так! Но зачем?

И вместо того, чтобы вернуться в дом, она почти бегом — насколько позволял ей ветер — бросилась обратно на берег. Остановившись у кромки прибоя, она прикрыла глаза от дождя рукой и увидела, как яхта разворачивается, ложась на новый курс параллельно берегу. Она шла в яхт-клуб — в этом не могло быть никаких сомнений.

Как он оказался здесь? Зачем? Что все это значит? Не важно! Только одно имело значение: Пол плывет сквозь бурю, сквозь шторм, сквозь настоящий ураган... И он позвонил, чтобы предупредить ее!..

Глэдис снова побежала. За Сэма и Джейсона можно не волноваться — им больше ничего не грозило. Другая мысль владела ею — даже не мысль, а догадка, поверить в которую она и хотела, и боялась.

Яхта с большим трудом продолжала двигаться избранным курсом. Глэдис испугалась, что сейчас корабль швырнет на скалы. Вблизи мыса море бушевало особенно яростно, и даже такой опытный моряк, как Пол, мог проиграть в схватке с коварной стихией. Но может быть, его нет на борту, подумала Глэдис. Мысль эта звучала диссонансом в слаженном оркестре ее чувств, но Глэдис пыталась уберечь себя от новых разочарований. Может быть — это не «Морская звезда»?

Но само сердце подсказывало ей, что это — Пол, что он приплыл к ней, чтобы...

Чтобы — что?..

Она не могла поверить, что Пол, которого она так хорошо изучила, может быть таким безрассудным.

Теперь Глэдис отчаянно хотела, чтобы это был Пол. Она готова была молиться, чтобы это было так. Ради себя, ради него... Ради будущего.

Бежать по песку, наперерез ветру, было трудно, и Глэдис очень быстро выбилась из сил. Но не остановилась. Добравшись до волнолома, защищавшего бухту от ярости моря, она побежала вдоль него и остановилась только там, где кончались шаткие деревянные перила. За ее спиной качались и подпрыгивали стоящие на якорях катера и яхты и раздавались крики людей, пришедших на причал, чтобы понадежнее укрепить свои суденышки, но Глэдис не обращала на них внимания. Вцепившись руками в ненадежное ограждение, она смотрела в сторону океана и ждала.

И вот из-за мыса показалась «Морская звезда», и у Глэдис захватило дух, когда она увидела на капитанском мостике Пола. Он стоял, широко расставив ноги, и яростный ветер трепал и рвал на нем прорезиненный плащ. По палубе стремительно сновали матросы, Пол отдавал им какие-то приказы, но Глэдис не слышала его голоса — все заглушал грохот бури. Яхта отчаянно маневрировала. У Глэдис слегка отлегло от сердца, когда она поняла, что «Морская звезда» благополучно миновала опасные подводные камни.

Она стояла совершенно неподвижно и только моргала, когда соленые брызги и клочья пены попадали ей в лицо. Глэдис была не в силах оторвать взгляд от Пола. Он был уже так близко, что, прищурившись, она разглядела на его губах улыбку. Тогда, оторвав от перил одну руку, она несмело помахала ему, и Пол тоже махнул ей в ответ.

Глэдис промокла насквозь, но она не замечала ни холода, ни пронизывающего ветра. Она даже не замечала, что плачет. Все мысли ее занимало одно: зачем он приплыл сюда?

Пол перестал махать ей рукой и отдал команде какое-то распоряжение. На ее глазах паруса поползли вниз, а под кормой появилось синее облачко выхлопа, которое тотчас же унес ветер. С трудом преодолевая волнение, яхта на дизеле вошла в бухту и встала на якоря. Двое матросов принялись спускать на воду катер.

Что это они делают, забеспокоилась Глэдис. В бухте было гораздо спокойнее, чем в открытом океане, но все же не настолько, чтобы крошечный катер мог достичь берега и не перевернуться. От волнения она задержала дыхание, глядя, как Пол спускается по веревочному трапу в танцующую на волнах скорлупку. «Мне нужен мужчина, который готов пройти ради меня сквозь бури и ураганы...» — сказала она ему, когда они были в Руанде, и Пол запомнил. Теперь Глэдис была уверена, что именно это он пытался сказать ей, когда звонил по телефону. «Твой мужчина идет к тебе через шторм» — вот что означали услышанные ею обрывки слов. Но что дальше? Быть может, он просто неудачно пошутил?

Но, глядя на то, как борется с волнами маленький катер, Глэдис поняла, что Пол не шутил. Он был предельно серьезен, и ей вдруг стало страшно, что вот сейчас он перевернется и погибнет прямо у нее на глазах, не успев сказать ей ни слова.

Несколько минут, пока Пол пересекал бухту, показались Глэдис часами. Наконец она увидела, что катер пытается пристать, и побежала по волнолому обратно. Когда она ступила на причал, Пол бросил ей канат, и Глэдис закрепила его за причальный кнехт. Пол вышел на берег и остановился, пристально глядя на нее. В его глазах застыло какое-то незнакомое, странное выражение, какого Глэдис никогда прежде не видела. Его взгляд как будто звал ее издалека, он был похож на голос, и Глэдис неожиданно узнала его. Это был голос ее мечты. Голос надежды.

Глэдис хотела что-то сказать, но горло ее стиснуло внезапной судорогой, и она не смогла произнести ни слова. Она стояла, не двигаясь с места, и Пол первым шагнул вперед и привлек к себе.

— Это, конечно, не настоящий шторм, но, может быть, ты не будешь слишком строга? — прошептал он ей в самое ухо, чтобы она могла расслышать его за воем ветра и грохотом волн. — Я звонил тебе...

— Я знаю, — ответил Глэдис. — Я почти ничего не слышала, но догадалась, что это ты.

Она немного отстранилась и посмотрела ему прямо в глаза со страхом и надеждой.

— Я хотел сказать, что я иду к тебе. Сквозь шторм и ураган, как ты хотела... — Слезы текли по его лицу и смешивались с дождем и соленой морской водой. — Мне потребовалось много... слишком много времени, чтобы добраться сюда. Ты простишь меня, Глэдис?

Но Глэдис больше не казалось, что год, прошедший с их первой встречи, — это очень долго. Совсем наоборот. Он пролетел как одна минута. Они нашли друг друга, и разве важно, сколько времени ушло на это? Теперь ее мечта сбылась, и прошлое потеряло свое значение.

Подняв руку, Глэдис осторожно коснулась его щеки, словно все еще опасалась, что вот-вот проснется и все исчезнет. Но по-прежнему завывал шторм, раскачивалась на якорях «Морская звезда», и Пол стоял перед ней в плотном прорезиненном плаще, с которого потоками стекала вода.

И тогда Глэдис улыбнулась ему. В этой улыбке было все, что она хотела сказать Полу. Они оба прошли сквозь жизненные бури и штормы и встретились, чтобы никогда больше не расставаться.

Их поцелуй был подобен нерушимой клятве, соединившей их навсегда.

Литературно-художественное издание

Даниэла Стил

ГОРЬКИЙ МЕД

Редактор *А. Юцевич*
Художественный редактор *М. Левыкин*
Технические редакторы *Н. Носова, Л. Панина*
Корректор *В. Назарова*

Налоговая льгота — общероссийский классификатор
продукции ОК-005-93, том 2; 953000 — книги, брошюры.

Подписано в печать с готовых диапозитивов 21.10.99.
Формат 84×108 $^1/_{32}$. Гарнитура «Таймс».
Печать офсетная. Усл. печ. л. 22,68. Уч.-изд. л. 20,1.
Тираж 20 000 экз. Зак. № 973.

Изд. лиц. № 065377 от 22.08.97.

ЗАО «Издательство «ЭКСМО-Пресс»,
125190, Москва, Ленинградский проспект, д. 80,
корп. 16, подъезд 3.

Отпечатано в Тульской типографии.
300600, г. Тула, пр. Ленина, 109.

«НАСЛАЖДЕНИЕ»
СОВРЕМЕННЫЙ ЖЕНСКИЙ РОМАН

О минутах блаженства слагают поэмы, о наслаждении мечтают наяву и во сне… Серия современных романов – о женской любви и пропасти разочарований, о безумных восторгах и подлом предательстве, о вечном сладостном поединке мужчин и женщин, охваченных всепоглощающей страстью.

В ЭТОЙ СЕРИИ ВЫХОДЯТ КНИГИ ТАКИХ АВТОРОВ, КАК:

Д.Коллинз, В.Кауи, Д.Дейли, Н.Робертс, С.Боумен, Б.Брэдфорд.

Все книги объемом 500-600 стр., золотое тиснение, красочная обложка, твердый переплет.

«ДЕТЕКТИВ ГЛАЗАМИ ЖЕНЩИНЫ»

Героини этих книг – женщины, они – в самом центре опасных, криминальных интриг. Киллеры, телохранители, частные детективы и… страстные любовницы. Они с честью выходят из всех передряг, которые готовит им злодей-случай. Эти представительницы слабого пола умеют смотреть смерти в лицо и способны посрамить даже самых матерых преступников. Ибо их оружие – ум, непредсказуемость и… женская слабость.

Все книги объемом 400-500 стр., твердая, целлофанированная обложка, шитый блок.

НЯНЯ

Журнал рассчитан прежде всего на женщин, имеющих одного или более детей в возрасте от 0 до 12 лет, а так же на тех, кто только готовится стать матерью. Цель издания — помочь родителям вырастить психически и физически здорового ребенка.

В журнале несколько разделов, каждый из которых соответствует таким важным темам, как беременность, детское здоровье, питание, воспитание и обучение, взаимоотношения в семье, мода, театр, этикет, интервью со звездами.

Прекрасное иллюстративное оформление, строгая научная основа, хороший литературный язык, легкий юмор отличают большинство публикаций журнала и делают их доступными и понятными для широкого круга читателей.

Подписной индекс «НЯНИ» в каталоге «Роспечати»:

на полугодие
34001

на год
71677

Учредитель: Издательский Дом «**Karl Gibert**»
Россия, Москва, 101063, Армянский пер., д.11/2
Телефоны редакции: (095) 925-8577, 923-5267
Internet-версия: www.nanya.ru e-mail: nanya@aha.ru